ITALIAN SENTENCE BUILDERS

A lexicogrammar approach

Pre-intermediate to Intermediate

ISBN: 9783949651687

Imprint: Independently Published
Edited by Alberto Quaggiotto & Marcella Moglia

About the authors

Gianfranco Conti taught for 25 years at schools in Italy, the UK and in Kuala Lumpur, Malaysia. He has also been a university lecturer, holds a Master's degree in Applied Linguistics and a PhD in metacognitive strategies as applied to second language writing. He is now an author, a popular independent educational consultant and professional development provider. He has written around 2,000 resources for the TES website, which have awarded him the Best Resources Contributor in 2015. He has co-authored the best-selling and influential book for world languages teachers, "The Language Teacher Toolkit", "Breaking the sound barrier: Teaching learners how to listen", in which he puts forth his Listening As Modelling methodology and "Memory: what every language teacher should know". Gianfranco writes an influential blog on second language acquisition called The Language Gym, co-founded the interactive website language-gym.com and the Facebook professional group Global Innovative Language Teachers (GILT). Last but not least, Gianfranco has created the instructional approach known as E.P.I. (Extensive Processing Instruction) which underpins the content and structure of this book.

Dylan Viñales has taught for 15 years, in schools in Bath, Beijing and Kuala Lumpur in state, independent and international settings. He lives in Kuala Lumpur. He is fluent in five languages, and gets by in several more. Dylan is, besides a teacher, a professional development provider, specialising in E.P.I., metacognition, teaching languages through music (especially ukulele) and cognitive science. In the last five years, together with Dr Conti, he has driven the implementation of E.P.I. in one of the top international schools in the world: Garden International School. This has allowed him to test, on a daily basis, the sequences and activities included in this book with excellent results (his students have won language competitions both locally and internationally). He has designed an original Italian curriculum, bespoke instructional materials, based on Reading and Listening as Modelling (RAM and LAM). Dylan co-founded the fastest growing professional development group for modern languages teachers on Facebook, Global Innovative Languages Teachers, which includes over 12,000 teachers from all corners of the globe. He authors an influential blog on modern language pedagogy in which he supports the teaching of languages through E.P.I. Dylan is the lead author of Italian content on the Language Gym website and oversees the technological development of the site.

Alberto Quaggiotto has taught languages since 2008. With a passion for travelling and meeting new people, he has taught a variety of age groups in a number of countries: Italy, India, Jordan, Spain, the UK and Vietnam to name (hopefully) a few. With a strong passion for Safeguarding and Well-being, Alberto has been Designated Safeguarding Lead, has authored "I'm used to", a book in Italian on the topic, and he has led workshops on the relationship between teachers and students and how to improve classroom dynamics. Currently working towards his Masters in Educational Neuroscience and a professional qualification as counselor in international schools, he looks forwards to the next opportunity to develop professionally and as a person.

DEDICATION

For Catrina
- Gianfranco

For Ariella and Leonard
- Dylan

For Lucy and Barry
- Alberto

Acknowledgements

Alberto would like to thank Marcella for all the work and even more for the endless puns that made the revision process so enjoyable! A huge thanks goes also to his wife, Rashmi, for her wisdom, patience and support, and to ombretta [sic], treasured friend and much needed guide on the journey to re-learn how to read and write. Finally, a grateful thought goes to all those people who have contributed to his journey as a language(s) learner.

Our heartfelt thanks to our team of guest proofreaders: Simona Gravina, Christian Moretti, Cristina Mari, Stefano Pianigiani, Gabriele Ragnini, Francesca Ciaravino, Giulia Frisina, Ambrogio De Santis, Alberta Capasso. Angela Benedetti, Maria Grazia Giglione & Sophie Neil. Their contributions have ensured not only a highly accurate book, but also helped make suggestions in terms of choice of lexis. We thank the team for generously lending their time and expertise to this project.

Our gratitude to Martin Lapworth for his time spent creating online versions of the Sentence Builders in this book, and for the proofreading and editing notes that arise as a result of this process. All Sentence Builders in the book are now available, via subscription, on SentenceBuilders.com. Martin always adds a significant and tangible value throughout this final stage! Thank you!

Thirdly, heartfelt thanks to our designer Jean for the superb work carried out designing the book cover and the other illustrations and graphics within this book.

Finally, thanks to all the wonderful, supportive and passionate educators on Twitter who have helped enhance our book with their suggestions and comments, and to the members of the Global Innovative Language Teachers (GILT) Facebook group for their engagement and input into our polls. We consider ourselves very lucky to have such colleagues to inspire and spur us on.

Grazie a tutti.

Introduction

Hello and welcome to the first 'text' book designed to be an accompaniment to an Italian, Extensive Processing Instruction course. The book has come about out of necessity, because such a resource did not previously exist.

How to use this book if you have bought into our E.P.I. approach

This book was originally designed as a resource to use in conjunction with our E.P.I. approach and teaching strategies. Our course favours flooding comprehensible input, organising content by communicative functions and related constructions, and a big focus on reading and listening as modelling. The aim of this book is to empower the pre-intermediate to intermediate learner with linguistic tools - high-frequency structures and vocabulary - useful for real-life communication. Since, in a typical E.P.I. unit of work, aural and oral work play a huge role, this book should not be viewed as the ultimate E.P.I. coursebook, but rather as a **useful resource** to **complement** your Listening-As-Modelling and Speaking activities.

Sentence Builders – Online Resources

Please note that all the content from these units also exist inside the Vocab Trainer, Boxing Game and Audio Boxing Game on the Language Gym website (available via subscription), inside a designated Book level, which match, unit by unit, the content of this book. There are also downloadable sentence builders which will be available in bilingual and Italian only versions on the Locker Room section, also on the Language Gym.

How to use this book if you don't know or have NOT yet bought into our approach

Alternatively, you may use this book to dip in and out of as a source of printable material for your lessons. Whilst our curriculum is driven by communicative functions rather than topics, we have deliberately embedded the target constructions in topics which are popular with teachers and commonly found in published coursebooks.

If you would like to learn about E.P.I. you could read one of the authors' blogs. The definitive guide is Dr Conti's "Patterns First – How I Teach Lexicogrammar" which can be found on his blog (www.gianfrancoconti.com). There are also blogs on Dylan's wordpress site (mrvinalesmfl.wordpress.com) such as "Using sentence builders to reduce (everyone's) workload and create more fluent linguists" which can be read to get teaching ideas and to learn how to structure a course, through all the stages of E.P.I.

The book "Breaking the Sound Barrier: Teaching Learners how to Listen" by Gianfranco Conti and Steve Smith, provides a detailed description of the approach and of the listening and speaking activities you can use in synergy with the present book.

The basic structure of the book

The book contains 19 macro-units which concern themselves with a specific communicative function, such as 'Describing people's appearance and personality', 'Comparing and contrasting people', 'Saying what you like and dislike' or 'Saying what you and others do in your free time'. You can find a note of each communicative function in the Table of Contents. Each unit includes:

- a sentence builder modelling the target constructions;
- a set of vocabulary building activities which reinforce the material in the sentence builder;
- a set of narrow reading texts exploited through a range of tasks focusing on both the meaning and structural levels of the text;
- a set of translation tasks aimed at consolidation through retrieval practice;
- a set of writing tasks targeting essential writing micro-skills such as spelling, functional and positional processing, editing and communication of meaning.

Each sentence builder at the beginning of a unit contains one or more constructions which have been selected with real-life communication in mind. Each unit is built around that construction but not solely on it. Based on the principle that each E.P.I instructional sequence must move from modelling to production in a seamless and organic way, each unit expands on the material in each sentence builder by embedding it in texts and graded tasks which contain both familiar and unfamiliar (but comprehensible and learnable) vocabulary and structures. Through lots of careful recycling and thorough and extensive processing of the input, by the end of each unit the student has many opportunities to encounter and process the new vocabulary and patterns with material from the previous units.

Alongside the macro-units you will find:

- **Question-skills units**: two pages on understanding and creating questions. These micro-units occur after **every** unit in the book, so as to recycle the same question patterns in different linguistic contexts;
- **Revision workouts**: these are retrieval practice tasks aimed at keeping the previously learnt vocabulary alive. These too occur at regular intervals, after **every other** unit.

The point of all the above micro-units is to implement lots of systematic recycling and interleaving, two techniques that allow for stronger retention and transfer of learning.

It should be noted that, unlike the first book in this series, this volume does not contain grammar sections. The key grammar points will be explained and drilled extensively in a dedicated booklet which will be published over the next few months.

Important *caveat*

1) This is a '**no frills**' book. This means that there are a limited number of illustrations (only on unit title pages). This is because we want every single little thing in this book to be useful. Consequently, we have packed a substantive amount of content at the detriment of its outlook. In particular, we have given serious thought to both **recycling** and **interleaving**, in order to allow for key constructions, words and grammar items to be revisited regularly so as to enhance exponentially their retention.

2) **Listening** as modelling is an essential part of E.P.I. There will be an accompanying listening booklet released shortly which will contain narrow listening exercises for all 15 units, following the same content as this book.

3) **All content** in this booklet matches the content on the **Language Gym** website. For best results, we recommend a mixture of communicative, retrieval practice games, combined with Language Gym games and workouts, and then this booklet as the follow-up, either in class or for homework.

4) An **answer booklet** is also available, for those that would like it. We have produced it separately to stop this booklet from being excessively long.

5) This booklet is suitable for **pre-intermediate** to **intermediate** learners. This equates to a **CEFR A1-A2** level, or a pre-intermediate to intermediate level **Y8-Y9** class. You do not need to start at the beginning, although you may want to dip in to certain units for revision/recycling. You do not need to follow the booklet in order, although many of you will, and if you do, you will benefit from the specific recycling/interleaving strategies. Either way, all topics are repeated frequently throughout the book.

We do hope that you and your students will find this book useful and enjoyable.

Gianfranco, Dylan & Alberto

Table of Contents

Unit 1

Saying where I live

In this unit you will learn:

- To say where you live
- To say where your town, neighbourhood and home are located

Key sentence patterns:

- *Vivo a* + location
- *Mi piace perché* + *è/c'è/ci sono/si può* + adjective/noun phrase/infinitive

Grammar:

- *Essere - esserci*

UNIT 1: Saying where I live

<table>
<tr><td rowspan="4">Vivo a
[I live in]
Viviamo a
[We live in]</td><td rowspan="4">Berlino
Cardiff
Dublino
Edimburgo
Londra
Madrid
Melbourne
Montreal
Napoli
Parigi
Roma</td><td rowspan="4">Si trova
[It is (situated)]</td><td rowspan="4">nel centro
nel nord
nel nordest
nel nordovest
nel sud
nel sudest
nel sudovest
nell'est
nell'ovest</td><td>d'*</td><td>Italia</td></tr>
<tr><td>del</td><td>Canada
Galles</td></tr>
<tr><td>dell'</td><td>Australia
Inghilterra
Irlanda</td></tr>
<tr><td>della</td><td>Francia
Germania
Scozia
Spagna</td></tr>
</table>

<table>
<tr><td rowspan="4">In centro
[In the centre]
Nel mio paese**
[In my village]
Nel mio quartiere
[In my neighbourhood]
Nella mia città
[In my city/town]
Nella mia strada
[In my street]
Vicino a casa mia
[Near my house]</td><td>(non) c'è
[there is -not-]</td><td colspan="2">un acquario [an aquarium]
un centro commerciale [a mall]
un cinema [a cinema]
un centro sportivo [a sports centre]
un giardino botanico [a botanical garden]
un grande parco [a big park]
una strada pedonale [a pedestrian street]</td></tr>
<tr><td>(non) ci sono
[there are -not-]</td><td colspan="2">bar [cafés]
molte cose da fare [many things to do]
molte cose da fare per i giovani
[many things to do for young people]
molte cose da vedere [many things to see]
molti giovani [lots of young people]
ristoranti [restaurants]</td></tr>
<tr><td rowspan="2">(non) abbiamo
[we -don't- have]</td><td>molte
[many – fem. pl.]</td><td>belle strade [beautiful streets]
strutture sportive [sports facilities]</td></tr>
<tr><td>molti
[many – masc. pl.]</td><td>edifici antichi [old buildings]
negozi [shops]
ristoranti [restaurants]</td></tr>
</table>

<table>
<tr><td rowspan="3">Mi piace il mio quartiere perché
[I like my neighbourhood because]
Non mi piace il mio quartiere perché
[I don't like my neighbourhood because]</td><td>è
[it is]</td><td>pericoloso [dangerous]
pulito [clean]
sicuro [safe]
sporco [dirty]
tenuto bene/male [well/badly kept]</td></tr>
<tr><td>(non) c'è
[there is -not-]</td><td>molto inquinamento [a lot of pollution]
molto rumore [a lot of noise]
molto traffico [a lot of traffic]</td></tr>
<tr><td>(non) si può
[one can -not-]</td><td>fare sport [do sport]
mangiare bene [eat well]
passeggiare [go for a walk]</td></tr>
</table>

*** d' is omitted when talking about the north, south or centre.**

**** *Paese* with capital letter indicates "country".**

1. Match

Ci sono molti giovani	There are many green spaces
Ci sono molte strade pedonali	There are many shopping centre
Ci sono molti edifici antichi	There are many good restaurants
Ci sono molti negozi	There is a lot to see
C'è molto rumore	There are many shops
Ci sono molti centri commerciali	There are many modern buildings
Ci sono molte strutture sportive	There are many pedestrian streets
Ci sono molti ristoranti buoni	There are many sports facilities
Ci sono molte aree verdi	There is a lot of noise
Ci sono molti edifici moderni	There are many things to do
Ci sono molte cose da fare	There are many old buildings
C'è molto da vedere	There are many young people

2. Break the flow

a. LamiacittàsitrovanelcentrodellInghilterra.

b. LamiacittàsitrovanellovestdellaFrancia.

c. Nellamiacittàcisonomoltibarediscoteche.

d. Nelmioquartierecèmoltodafareedavedere.

e. Nelmiopaesenoncèmoltoinquinamento.

f. Vicinoacasamiacisonomolteareeverdi.

g. Nelmioquartierecisonomolticentricommerciali.

h. Vicinoacasamiacisonomoltinegozichemipiacciono.

3. Missing letters

a. C__ sono molt__ strade pe__onali.

b. Ci s__no mol__i e__ifici antic__i.

c. __i sono molte are__ ve__di.

d. Non c'__ molt__ rumo__e.

e. Ci so__o mo__ti __iovani.

f. Non __'è m__lto in__uinamento.

g. Ci __ono __olte strut__ure sporti__e.

4. Translate into English

a. Molto inquinamento

b. Molte cose da fare

c. Molti negozi che mi piacciono

d. Molte strade pedonali

e. Molto rumore

f. Molte aree verdi

g. Molti edifici antichi

h. C'è molto da vedere

i. Ci sono molte strutture sportive

5. Complete

a. Ci sono molte cose da f__________.

b. Non ci sono molte strutture s__________.

c. Ci sono molte a__________ verdi.

d. Ci sono molti edifici a__________.

e. Abbiamo molti n__________.

f. C'è molto r__________.

g. Non abbiamo molte strade p__________.

h. Ci sono molti g__________.

i. Non c'è molto t__________.

j. Non c'è molto i__________.

6. Faulty translation: correct the wrong English translation.
PLEASE NOTE: not all the translations are incorrect

a. La mia città è nell'ovest della Germania.
My town is in the east of Scotland.

b. Vivo in una grande casa sulla costa.
I live in a small house on the coast.

c. Il mio quartiere è in periferia.
My neighbourhood is on the outskirts.

d. Il mio quartiere è molto grande e moderno.
My town is very big and modern.

e. Nel mio quartiere c'è molto da fare per i giovani.
In my neighbourhood there is a lot to do for young people.

f. Amo il mio quartiere perché non c'è criminalità.
I like my neighbourhood because there is no crime.

g. Nel mio quartiere ci sono molti buoni negozi.
In my neighbourhood there are many cheap shops.

h. Nel mio quartiere si possono fare molte cose.
In my neighbourhood one can do many things.

7. Complete the table

English	Italiano
Old buildings	
Neighbourhood	
	Molto da fare
	Non c'è rumore
It is in the north	
	Si trova nel sudest
	Edifici moderni

8. Complete the table

English	Italiano
	C'è inquinamento
A lot to do	
	Molte cose
Many good shops	
	Molto pulito
	Nella mia città
In my neighbourhood	

9. Complete the translation

a. Ci sono molti negozi che mi piacciono. *There are many* ____________ *that I like.*

b. C'è molto da fare per i giovani. *There is a lot to do for* ______________.

c. Ci sono molte aree verdi. *There are a lot of* ________________________.

d. Si può mangiare bene. *One can* __________ *well.*

e. È un quartiere sicuro. *It is a* ____________ *neighbourhood.*

f. C'è molto inquinamento. *There is a lot of* _______________.

g. Non c'è molto rumore. *There isn't much* ______________.

10. Translate into English

a. Nella mia città c'è molto da fare per i giovani.
b. Nel mio quartiere ci sono molti buoni bar e ristoranti.
c. Amo il mio quartiere perché ci sono molte strutture sportive
d. Mi piace il mio quartiere perché è sicuro.
e. Mi piace il mio quartiere perché è molto pulito ed è tranquillo.
f. Nel mio quartiere ci sono molti centri commerciali con molti buoni negozi.
g. Nel mio quartiere c'è molto da fare per i bambini.
h. Non mi piace il mio quartiere perché c'è molto inquinamento.

11. Correct the grammar and/or spelling errors

a. Molti edifici antico
b. C'è molto fare
c. Me piace il mio quartiere
d. Ci sono molti buone negozi
e. Si trova in il nord della Germania
f. C'è molti giovani
g. C'e molta inquinamento
h. Cè molto da fare per i giovani e i babini

12. Sentence puzzle: rewrite the sentences in the correct order

a. quartiere Nel c'è mio fare da molto — *In my neighbourhood there is a lot to do.*
b. città La mia nord nel dell' trova Inghilterra si — *My town is in the north of England.*
c. buoni mia strada Nella sono negozi molti ci — *In my street there are many good shops.*
d. in Vivo quartiere un e molto moderno grande — *I live in a very big and modern neighbourhood.*
e. sud città La nel mia si Italia trova — *My town is in the south of Italy.*
f. mia Nella strada molti ci sono edifici storici — *In my street there are many historic buildings.*

13. Match

Antico	Dangerous
Moderno	Beautiful
Pulito	Safe
Sporco	Quiet
Brutto	Clean
Bello	Ugly
Tranquillo	Noisy
Rumoroso	Dirty
Sicuro	Modern
Pericoloso	Old

14. Multiple choice: choose the grammatically correct answer

1	2	3
Buoni negozi	Buono negozi	Buoni negozio
Edifici antico	Edificio antichi	Edifici antichi
Molto per fare	Molto fare	Molto da fare
Molto per vedere	Molto da vedere	Molto vedere
Una strada sporco	Una strada sporca	Una sporco strada
Una città brutta	Una citta brutta	Una città bruttà
Molte cosa	Molta cose	Molte cose
Negozi caro	Caro negozi	Negozi cari
Si trova nel sud	Si trova sud	Si trova in il sud

15. Complete with the correct option

a. Nella mia città _______ molto da vedere e da fare.

b. La mia città _____ __________ nel nord.

c. Nella mia _________ ci sono molti edifici antichi.

d. Nella mia città ci sono molte _________ sportive.

e. Mi _______ il mio quartiere perché non c'è rumore.

f. Mi piace molto la _________ del mio quartiere.

g. Il mio quartiere è un __________ sicuro.

h. Nella mia città c'è molto da fare per i _________.

strutture	gente	si trova	piace
posto	c'è	strada	giovani

16. Match

Molto da fare	Old buildings
Nel mio quartiere	Many things
Nella mia città	Many shops
Edifici antichi	For young people
Nel nord	A lot to do
La gente	In my neighbourhood
Per i giovani	Green spaces
Molti negozi	In my street
Aree verdi	In my town
Nella mia strada	The people
Molte cose	In the north

17. Spot the intruders: read the translations and spot the extra words in the Italian

a. Mi piace molto la gente del mio quartiere.
I like the people of my neighbourhood.

b. Nella mia strada ci sono molti buoni negozi.
In my street there are a lot of shops.

c. La mia città si trova nel nord del Paese.
My town is in the north.

d. La cosa peggiore del mio quartiere è l'inquinamento atmosferico.
The worst thing about my neighbourhood is the pollution.

e. Nel mio quartiere si possono sempre fare molti sport all'aria aperta.
In my neighbourhood one can do a lot of outdoor sports.

f. Nella mia città non c'è molto da fare per i giovani.
In my city there is a lot to do for young people.

g. Il mio quartiere si trova molto in periferia.
My neighbourhood is situated on the outskirts.

h. Mi piace il mio quartiere perché ci sono edifici storici molto belli.
I love my neighbourhood because there are historical buildings.

i. Il mio quartiere è troppo rumoroso.
My neighbourhood is noisy.

Mi chiamo Cinzia. Vivo a Trieste, ma sono di Bologna. Trieste si trova nel nordest d'Italia. Vivo in un quartiere molto bello nel centro della città. È la parte più antica della città.

Nel mio quartiere ci sono moltissimi edifici storici, però non ci sono molte strutture sportive. Comunque, c'è molto da fare per i giovani. Il mio quartiere è il più animato! Ci sono molti bar e ristoranti e ci sono anche molti buoni negozi.

In generale, la gente del mio quartiere è molto simpatica. Quello che non mi piace è che ci sono troppi turisti, quindi *[therefore]* c'è molto rumore.

(Cinzia, 14 anni. Bologna)

18. Find in the text

a. I am from

b. Is located

c. A very beautiful neighbourhood

d. Many buildings

e. Sports facilities

f. There is a lot to do

g. The neighbourhood is the liveliest

h. Many good shops

i. What I don't like

j. A lot of noise

Mi chiamo Barry. Ho diciassette anni. Vivo a Bari, però sono di Reading, in Inghilterra. Bari si trova nel sudest d'Italia, sulla costa. Vivo in un quartiere residenziale molto brutto nella periferia della città.

Nel mio quartiere ci sono moltissimi edifici sporchi e brutti. Non ci sono molte strutture sportive né negozi. Non ci sono nemmeno cose per i giovani. Oltretutto c'è molta criminalità, quindi non esco spesso. In più, vicino al mio quartiere ci sono molte fabbriche e quindi c'è abbastanza inquinamento.

Il mio edificio si trova molto vicino all'aeroporto, quindi c'è anche molto rumore. È la cosa peggiore di tutte.

(Barry, 17 anni. Reading, Inghilterra)

19. Complete the translation of Barry's text

My name is Barry. I am seventeen years old. I live in Bari, but I am from Reading in England. Bari is ________ in the _______ of Italy, on the coast. I live in a very ___________ residential neighbourhood on the ______________ of the city.
In my neighbourhood there are many __________ and ugly buildings. There are not many _____________ ____________ nor __________. There are not things for _____________ ___________ either. Also, there is a lot of _____________, therefore I don't go out often. ____________, near my neighbourhood there are many factories, therefore there is quite a bit of __________________.

My building is located very _________ the airport, therefore there is a lot of ____________. This is the ____________ of all.

20. Answer the following questions on Barry's text in Italian

a. Quanti anni ha Barry?

b. Dove vive?

c. Di dov'è?

d. Dove si trova il quartiere di Barry?

e. Come sono gli edifici del suo quartiere?

f. Ci sono molte cose per i giovani?

g. È un quartiere sicuro? Perché?

h. Perché c'è molto inquinamento?

i. Perché c'è molto rumore?

j. Che cos'è la cosa peggiore di tutte?

Mi chiamo Alessandro. Sono di Isernia, in Molise, però vivo a Roma per il lavoro di mio padre. Roma si trova in centro Italia. Vivo in un quartiere storico molto bello nel centro della città. È un quartiere molto turistico e quindi c'è molta gente, strade alla moda e rumore. Ci sono sempre ingorghi *[traffic jams]*. Questa è la cosa peggiore.

Nel mio quartiere c'è molto da fare per i giovani. È molto animato! Ci sono molte strade pedonali con molti bar e ristoranti all'aperto. Ci sono anche molte discoteche che sono aperte *[open]* fino alle sei del mattino. Inoltre, ci sono molti negozi carini.

In generale, la gente del mio quartiere è molto simpatica e tranquilla. Quello che non mi piace è che ci sono troppi turisti e quindi c'è molto rumore. La cosa migliore è che è abbastanza sicuro perché non c'è molta criminalità e ci sono molti poliziotti per le strade.

(Alessandro, 13 anni. Isernia)

21. Find in the text

a. Because of my father's job
b. Is located
c. Beautiful
d. And therefore there is
e. Noise
f. There are always traffic jams
g. This is the worst of all
h. For young people
i. It is very lively
j. Pedestrian streets
k. In the open air
l. Which are open until six a.m.
m. Many nice shops
n. The people of my neighbourhood
o. Too many tourists
p. It is quite safe
q. In the streets

Mi chiamo Daniela. Sono di Lugano, in Svizzera, però vivo a Catania, in Italia. Vivo in un quartiere nella periferia della città. Mi piace molto il mio quartiere perché ci sono molte strutture sportive, come piscine e centri sportivi, c'è anche un centro commerciale enorme dove c'è un cinema, un bowling, una pista di pattinaggio (ice rink) e molti buoni negozi. Non c'è né inquinamento né rumore.

Vicino a casa mia c'è un giardino botanico, un museo, una piscina, un centro commerciale enorme e un parco dove vado a correre, vado in bici e porto il cane a passeggio.

In generale, la gente del mio quartiere è educata, tranquilla e disponibile. È un quartiere sicuro e molto bello. La cosa migliore di tutte è che ci sono molte aree verdi. Ci sono parchi con alberi molto grande e vecchi. Amo la natura!

(Daniela, 11 anni. Lugano)

22. Comprehension questions

a. In which part of Catania does she live?
b. What sports facilities does Daniela mention?
c. What can be found in the shopping centre? (four details)
d. What does she say about pollution and noise?
e. What is there near her house? (5 details)
f. What does she do at the park? (3 details)
g. How does she describe the people in her neighbourhood?
h. What is Daniela's favourite thing about her area? Why?

23. Complete the sentences with the missing words

a. La _ _ _ _ _ del mio quartiere è _ _ _ _ _ _ _ _ _ _.
The people of my neighbourhood are nice.

b. Nel mio _ _ _ _ _ _ _ _ _ _ c'è molto _ _ _ _ _ _ _ _ _ _ _ _ _ _.
In my neighbourhood there is a lot of pollution.

c. Nella mia città _ _ _ _ _ _ _ molte _ _ _ _ _ _ _ _ _ _.
In my town there are a lot of factories.

d. Ci sono _ _ _ _ _ turisti e quindi c'è molto _ _ _ _ _ _ _.
There are a lot of tourists, so there is a lot of noise.

e. Amo la mia _ _ _ _ _ perché ci sono molte _ _ _ _ _ _ _ _ _ _ _.
I love my town because there are many green areas.

f. Nella mia _ _ _ _ _ _ _ ci sono molti buoni _ _ _ _ _ _ _.
In my street there are many good shops.

g. La _ _ _ città è un _ _ _ _ _ _ molto _ _ _ _ _ _ _.
My town is a very safe place.

h. Vicino a _ _ _ _ mia c'è un _ _ _ _ _ _ dove vado in _ _ _ _ e porto a passeggio il mio _ _ _ _.
Near my house there is a park where I ride my bike and walk my dog.

24. Translate into English

a. fabbriche
b. c'è
c. negozi
d. quartiere
e. città
f. si può
g. strutture
h. inoltre
i. strada
j. parco
k. vicino
l. è sicuro

25. Find in the wordsearch the Italian translation of the phrases below, then write it next to each of them as shown in the example

K	J	O	V	K	F	M	U	X	W	E	H	A	X	S	M	Z	F	P
H	R	W	N	E	R	E	I	T	R	A	U	Q	O	I	M	L	E	N
T	T	A	B	O	X	O	V	E	L	H	M	V	Q	A	Q	B	B	Y
E	O	Z	N	L	S	R	V	C	K	K	T	Z	C	T	F	X	Y	S
I	T	X	I	X	A	I	M	A	S	A	C	A	O	N	I	C	I	V
J	F	N	Q	K	V	H	C	H	K	C	K	Y	N	L	J	D	W	K
Q	L	J	E	Ò	C	È	I	N	Q	U	I	N	A	M	E	N	T	O
X	W	H	U	G	E	R	O	I	L	G	I	M	A	S	O	C	A	L
F	V	P	H	O	A	I	P	P	A	D	U	K	I	Z	R	E	N	Z
U	I	C	Y	M	O	L	T	I	N	E	G	O	Z	I	C	D	U	T
S	N	E	L	L	A	M	I	A	S	T	R	A	D	A	C	U	A	Y
V	L	F	N	E	R	O	I	G	G	E	P	A	S	O	C	A	L	C

a. A lot of shops
b. Near my house
c. There are
d. There is pollution
e. The best thing
f. The people
g. In my street
h. The worst thing
i. In my neighbourhood
j. One can live

26. Complete with suitable words

a. Vivo in una __________ nel nord Italia.

b. Il mio quartiere si trova in _________.

c. Non mi piace il mio quartiere perché è __________.

d. Non ____ ______ molti _________ negozi.

e. C'è anche __________ criminalità e quindi non è un posto ____________.

f. La cosa peggiore è che ci sono molte fabbriche e quindi c'è molto ______________.

g. Nella mia strada c'è solo un _____________.

h. Vivo in un edificio _____________ e antico. Non mi ______________.

27. Form logical phrases joining bits from each column

Vivo nel	è il traffico
C'è un	molto il mio quartiere
La gente	carini
La mia città	brutto e trascurato
Mi piace	inquinamento
Ci sono negozi	ci sono molte fabbriche
La cosa peggiore del mio quartiere	è molto simpatica e disponibile
Nel mio quartiere	centro sportivo moderno
Il mio edificio è	sud Italia
Nella mia città c'è molto	si trova nel nord Italia

28. Guided translation

a. N___ m__ q__________ c'è m__________ t____________.
In my neighbourhood there is a lot of traffic.

b. N____ m__ p_________ i__ m___ q_________ p_________ è s_______ e p__________.
I don't like my neighbourhood because it is dirty and dangerous.

c. N____ m___ s_________ c__ s____ m____________ b___________ n__________.
In my street there are many good shops.

d. L__ m___ c___________ s__ t______ n____ n________ d____ I_______________.
My town is in the north of England.

e. L__ c_____ p_________ d___ m___ q_________ è l'i ___________________.
The worst thing about my neighbourhood is the pollution.

f. N____ m___ c_________ c__ s____ m__________ c____ d__ f_______ p___ i g____________.
In my city there are many things to do for young people.

g. V_________ a c_______ m___ c__ s_____ u__ p___________ e u____ p______________.
Near my house there is a park and a swimming pool.

h. L__ c_____ m_________ d___ m___ q_________ è c____ è s___________.
The best thing about my neighbourhood is that it is safe.

i. I__ g_____________, l__ g________ d___ m___ q_________ è m______ e_______________.
In general, the people of my neighbourhood are very polite.

j. V_________ a c_______ m___ c'è u__ g____________ b______________.
Near my house there is a botanical garden.

29. Spot the missing word: there is a missing word in each line, spot it and add it in

a. Nel quartiere c'è molto inquinamento.
b. Nella mia città sono molte aree verdi.
c. In generale, nel mio quartiere la gente molto simpatica.
d. Nella mia strada ci molti buoni negozi.
e. Vivo in edificio molto vecchio e brutto.
f. Vivo in quartiere storico.
g. La cosa peggiore mio quartiere è il rumore.
h. Vivo molto vicino aeroporto.
i. Vicino a casa mia c'è un parco molto carino dove vado bici.
j. Il mio quartiere molto brutto.

30. Tangled translation: rewrite in Italian

a. La mia città **is situated in the** sud **of Italy.**
b. Vivo **in a** città nel **north** della **Spain.**
c. Il mio **village**, Susa, si trova **near** alla Francia.
d. Mi piace la **my** città **because** è **very** bella.
e. Vicino a **house** mia c'è un **shopping mall.**
f. Il mio **neighbourhood** si trova in **outskirts**.
g. Il mio quartiere **is** molto **big** e **modern.**
h. Ci sono molti **parks** e strutture sportive, per esempio **swimming pools** e una **gym.**
i. Non **there are** molti negozi, **but** c'è un centro commerciale non molto **far** da **house** mia.
j. Nella mia **street** c'è un parco molto **big** dove vado in **bike** e porto a passeggio il **dog**.
k. La **best of the** mio quartiere è **that** la gente **is** simpatica.

31. Translate into Italian

a. I live in a town
b. My neighbourhood is
c. Near my house
d. Green spaces
e. There is a shopping mall
f. In my street
g. Not far from
h. I walk the dog
i. I ride a bike
j. In the north of Italy
k. On the outskirts
l. I really like my neighbourhood
m. The best thing
n. A lot to do for young people

32. Translate into Italian

I live in a town in the north of Italy. My neighbourhood is located on the outskirts of the town. My neighbourhood is big and modern. There are many green spaces and sports facilities. There are not many shops but there is a shopping centre near my house. In my street there is a gym, a small supermarket and a bar. Near my house there is a big park where I ride a bike and walk my dog. The best thing about my neighbourhood is that the people are friendly and polite. The worst thing is that there is not much to do for young people.

33. Complete the sentences creatively

a. La mia città si trova nel ...

b. Il mio quartiere si trova in...

c. Vicino a casa mia c'è...

d. Mi piace molto il mio quartiere perché...

e. La cosa migliore del mio quartiere è...

f. La cosa peggiore del mio quartiere è...

g. Vicino al mio quartiere c'è un parco dove...

h. Nella mia strada ci sono...

34. Write a sentence for each of the following words. Do not repeat any of the sentences in exercise 33!

a. quartiere

b. peggiore

c. strada

d. fabbriche

e. rumore

f. edifici

35. Spot and correct the spelling/grammar mistakes (there are many!)

a. Il mio quartiere trova nella perifera della città.

b. In mia strada è un negozio di articoli sportivi.

c. La peggio del mio quartiere è l'inquamento.

d. La cosa magliore del mio quartiere è rumore.

e. Dove e il tuoi quartiere?

f. La gente del mio quartiere simpatico.

g. Il mio quartiere molto grande è moderno.

36. Write a paragraph in Italian about Carla in the first person singular (I) and one about Roberto in the third (he)

	Carla	**Roberto**
Location of town	North of Italy	South of Spain
Location of neighbourhood	Town centre	Outskirts
Sports facilities	Two sports centre, a tennis club and three gyms	A swimming pool, a stadium and a sports centre
Green spaces	Two big parks	One small park
Environment	A lot of pollution	No pollution but a bit of noise
Amenities for young people	Many bars, nightclubs and concerts	A shopping mall and the park
Best thing	Safety	The stadium
Worst thing	Too many tourists; noise	Crime
People in their neighbourhood	Very friendly and polite	Unfriendly and rude

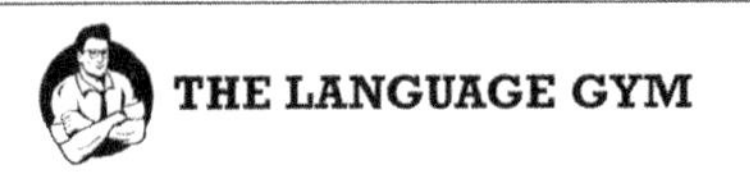

Question Skills Unit 1

English	Italiano
Where do you live?	**Dove vivi?**
In what part of Italy is your city?	**In che parte d'Italia si trova la tua città?**
What is there for young people in your city?	**Che cosa c'è per i giovani nella tua città?**
What tourist places are there in your city?	**Che posti turistici ci sono nella tua città?**
Describe your town/city.	**Descrivi la tua città.**
Describe your village.	**Descrivi il tuo paese.**
Do you like your neighbourhood? *Why?* *Why not?*	**Ti piace il tuo quartiere?** **Perché?** **Perché no?**
What is the best thing about your village/city?	**Qual è la cosa migliore del tuo paese/della tua città?**
What is the worst thing about your village/city?	**Qual è la cosa peggiore del tuo paese/della tua città?**
What are the shops like in your neighbourhood?	**Come sono i negozi nel tuo quartiere?**
Do you have a favourite shop? Which is it?	**Hai un negozio preferito? Qual è?**
What are the people like in your neighbourhood?	**Com'è la gente del tuo quartiere?**

1. Split questions

Dove	turistici ci sono?
In che parte del paese	per i giovani?
Che cosa c'è	il tuo quartiere?
Che posti	migliore della tua città?
Descrivi	si trova la tua città?
Qual è la cosa	la tua città.
Qual è la cosa peggiore	non ti piace?
Ti piace	negozi nel tuo quartiere?
Come sono i	della tua città?
Perché	vivi?

2. Find and write in the missing words

a. Descrivi tua città.

b. Perché non piace il tuo quartiere?

c. In che parte della città trova il tuo quartiere?

d. Che cosa c'è per giovani nella tua città?

e. Che posti turistici sono nella tua città?

f. Come sono i negozi tuo quartiere?

g. Qual è cosa peggiore della tua città?

h. Qual la cosa migliore della tua città?

i. Che cosa si può nel tuo quartiere?

3. Match questions and answers

Dove si trova la tua città?	Si chiama Vucciria
Dove si trova il tuo quartiere?	Ci sono molti parchi e un centro commerciale
Come si chiama il tuo quartiere?	L'inquinamento, senza dubbio
Che cosa c'è nel tuo quartiere per i giovani?	Nel sud Italia
Com'è la vita notturna?	Sì, ci sono molti parchi
Qual è la cosa peggiore del tuo quartiere?	È fantastica! Ci sono molte discoteche.
Qual è la cosa migliore del tuo quartiere?	No, perché è brutto e vecchio
Ci sono molte aree verdi?	Nella periferia della città
Ti piace il tuo edificio?	La tranquillità
Come ti chiami?	È molto simpatica ed educata
Quanti anni hai?	Mi chiamo Giovanni
Che cosa fai nel tuo tempo libero?	Ho diciassette anni
Com'è la gente del tuo quartiere?	Vado in bici al parco vicino a casa mia

4. Guided translation

a. P _ _ _ _ n _ _ t _ p _ _ _ _ i _ t _ _ p _ _ _ _? *Why don't you like your village?*

b. C _ s _ _ _ m _ _ _ _ a _ _ _ v _ _ _ _? *Are there many green zones?*

c. T _ p _ _ _ _ i _ t _ _ e _ _ _ _ _ _ _ _? *Do you like your building?*

d. D _ _ _ s _ t _ _ _ _ i _ t _ _ q _ _ _ _ _ _ _ _ _? *Where is your neighbourhood?*

e. C _ _ 'è l _ v _ _ _ n _ _ _ _ _ _ _ _? *What is the nightlife like?*

f. C _ _ p _ _ _ _ t _ _ _ _ _ _ _ _ _ _ c _ s _ _ _? *What touristic sites are there?*

g. D _ _ _ s _ t _ _ _ _ l _ c _ _ _ _? *Where is the city located?*

h. Q _ _ _ è l _ c _ _ _ p _ _ _ _ _ _ _ _? *What is the worst thing?*

5. Translate

a. Why don't you like…? ____________________

b. Where is Aosta located…? ____________________

c. What is there in…? ____________________

d. How is …? ____________________

e. In which part…? ____________________

f. What is the worst thing? ____________________

g. What is the best thing? ____________________

h. Are there…? ____________________

i. What shops are there? ____________________

6. Answer the following questions in your own words, using full sentences

Dove vivi?

In che parte del paese si trova la tua città?

Che cosa c'è per i giovani nella tua città?

Che mete turistiche ci sono nella tua città?

Descrivi la tua città.

Ti piace il tuo quartiere?

Perché? Perché no?

Qual è la cosa migliore del tuo quartiere?

Qual è la cosa peggiore del tuo quartiere?

Unit 2

Saying what I can do in my neighbourhood

In this unit you will learn:

- To say what you usually do and where you do it, using a variety of key verbs
- To talk about what you did recently in your neighbourhood

Key sentence patterns:

- *Si può* + infinitive
- *Si può* + noun/prepositional phrase
- *Sono andato/ho giocato* + prepositional phrase
- *Ho fatto/visto/visitato* + noun phrase

Grammar:

- Modal verbs + infinitive
- Use of impersonal pronouns: *si*
- First person of the past

UNIT 2: Saying what I can do in my neighbourhood

Nel mio quartiere si possono fare molte cose *[In my neighbourhood one can do many things]*

<table>
<tr><td rowspan="3">Per esempio, si può
[For example, one can]</td><td>andare</td><td>a passeggio [walking]
per negozi [shopping]
per locali [clubbing]</td><td colspan="3" rowspan="4">al campo di calcio vicino a casa mia
[in the football pitch near my house]
al centro commerciale [in the mall]
al centro sportivo
[in the sports centre]
al cinema del mio quartiere
[in my neighbourhood cinema]
al club di tennis [in the tennis club]
al parco [in the park]
allo stadio [in the stadium]
in centro città [in the city centre]
in piazza [in the town square]
in piscina [in the swimming pool]
nei boschi [in the woods]
nella città vecchia [in the old town]
nella strada pedonale
[in the pedestrian street]</td></tr>
<tr><td>fare</td><td>equitazione [horse riding]
footing [jogging]
nuoto [swimming]
sport [sports]
trekking [hiking]
un giro turistico [sightseeing]</td></tr>
<tr><td>giocare</td><td>a calcio [football]
a pallacanestro [basketball]
a pallavolo [volleyball]</td></tr>
<tr><td rowspan="2">Per esempio, si possono*
[For example, one can]</td><td>vedere</td><td>concerti [concerts]
film [films]
partite di calcio
[football games]
spettacoli teatrali
[theater shows/plays]</td></tr>
<tr><td>visitare</td><td>castelli [castles]
edifici storici
gallerie d'arte
musei
rovine romane [Roman ruins]</td><td>nella zona...
[in the ...area]</td><td>commerciale
industriale
storica
turistica</td><td>della città</td></tr>
</table>

<table>
<tr><td rowspan="5">Ieri
[Yesterday]
L'altro ieri
[The day before yesterday]
Lo scorso fine settimana
[Last weekend]
Tre giorni fa
[Three days ago]
Venerdì scorso
[Last Friday]</td><td>sono andato/a
[I went]</td><td>a vedere un concerto dei Måneskin allo stadio
[to see a Måneskin concert in the stadium]
allo stadio per vedere una partita di calcio
[to the stadium to watch a football match]
in giro con il mio ragazzo/la mia ragazza
[for a walk with my boyfriend/girlfriend]</td></tr>
<tr><td>*ho fatto
[I went]</td><td>footing al parco [jogging in the park]
nuoto nella piscina municipale [swimming in the local pool]
un giro turistico nella città vecchia [sightseeing in the old town]</td></tr>
<tr><td>ho giocato
[I played]</td><td>a tennis al centro sportivo [tennis in the sports centre]</td></tr>
<tr><td>ho visitato
[I visited]</td><td>il museo locale [the local museum]
una galleria d'arte [an art gallery]</td></tr>
<tr><td>ho visto
[I watched]</td><td>un film al cinema [a film in the cinema]</td></tr>
</table>

*** "Si possono" is used with any verb followed directly by a plural noun.**

****Watch out for expressions like "fare nuoto" that are translated as *'I went'* swimming. The literal translation is actually *'I did'* swimming. The verbs "fare" and "andare" often translate differently in Italian and English (so watch out for them).**

1. Match

Si può fare sport	One can go to the stadium
Si può andare a passeggio	One can go to the bowling alley
Si può andare allo stadio	One can go jogging
Si può andare in piscina	One can go clubbing
Si può andare al cinema	One can do sport
Si può andare per locali	One can go to the cinema
Si può fare footing	One can see concerts
Si può andare al bowling	One can go for a walk
Si può andare per negozi	One can visit art galleries
Si possono vedere concerti	One can go shopping
Si possono vedere partite di calcio	One can see football matches
Si possono visitare gallerie d'arte	One can go to the swimming pool

2. Complete with *andare, fare, vedere* or *visitare*

a. Si può __________ sport.
b. Si può _________ un giro turistico.
c. Si può ___________ footing.
d. Si può ____________ allo stadio.
e. Si possono ____________ castelli.
f. Non si può __________ per negozi.
g. Si può _________ a passeggio.
h. Si possono __________ concerti.

3. Break the flow

a. Sipossonovisitaregalleriedartenellacittàvecchia
b. Sipuòandareapasseggionellastradapedonale
c. Sipuòfarefootingalparco
d. Sipuòvedereunconcertoallostadio
e. Sipossonovederepartitedicalcioallostadio
f. Sipuòvisitareuncastellonellacittàvecchia
g. Sipuòandarepernegozinellastradapedonale
h. Sipuòfaresportalcentrosportivo

4. Sentence puzzle: rewrite the Italian

a. possono Si calcio partite vedere di
One can see football matches.

b. Si andare può passeggio al a parco
One can go for a walk in the park.

c. può per andare Si negozi in centro
One can go clubbing in the town centre.

d. può visitare castello un nella Si vecchia città
One can visit a castle in the historic part of town.

e. può fare Si sport al centro sportivo
One can do sport in the sports centre.

5. Translate into English

a. Si può andare a passeggio
b. Si può andare per locali
c. Si può andare in piscina
d. Si può andare per negozi
e. Si possono comprare vestiti di marca
f. Si può andare in bici
g. Si può andare alla pista di pattinaggio
h. Si possono vedere partite
i. Si può fare footing al parco

6. Match each of the actions on the left with the places on the right

Si possono vedere partite di calcio	al giardino botanico
Si possono vedere piante e alberi	alla piscina
Si può mangiare bene	allo stadio
Si può fare nuoto	nei negozi del centro
Si possono comprare bei vestiti	al cinema vicino a casa mia
Si può andare in bici	nella città vecchia
Si possono vedere film	al ristorante
Si possono vedere edifici storici e castelli	al parco

7. Split sentences: form logical sentences

Si possono vedere	di calcio
Si può visitare edifici	piatti tipici
Si può fare nuoto	film
Si possono vedere partite	sport
Si può mangiare	alla piscina
Si può andare per	storici
Si può fare	in bici
Si può andare	negozi

8. Translate into English

a. Andare per negozi
b. Nella città vecchia
c. Vedere partite
d. Vedere film
e. Andare allo stadio
f. I negozi
g. La strada pedonale
h. Andare in bici
i. Andare per locali
j. Fare un giro turistico
k. La piazza principale

9. Faulty translation.
Please note: not all translations are wrong

a. La città vecchia: *The industrial area*
b. Uno spettacolo teatrale: *A theatre show*
c. Edifici storici: *Beautiful buildings*
d. Andare allo stadio: *To go to the park*
e. Fare nuoto: *To go horse riding*
f. Andare per negozi: *To go shopping*
g. La strada pedonale: *The main square*
h. Andare in bici: *To go running*
i. Vedere castelli: *To see monuments*
j. Andare per locali: *To go sightseeing*
k. Fare un giro turistico: *To see tourists*
l. Andare in spiaggia: *To go to the beach*

10. Spot and correct the grammar/spelling errors

a. Si può vedere spettacoli teatrali
b. Si possono vedere edificio storici
c. Si puo fare nuoto
d. Si può visitare una castello
e. Si può andare bici
f. Si può andare footing
g. Si può visitare la vecchia città
h. Si possono vedere partite di cacio
i. Si può vedo un film al cinema
j. Si può giocare tennis

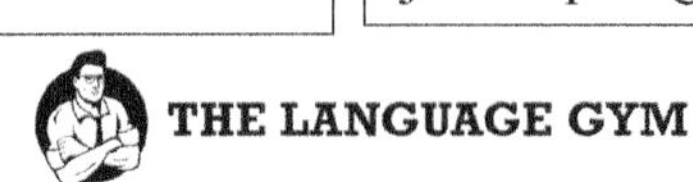

11. Match

Ho visitato un palazzo storico	Last weekend
Ho fatto un giro turistico	Three days ago
Sono andato in spiaggia	Yesterday
Sono andato in bici	I visited a historic palace
Ho visto un film	Last Friday
Venerdì scorso	I went cycling
L'altro ieri	I went shopping
Tre giorni fa	I did sightseeing
Ieri	The day before yesterday
Lo scorso fine settimana	I saw a film
Sono andato per negozi	I took many photos
Ho fatto sport	I went to the beach
Ho fatto molte foto	I did sport

12. Complete with the missing letters

a. Sono andato in b _ _ _

b. Ho fat _ _ sport

c. I _ _ _

d. Ho fatto un giro turis _ _ _ _

e. Sono andato in spi _ _ _ _ _

f. Ho fat _ _ mol _ _ foto

g. Lo sco_ _ _ fine settimana

h. L'a _ _ _ _ i _ _ _

i. H_ visto un fil _

13. Translate into English

a. L'altro ieri ho visitato un castello nella città vecchia.

b. Venerdì scorso sono andato al parco con la mia famiglia.

c. Tre giorni fa sono andato allo stadio per vedere una partita di calcio.

d. Sabato scorso sono andato in bici al parco.

e. Domenica scorsa sono andato in piscina.

f. Ieri ho giocato a tennis al club di tennis vicino alla scuola.

g. La settimana scorsa sono andato al cinema con la mia ragazza.

h. Ieri di pomeriggio ho visto un film d'azione alla televisione.

i. Lo scorso fine settimana sono andato per negozi al centro commerciale con mia madre.

j. Ieri mattina non ho fatto niente.

k. Ieri ho fatto pesi con mio zio alla palestra vicino a casa mia.

14. Spot and add in the missing words

a. Ieri ho visitato castello.

b. L'altro ieri sono andato negozi con mia sorella.

c. Lunedì scorso ho fatto niente.

d. Venerdì scorso andato stadio.

e. Tre giorni fa ho un giro turistico nel centro di Roma.

f. Amo il mio quartiere perché possono fare molte cose.

g. La settimana scorsa sono andato centro commerciale

h. Ieri di pomeriggio ho un film.

i. Ieri sono andato bici.

15. Fill in the gaps

a. Ho visto _ _ film.

b. _ _ fatto sport.

c. _ _ _ _ _ _ _ _ _ _ _ a tennis.

d. _ _ _ _ _ _ _ _ molte foto.

e. Ho fatto _ _ _ _ _ _ _ _ _.

f. Sono andato _ _ _ negozi.

g. Sono andata al _ _ _ _ _ _ _ per vedere un film.

h. Ieri _ _ giocato a calcio con i miei amici.

i. L'altro ieri sono andato _ _ _ _ stadio.

j. Tre giorni fa sono andata in _ _ _ _ al parco.

k. Ieri ho _ _ _ _ _ _ _ _ _ _ un palazzo nella città vecchia.

l. Ieri mattina non _ _ fatto niente.

Ciao. Sono Enrico. Vivo nella periferia della città, vicino alla campagna. Il mio quartiere è molto brutto. Ci sono molti edifici antichi e sporchi. Non c'è molto da fare per i giovani. Tuttavia, ci sono alcune *[some]* strutture sportive come campi da pallacanestro, un club di tennis e una palestra. C'è anche un piccolo parco. Quindi, si può fare sport. Ieri ho fatto tanto sport. Di mattina sono andato in bici al parco e ho giocato a pallacanestro. Di pomeriggio ho fatto nuoto al centro sportivo e poi ho fatto pesi con il mio miglior amico.

16. Find and correct the mistakes in the translation of Enrico's text

Hi. I'm Enrico. I live in the outskirts of the city, near the sea. My neighbourhood is very beautiful. There are many old and historic buildings. There is not much to do for young people. Fortunately, there are some sports facilities such as tennis courts, a table-tennis club and a gym. Also, there is a big park. Therefore, one can go shopping. Yesterday, I did a lot of walking, In the morning I rode my motorbike in the park and played handball. In the afternoon I went horse-riding in the countryside and after that I went jogging with my best friend.

Ciao, sono Ombretta. Vivo nella città vecchia di Genova, vicino al porto. Il mio quartiere è molto bello. C'è un castello, un palazzo medievale e molti edifici storici.

Non ci sono centri commerciali, però ci sono molti piccoli negozi molto carini e un mercatino delle pulci *[flea market]*. Quindi, si possono comprare molte cose interessanti e bei vestiti. Inoltre, ci sono molti ristoranti e caffè all'aperto. La vita notturna è molto attiva.

Amo il mio quartiere, però non c'è molto da fare per i giovani. Per esempio, non ci sono molte strutture sportive vicino a casa mia.

Fortunatamente, c'è un piccolo parco dove si può giocare a frisbee, andare in bici e andare a passeggio. C'è anche un club di tennis e un club di vela.

Ieri sono andata per negozi con mia madre e ho comprato un vestito rosa e delle scarpe bianche. Poi ho fatto vela con mio padre. È stato molto divertente! Dopo sono andata al cinema con il mio ragazzo. Abbiamo visto un film romantico.

17. Find the Italian equivalent of the following phrases in Ombretta' text

a. In the old town
b. Near the port
c. Historic buildings
d. Very nice
e. Flea market
f. In the open air
g. There isn't a lot to do
h. One can play
i. Yesterday I went around the shops
j. I bought
k. I went sailing
l. It was a lot of fun
m. I went to the cinema
n. We watched a romantic film

18. Read Ombretta' text and tick the words not mentioned

a. piscina	g. periferia
b. vela	h. mercatino
c. dopo	i. strutture
d. vita	j. ragazzo
e. cosine	k. ci sono
f. supermercato	l. quindi

Ciao. Sono Giuseppe. Nella mia città c'è molto da fare per i giovani. Per questo *[for this reason]* la amo. Ci sono molti bar e ristoranti, molti bei negozi, molte strutture sportive, aree verdi, luoghi storici e in estate ci sono molti spettacoli nella piazza principale e allo stadio. Amo vedere concerti perché amo la musica dal vivo.

Il mio quartiere si trova nella periferia della città, vicino alla spiaggia. C'è molto da fare. Si può andare in bici al parco vicino alla mia scuola, si possono vedere partite di calcio allo stadio, si può fare nuoto alla piscina municipale, si può andare al cinema e molto altro.

Ieri mattina sono andato al centro sportivo con i miei amici. Ho nuotato *[I swam]* e poi ho fatto pesi con loro. Dopo sono andato per negozi con mia madre al centro commerciale vicino a casa mia. Poi, sono andato in skateboard al parco con i miei amici. Alla fine, sono andato a casa del mio amico Gianluigi per vedere una

19. True, False or Not mentioned?

a. Giuseppe loves his town.
b. There is a big theatre.
c. He lives on the outskirts.
d. He lives far from the beach.
e. He goes to the stadium often.
f. Yesterday morning he lifted weights.
g. He watched a football match with his girlfriend.

20. Find the Italian equivalent in the text

a. There is a lot to do
b. For young people
c. Many beautiful shops
d. Historic places
e. Near the beach
f. One can ride a bike
g. One can watch matches
h. One can go shopping
i. Much more
j. Yesterday morning
k. I swam
l. I did
m. I went shopping
n. I went skateboarding
o. I went to my friend's house

21. Complete the tasks below

a. List in English all the places mentioned in the first paragraph.
b. List in English the 5 things one can do in Giuseppe's neighbourhood, mentioned in the second paragraph.
c. List in English the 5 things Giuseppe did, mentioned in the third paragraph.

22. Read Giuseppe's text: translate the words you can find in the text and cross out the rest

a. città vecchia	h. ieri	o. partita
b. sono andato	i. di mattina	p. gente
c. nuoto	j. di pomeriggio	q. la piazza
d. negozio	k. vicino	r. i giovani
e. subito dopo	l. lontano	s. gli anziani
f. alla fine	m. venerdì scorso	t. pesi
g. poi	n. vedere	u. con noi

Ciao. Sono Antonio. La mia città si chiama Trieste. Si trova nel nordest d'Italia, sulla costa, vicino a Venezia. È una città storica con una città vecchia molto bella.
Ci sono molti turisti e quindi c'è molto traffico e rumore, però c'è molto da fare per i giovani. Quello che mi piace di più è la spiaggia. Casa mia si trova sulla costa. Amo passeggiare sulla spiaggia!
Il mio quartiere è abbastanza moderno. Ci sono molti negozi molto belli, bar e ristoranti, tre centri commerciali, due cinema e molte strutture sportive, come piscine, palestre e centri sportivi. Ci sono anche molte aree verdi. La vita notturna è fantastica. Quindi, si possono fare molte cose: si può mangiare bene, si può andare al parco, si può correre e fare sport all'aperto, si può andare a passeggio sulla spiaggia e molto altro.
Ieri mattina sono andato in spiaggia con i miei amici. Ho nuotato, ho preso il sole e ho giocato a pallavolo con loro. Poi sono andato per negozi con mia madre al centro commerciale vicino a casa mia. Dopo, sono andato in bici al parco con il mio amico Giancarlo fino alle cinque. Alla fine, sono andato a casa del mio amico Mario per giocare ai videogiochi.
Questo fine settimana vedrò un documentario molto curioso. Si tratta di una colonia di pinguini che vivono in Patagonia (nel sud dell'Argentina). È il mio animale

24. Correct any wrong statements about Antonio's text

a. His town is on the coast, far from Venezia.
b. He lives close to the sea.
c. He loves going for a walk in the park.
d. His neighbourhood has an ok nightlife.
e. His neighbourhood has no green spaces.
f. Yesterday he went for a walk with his mother.
g. He played videogames with Giancarlo.
h. He watched a documentary about lions.

23. Translate into Italian

a. Old part of town: C_______________
b. Noise: R_______________
c. Young people: G_______________
d. On the coast: S_______________
e. To have a walk: P_______________
f. Sports facilities S_______________
g. Green spaces: A_______________
h. Therefore: Q_______________
i. Many things: M_______________
j. One can eat well: S_______________
k. One can go for a walk: S_______________
l. Much more: M_______________
m. Yesterday morning: I_______________
n. I sunbathed: H_______________
o. I went shopping: S_______________
p. To play videogames: H_______________

25. Complete the sentences in Italian based on Antonio's text

a. Si chiama _______________.
b. La sua città si chiama _______________________________.
c. La città vecchia è molto _______________________________.
d. Il lato negativo di Trieste è che _______________________________.
e. La sua casa si trova _______________________________.
f. I negozi del quartiere sono _______________________________.
g. Nel suo quartiere c'è molto da fare per i _______________________________.
h. Ieri ha giocato ai _______________ .
i. Questo fine settimana Antonio vedrà un programma televisivo sui ___________ che vivono nel _______________.

26. Complete with the missing letters

a. N_ _ m_ _ q_ _ _ _ _ _ _ _ _	*In my neighbourhood*
b. S_ p_ _ _ _ _ _ _ f_ _ _ m_ _ _ _ _ c_ _ _	*One can do many things*
c. S_ p_ _ m_ _ _ _ _ _ _ (_) bene	*One can eat well*
d. S_ p_ _ a_ _ _ _ _ _ p_ _ n_ _ _ _ _ _	*One can go shopping*
e. S_ p_ _ f_ _ _ s_ _ _ _	*One can do sport*
f. S_ p_ _ a_ _ _ _ _ _ i_ b_ _ _	*One can ride a bike*
g. I_ _ _ s_ _ _ a_ _ _ _ _ _ _ a_ p_ _ _ _	*Yesterday I went to the park*
h. T_ _ g_ _ _ _ _ _ f_ h_ v_ _ _ _ _ u_ f_ _ _	*Three days ago I watched a film*
i. L' a_ _ _ _ _ i_ _ _ h_ f_ _ _ _ _ n_ _ _ _	*The day before yesterday I went swimming*

27. Sentence puzzle: write the sentences below in the correct order

a. al per un film sono cinema Ieri andato vedere
b. sono andato bici L'altro ieri al parco in
c. si può Nel fare sport mio quartiere
d. Tre andato giorni al sono centro fa commerciale
e. molti quartiere Nel sono mio bei ci negozi
f. Nel si possono mio fare quartiere molte cose
g. può al a frisbee Si giocare parco
h. La andata scorsa al centro settimana sportivo sono
i. andato partita stadio sono Ieri allo vedere a una

29. Translate into Italian

a. The park
b. My neighbourhood
c. Three days ago
d. Yesterday
e. The day before yesterday
f. Last week
g. Near my house
h. One can eat
i. A football match
j. In the open air

28. Complete with a suitable word

a. Ieri sono _________ al cinema per _______ un __________ d'azione.
b. L'altro ieri _______ andata per negozi con mio ____________ al _______________ _________________ vicino a casa mia.
c. Nella mia ___________ si possono _________ moltissime cose.
d. La settimana scorsa ________ andata in bici al ____________ vicino a casa mia.
e. Vivo nella ____________ vecchia, la parte storica della mia _______________.
f. Nel mio quartiere ______ una vita notturna fantastica. Ci sono ______ e ristoranti all'______________.
g. Lo scorso fine _____________ sono ______ al centro _______________ vicino a casa mia. Ho ________ nuoto e ____ giocato a volano con i miei ______________.
h. Si possono ____________ molti musei, gallerie d' ______ e palazzi ___________.
i. La settimana scorsa ________ passeggiato in campagna. È stato ______________.

30. Spot and correct the mistakes.
HINT: not all sentences are wrong

a. Nel mio quartiere si possono fare molte cose.
b. Si può vedere molti monumenti.
c. Si puo andare per negozi.
d. Il mio quartiere è nella periferia.
e. Ieri io è andato al centro commerciale vicino a casa mia.
f. L'altro ieri o comprato dei vestiti in centro.
g. Tre giorni fa ho fatto pesi con il mio miglior amico.
h. Si può andare lo stadio.
i. Ieri mattina ho passeggiato sulla spiaggia.
j. L'altro ieri ho giocato a tennis con mio amico Francesco.

31. Complete

a. H _ n _ _ _ _ _ _ _ *I swam*
b. H _ v _ _ _ _ *I saw*
c. S _ _ _ a _ _ _ _ _ _ *I went*
d. H _ f _ _ _ _ *I did*
e. S _ _ _ a _ _ _ _ _ _ *I rode (a bike)*
f. H _ v _ _ _ _ _ _ _ _ *I visited*
g. H _ g _ _ _ _ _ _ _ *I played*

32. Translate into Italian

a. In my neighbourhood one can do many things.
b. In my town there are many shops and a flea market.
c. There is a big park near my house.
d. In the old town there are many historic buildings and a medieval palace.
e. The nightlife is fantastic. There are many bars and restaurants.
f. One can do many sports because there is a big sports centre.
g. Yesterday I went sailing with my father.
h. Two days ago, I rode a bike in the park with my best friend.
i. Last weekend I went for a walk on the beach with my girlfriend.
j. Last week I went sightseeing in Roma. I took a lot of photos.
k. Three days ago, I went to the sports centre and swam.

33. Write two paragraphs in the first person singular (I) about Yolanda and Luke.
NOTE: you cannot repeat the same information twice

Yolanda (12 years old from Italy)	**Luke** (17 years old from England)
• Say your name, age and nationality • Describe your physique and personality (4 details) • Say you live in the north-east of Italy, near Venezia, on the coast • Describe your neighbourhood, what is there to see and do (4 details minimum) • Say one thing you like and one that you dislike about your neighbourhood • Say 4 things that you did last weekend in your neighbourhood	• Say your name, age and nationality • Describe your physique and personality (6 details) • Say you live in the south of England, near London, in the countryside • Describe your town: size, what is there to see and do (4 details minimum) • Say one thing you like and one that you dislike about your town • Say 4 things that you did last weekend in your neighbourhood and 4 things you are going to do next weekend

Question Skills Unit 2

English	Italiano
What can you do in your neighbourhood to stay in shape?	**Che cosa si può fare nel tuo quartiere per restare in forma?**
What sports can you do?	**Che sport si possono fare?**
What places of interest can one visit?	**Che luoghi d'interesse si possono visitare?**
What did you do in your neighbourhood recently?	**Che cosa hai fatto nel tuo quartiere recentemente?**
Where did you go last weekend?	**Dove sei andato lo scorso fine settimana?**
Did you do any sport last week?	**Hai fatto qualche sport la settimana scorsa?**
What did you do last weekend?	**Che cosa hai fatto lo scorso fine settimana?**

1. Match questions and answers

Che cosa si può fare per restare in forma?	C'è un centro sportivo molto ben attrezzato.
Che strutture sportive ci sono?	Ho fatto footing e ho giocato a pallacanestro.
Che luoghi d'interesse ci sono?	Non sono andato da nessuna parte.
Com'è il tuo quartiere?	No, non c'è nessun posto per fare sport.
C'è qualche centro sportivo nel tuo quartiere?	Si possono fare sport all'aperto.
Che cosa hai fatto lo scorso fine settimana?	Sì, ho fatto pattinaggio e sono andato in bici.
Hai fatto qualche sport la settimana scorsa?	È molto grande, moderno e tranquillo.
Dove sei andato lo scorso fine settimana?	C'è un castello normanno e una cattedrale.

2. Complete the questions with *Che, Che cosa, Come, Dove, Qual/Quale,* or *Quando*

a. ________ si chiama il tuo quartiere?

b. ________ è la cosa migliore del tuo quartiere?

c. Da __________ vivi lì?

d. ________ luoghi d'interesse ci sono?

e. _________ sport fai normalmente?

f. ________ hai fatto ieri?

g. ________ hai fatto lo scorso fine settimana?

h. ________ sei andato sabato?

i. Con _________ sei uscito?

j. ________ è stata la cosa migliore?

3. Sentence puzzle: rewrite the sentences

a. può si quartiere fare Che cosa nel tuo?
b. c'è Che giovani nel quartiere cosa per tuo i?
c. quando vivi Da in quartiere questo?
d. d'interesse Che ci nel tuo quartiere luoghi sono?
e. scorso hai fatto settimana Che cosa lo fine?
f. sono Che sportive strutture ci nel tuo quartiere?
g. chi scorso uscito Con fine sei lo settimana?
h. nel Che cosa quartiere ieri tuo hai fatto?
i. sport possono nel tuo si quartiere Che fare?

4. Complete with a suitable word

a. Che cosa si ______ fare nel tuo quartiere?
b. Che cosa ______ fatto lo scorso fine settimana?
c. Con chi ______ uscita ieri?
d. Com' ______ stato?
e. Com'è il tuo ____________?
f. Da quando ____________ lì?
g. Dove si ____________ il tuo quartiere?
h. _________ qualche parco nel tuo quartiere?

5. Write a question for each answer

a.	Si trova nel nord del paese.
b.	È una città industriale.
c.	Il mio quartiere si chiama Santa Lucía.
d.	Si trova nella periferia della città.
e.	Ci sono centri sportivi, piscine e uno stadio.
f.	Non ho fatto molto.
g.	Sono uscito con il mio ragazzo.
h.	La cosa migliore è stata il tempo. Era bello.
i.	La cosa peggiore è stata che ho dovuto fare i compiti

6. Guided translation

a. Where is your city located? D _ _ _ s _ t _ _ _ _ l _ t _ _ c _ _ _ _ ?
b. What is there to do for young people? C _ _ c _ _ _ c'è p _ _ i g _ _ _ _ _ _ _ ?
c. With whom did you go out? C _ _ c _ _ s _ _ u _ _ _ _ _ ?
d. How was it? C _ _ _ è s _ _ _ _ ?
e. Did you do any sports? H _ _ f _ _ _ _ q _ _ _ _ _ _ _ s _ _ _ _ ?
f. Where did you go? D _ _ _ s _ _ a _ _ _ _ _ ?

7. Translate into Italian

a. What tourist attractions are there?
b. What can one do to stay fit?
c. What did you do last weekend?
d. What is your neighbourhood like?
e. Who did you go out with?
f. What did you do last week?

Vocab Revision Workout 1

1. Match

La città	The gym
Il sud	The country
Il Paese	The old town
Il quartiere	The outskirts
La palestra	The green spaces
La città vecchia	The South
Gli edifici	The nightlife
La periferia	The buildings
Le aree verdi	The neighbourhood
La vita notturna	The stadium
Lo stadio	The city

2. Complete with *fare, giocare, andare, vedere* or *visitare*

a. Si può ____________ nuoto.

b. Si possono ____________ partite di calcio.

c. Si può ____________ per negozi.

d. Si possono ____________ concerti.

e. Si possono ____________ palazzi storici.

f. Si può ____________ a golf.

g. Si possono ____________ film.

h. Non si può ____________ per locali.

i. Non si può ____________ footing al parco.

3. Sentence puzzle: rewrite the sentences in the correct order

a. c'è a casa una zona Vicino pedonale mia	*Near my house there is a pedestrian area*
b. Nella sono strada molti ci negozi pedonale	*In the pedestrian street there are many shops*
c. città belle Nella molte vecchia sono ci strade	*In the old town there are many beautiful streets*
d. c'è a Vicino una casa mia palestra	*Near my house there is a gym*
e. centro sportivo sport fare può al Si	*One can do sport in the sports centre*
f. vedere Si città romane possono nella vecchia rovine	*One can see Roman ruins in the old town*
g. c'è un Vicino castello molto al antico porto	*Near the port there is a very old castle*
h. alla municipale può nuoto Si piscina fare	*One can go swimming in the local pool*
i. mia ci sono molte Nella cose fare da città	*In my city there are many things to do*

4. Missing letters

a. Ie _ _	*Yesterday*
b. Ho fat _ _	*I did*
c. Si _ _ _	*One can*
d. Ho gioc _ _ _	*I played*
e. Ho vist _	*I saw*
f. La str _ _ _	*Street*
g. La mia c _ _ _	*My house*
h. La mia ci _ _ _	*My city*
i. Si può vede _ _	*One can see*
j. Passeg _ _ _ _ _	*To walk around*
k. _ spor _ _	*It is dirty*

5. Spot and correct the (many) spelling errors

a. Edimburgo si trovo in Scozia.

b. Vicino a casa mia cè una strada pedonale.

c. Nel mio cuartiere c'è un parco grande.

d. Me piace il mio quartiere perché è sicuro.

e. Il mio quartiere e pulito e ben curato.

f. Nel mio quartiere c'è molto trafico.

g. Nel mio quartiere si può fare footing in il parco.

h. Ieri o giocato a tennis in un club vicino a casa mia.

i. L'altro ieri ò fatto nuoto alla piscina municipale.

j. Chi sono molti restauranti...

k. ...dove si può mangiare buono.

6. Categories: write the numbers into the best fitting category

1. nord	2. tennis	3. box	4. concerto	5. est	6. città
7. casa	8. sud	9. film	10. cardio	11. cinema	12. romanzo
13. calcio	14. museo	15. ovest	16. castello	17. teatro	18. pesi

Edifici *[Buildings]*	**Sport** *[Sports]*	**Intrattenimento** *[Entertainment]*	**Geografia** *[Geography]*

7. Match activity and place

Ho visto una partita di calcio	al centro commerciale
Ho visto un film	nella città vecchia
Ho fatto cardio	allo stadio
Ho fatto nuoto	in palestra
Sono andato per negozi	al cinema
Ho fatto un giro turistico	in piscina
Ho fatto pesi	al giardino botanico
Ho visto piante esotiche	in palestra

8. Complete with a suitable word

a. Sono andato al centro _____________.

b. Ho visitato il _________________.

c. Sono andato a vedere una ___________.

d. Ho giocato a ____________ allo stadio.

e. Ho fatto _______________ in piscina.

f. Ho visto un ______________ al cinema.

g. Ho fatto footing al ______________.

h. Sono andato per ______________ al centro commerciale.

9. Guided translation

a. V________ a L______________.
I live in London.

b. V___________ a c__________ m___.
Near my house.

c. N__ m___ q________________ .
In my neighbourhood.

d. C___ u___ b__________ s_________ p____________.
There is a beautiful pedestrian street.

e. S__ p________ f_________ f______________.
One can go jogging.

f. f. S__ p______________ v_________ f_________.
One can watch films.

g. I________ h___ f______________ p__________.
Yesterday I lifted weights.

10. Translate into Italian

a. I went to the shopping centre.

b. I went to watch a concert.

c. I watched a film at the cinema.

d. I swam at the swimming pool.

e. I visited an ancient castle.

f. Last week I played tennis.

g. Last weekend I went shopping in the pedestrian area.

h. Yesterday I went hiking with my brother in the wood near my house.

i. Two days ago, I went sightseeing in the old town with my girlfriend.

Unit 3

Describing my street

In this unit you will learn:

- To say what places there are in my street
- To describe where things are located

Key sentence patterns:

- *Nella mia strada c'è/ci sono* + noun phrase
- Noun + locative adverbial/prepositions + prepositional phrase
- *Casa mia* + *si trova* + location
- *Non c'è* + *nessun/nessuna* + noun + adverbial

Grammar:

- Using locative adverbials and prepositions
- *No* + *nessun/nessuna*
- Masculine/feminine: *al/alla, dal/dalla, del/della*

UNIT 3: Describing my street

	Masculine nouns	Feminine nouns
Nella mia strada c'è *[On my street there is]* **Vicino a casa mia c'è** *[Near my house there is]*	**un campo da calcio** **un centro commerciale** **un centro sportivo** **un edificio** *[a building]* **un parcheggio** *[parking]* **un piccolo parco** **un ristorante cinese/indiano** **un supermercato** **un tempio** *[a temple]*	**una biblioteca** *[a library]* **una chiesa** *[a church]* **una gelateria** *[an ice cream parlor]* **una macelleria** *[a butcher's]* **una moschea** *[a mosque]* **una panetteria** *[a baker's]* **una piscina municipale** *[a local pool]* **una sinagoga** *[a sinagogue]* **una stazione ferroviaria** *[a train station]*
	un negozio di... *[a ... shop]*	**scarpe** *[shoes]* **vestiti** *[clothes]*

Casa mia *[My house]* **Il cinema** *[The cinema]* **Il mio appartamento** *[My flat]* **Il mio condominio** *[My building]*	**si trova** *[is (situated)]*	**di fianco** *[next to]* **di fronte** *[opposite]* **davanti** *[in front]* **dietro** *[behind]* **vicino** *[near]*		Masculine nouns
			al	**campo da calcio** **museo**
				Feminine nouns
			alla	**biblioteca** **macelleria**
		a dieci minuti a piedi *[a 10 minute walk away]* **a dieci minuti di macchina** *[a 10 minute car ride away]* **lontano** *[far]*		Masculine nouns
			dal	**parco** **teatro**
				Feminine nouns
			dalla	**panetteria** **piscina**
		a destra *[to the right]* **a sinistra** *[to the left]* **all'angolo** *[on the corner]*		Masculine nouns
			del	**supermercato**
				Feminine nouns
			della	**stazione**

Casa mia **Il mio appartamento**	**si trova**	**tra/fra** *[between]*	**il cinema** **la macelleria**	**e**	**il supermercato** **la piscina**

Non c'è *[There is not]*	**nessun** *[any – sg. masc]*	**ristorante**	**da queste parti** *[around here]* **nel mio quartiere** *[in my neighbourhood]* **vicino a dove vivo** *[near where I live]*
	nessuna *[any – sg. fem]*	**scuola**	

1. Match

A destra	Near
A sinistra	Ten minutes away on foot
Dietro	In my street
Di fronte	Behind
Di fianco	Far
Vicino a	Next to
Lontano	My house is
Nella mia strada	To the left
Casa mia si trova	Between
Nel mio quartiere	100 meters away from
Il mio condominio si trova	Opposite to
A dieci minuti in macchina	Ten minutes away by car
A cento metri da	In my neighbourhood
A dieci minuti a piedi	To the right
Tra	My building is

2. Complete the translations

a. Nella mia strada: *In my* ___________

b. Lontano da: ___________ *from*

c. A cento metri da: ___________ *meters away from*

d. Nel mio quartiere: *In my* ___________

e. Casa mia si trova: *My* _________ *is*

f. Non lontano da: *Not* ________ *from*

g. Il mio condominio: *My* ___________

h. A dieci minuti di macchina: *Ten minutes away by* ___________

i. Di fianco a: ___________ *to*

3. Vero (true) o falso (false). Write V for *vero* or F for *falso* next to each statement below, based on the map

Golf Club			Parco Gianni			
Macelleria	Casa di Antonio	Biblioteca	Negozio di musica	Panetteria	Supermercato	Negozio di vestiti
Via Merulana						
Casa di Giulietta	Palestra	Bar	Ristorante indiano	Ristorante cinese	Cinema	Negozio d'angolo
Esselunga	Piscina	Ristorante italiano	Giardino		Parcheggio	

a. La casa di Antonio si trova di fianco alla biblioteca ____

b. La panetteria si trova di fronte al ristorante cinese ____

c. Il negozio di musica si trova davanti al parco Gianni ____

d. C'è un centro commerciale sulla strada ____

e. Il cinema si trova vicino alla casa di Giulietta ____

f. C'è un supermercato sulla strada ____

g. Il golf club si trova dietro alla casa di Antonio ____

h. Il negozio di vestiti si trova fra il cinema e il supermercato ____

4. Faulty translation: spot the mistakes in the English translations and correct them. Please note: not all the translations have a mistake

a. Nella mia strada ci sono molti negozi.	*In my street there are not many shops.*
b. Vicino a casa mia ci sono una palestra e una piscina.	*Near my house there are a gym and a pool.*
c. Il tennis club si trova di fronte alla scuola.	*The tennis club is behind the school.*
d. Non ci sono negozi di vestiti nella mia strada.	*There are no clothes shops in my house.*
e. C'è una biblioteca da queste parti?	*Is there a library near here?*
f. Il parco si trova dietro alla stazione ferroviaria.	*The park is behind the bus station.*
g. C'è un supermercato di fianco al cinema.	*There's a supermarket next to the sports centre.*
h. Il ristorante cinese si trova a un'ora di macchina.	*The Chinese restaurant is 1 hour away on foot.*

5. Break the flow

a. Nellamiastradanoncisononegozidivestiti.
b. Cèunristoranteadieciminutiapiedi.
c. Lapanetteriasitrovadifiancoallamacelleria.
d. Dovèlabiblioteca?
e. Ilristorantesitrovadifronteallachiesa.
f. Cèuncampodacalciodietroallamiascuola.
g. Nellamiastradacisonomoltibeinegozi.
h. Cèunristorantemoltobuonovicinoacasa.

6. Complete with the missing letters

a. C'è una chi _ _ _ vicino a ca _ _ mia.
b. Di fian _ _ al supermercato c'è un cinem _.
c. C'è un parco die _ _ _ al ristorante.
d. Non ci sono negozi di vesti _ _.
e. Do _ _ si trova la bibliote _ _ ?
f. Casa mia si tro _ _ di fronte al par _ _.
g. Il negoz _ _ è a dest _ _ del cinema.
h. Non ci sono ristoranti da queste par _ _.

7. Multiple choice: choose the correct translation

	1	2	3
a. Behind	davanti a	dietro a	dentro di
b. Next to	all'angolo di	lontano da	di fianco a
c. Opposite	di fronte a	vicino a	sotto
d. In front of	sopra	davanti a	dietro a
e. To the right of	a destra di	a sinistra di	all'angolo
f. To the left of	dietro a	a destra di	a sinistra
g. Where is?	chi è?	dov'è?	è qui?
h. In between	di fianco a	dentro	tra
i. On the corner	di fronte a	all'angolo	nel mio paese
j. Far from	lontano da	vicino a	dietro a
k. There is	Ci	c'è	ce
l. In my street	nel mio quartiere	a casa mia	nella mia strada

8. Location puzzle: complete the street map with the 10 missing names of places below, using the words in BOLD in the text below

a. La **casa di Francesco** si trova di fronte alla casa di Marta.

b. Tra la casa di Marta e la piscina municipale c'è un piccolo **supermercato**.

c. Tra il negozio di vestiti e il parrucchiere c'è una **biblioteca**.

d. A destra del golf club c'è un **parcheggio** molto grande.

e. Dietro al cinema c'è una **macelleria**.

f. Di fianco al cinema, a sinistra, c'è un **campo da pallacanestro**.

g. A sinistra del Bar del Pinguino c'è un **ristorante italiano**.

h. Dietro al Gran Caffè Moglia c'è un negozio di **giocattoli**.

i. Dietro alla casa di Francesco c'è un **campo da calcio**.

j. A destra del negozio di giocattoli c'è una **gelateria**.

<table>
<tr><td colspan="3">Golf Club</td><td colspan="4"></td></tr>
<tr><td>Casa di Marta</td><td></td><td>Piscina municipale</td><td>Negozio di vestiti</td><td colspan="2"></td><td>Parrucchiere</td></tr>
<tr><td colspan="7">Via Chirici</td></tr>
<tr><td></td><td>Gran Caffè Moglia</td><td></td><td>Bar del Pinguino</td><td></td><td colspan="2">Cinema Conti</td></tr>
<tr><td></td><td></td><td></td><td colspan="2">Giardino</td><td colspan="2"></td></tr>
</table>

9. Translate into English

a. La casa di Marcello si trova di fronte alla stazione ferroviaria.

b. La piscina municipale si trova fra il centro sportivo e il supermercato.

c. La biblioteca si trova alla fine della strada.

d. A destra del golf club c'è una biblioteca enorme.

e. Dietro al cinema c'è una pista di atletica.

f. Di fianco al cinema, a sinistra, c'è una fermata degli autobus.

g. A sinistra della mia scuola c'è un ristorante cinese.

h. Dietro alla stazione di polizia c'è un negozio di giocattoli.

i. Di fianco alla casa di Raffaella c'è un campo da calcio e un campo da pallacanestro.

j. Vicino a casa mia c'è un centro sportivo molto grande con una piscina olimpionica.

k. Lo stadio si trova molto lontano da casa mia.

l. Amo la mia strada perché ci sono molti negozi.

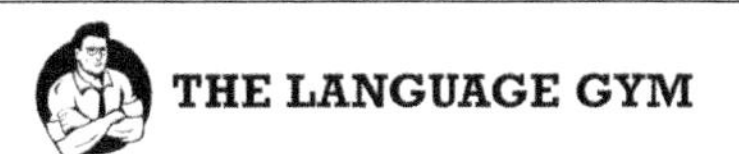

Mi chiamo Anna Rita, sono di Acuto, però vivo a Napoli. Amo il mio quartiere perché ci sono molte cose da fare. Ci sono molte strutture sportive e quindi si può fare molto sport. Per esempio, nella mia strada ci sono una palestra, un parco con una pista di pattinaggio e un centro sportivo con una piscina olimpionica. Ieri ho fatto pesi in palestra. È stato molto stancante, ma anche molto divertente.

Nel mio quartiere ci sono anche molti negozi. Vicino a casa mia, a cinque minuti a piedi, c'è un centro commerciale enorme. Si può comprare di tutto. A cento metri da casa mia si trova il mio negozio di vestiti preferito e alla fine della strada c'è un negozio di sport molto carino. Ieri ho comprato un paio di scarpe Adidas mitiche.

Nel mio quartiere ci sono tanti buoni ristoranti dove si può mangiare molto bene. Di fianco a casa mia, a sinistra, c'è un ristorante cinese e dall'altra parte, a destra, c'è un ristorante indiano. Sabato scorso ho mangiato al ristorante cinese. Il cibo era molto saporito.

(Anna Rita, 15 anni. Acuto)

10. Find the Italian equivalent

a. ...but I live
b. There are a lot of things to do
c. Sports facilities
d. On my street there are
e. A skating rink
f. I did weights
g. It was very tiring
h. There are many shops
i. Five minutes away on foot
j. 100 meters from my house
k. At the end of the street
l. Very nice
m. I bought a pair of shoes
n. One can eat well
o. Next to my house
p. On the right
q. I ate at the Chinese restaurant

11. Tick the items that you can find in Anna Rita's text and cross out the ones you can't

a. In my neighbourhood
b. A lot of sport
c. Music shop
d. On the left
e. The food was very tasty
f. Yesterday
g. Tomorrow
h. Very funny
i. To go jogging
j. Clothes shop
k. Olympic swimming pool
l. Sports shoes/trainers
m. A skirt
n. Near
o. My house

12. Answer the questions below in English

a. Why does Anna Rita like her neighbourhood?
b. What four sports facilities does Anna Rita mention?
c. What was tiring but fun?
d. How far is the shopping mall from her house?
e. What can one buy there?
f. Where is the sports shop?
g. How does she describe the restaurants?
h. What is next to her house, on the left?
i. What did she eat last Saturday?
j. What was the food like?
k. How does she describe the sports shop?
l. Where is the clothes shop?

Mi chiamo Paolo. Sono di Palermo, però vivo a Catania, una città molto bella e storica nel sud Italia. Vivo in un quartiere residenziale nella periferia della città. Non mi piace perché non ci sono molte strutture sportive e quindi non si può fare molto sport. C'è una palestra molto vecchia e male attrezzata, un parco molto piccolo, brutto e mal curato e un centro sportivo molto scadente: non ha né piscina né campi da tennis. Non c'è nessun campo da calcio nella mia città. Ieri ho fatto footing al parco e sono andato in bici nel bosco vicino a casa mia. È stato molto stancante, ma abbastanza divertente.

Fortunatamente, c'è un centro commerciale enorme non molto lontano da casa mia, a dieci minuti di macchina. Ci sono molti bei negozi e si può comprare di tutto. Il mio negozio preferito è il negozio di videogiochi.

Quello che mi piace di più del mio quartiere è che qui ho molti amici. Il mio migliore amico, Giuseppe, vive a cinque minuti a piedi da casa mia e quindi ci vediamo *[we see each other]* spesso.

Nel mio quartiere ci sono molti ristoranti simpatici dove si può mangiare molto bene. Di fianco a casa mia, a sinistra, c'è un ristorante italiano e dall'altra parte, a destra, c'è un ristorante messicano. Sabato scorso ho mangiato al ristorante messicano. Il cibo era molto saporito e piccante. Ho mangiato moltissimo!

13. Find the Italian equivalent

a. I live in
b. A very beautiful town
c. On the outskirts
d. Sports facilities
e. Therefore
f. A very old gym
g. Small and ugly
h. It has neither a swimming pool
i. Yesterday I went jogging
j. In the wood
k. Near my house
l. Not very far from my house
m. Ten minutes away by car
n. One can buy all sorts of things
o. I have many friends here
p. Where one can eat very well
q. Next to my house
r. On the left
s. On the right

14. Answer providing as many details as possible.

a. What does Paolo say about Catania?
b. Why does he not like his neighbourhood?
c. What does he say about the gym, the park and the sports centre?
d. What did he do yesterday?
e. Where is the shopping centre?
f. What can you buy there?
g. What is his favourite shop?
h. What does he like the most about his neighbourhood?
i. What is there to the left of his house?
j. What is there to the right?
k. Where did he eat last Saturday?
l. How was the food?

15. Tick the items that you can find in Paolo's text

a. a piedi	f. poco	k. grasso
b. in bici	g. molto	l. stancante
c. a destra	h. migliore	m. si può
d. vicino	i. raramente	n. campi
e. tutto	j. saporito	

16. Translate into English

a. A destra della scuola

b. Vicino a casa mia

c. Di fronte al cinema

d. Davanti al supermercato

e. Alla fine della strada

f. Non lontano da casa mia

g. Di fianco alla piscina

h. A cinque minuti a piedi

i. A cento metri da casa mia

17. Sentence puzzle: rewrite the sentences in the correct order

a. quartiere Nel sono molti ci negozi mio
In my neighbourhood there are many shops.

b. a una mia C'è palestra fianco casa di
There is a gym next to my house.

c. La strada trova fine della alla piscina si
The swimming pool is at the end of the street.

d. mia è non da scuola La lontana mia casa
My school is not far from my house.

e. e il Il la si tra trova parco cinema biblioteca.
The cinema is between the park and the library.

18. Find in the wordsearch the Italian translation of the phrases below, then write it next to each of them, as shown in the example

```
M L W C A H È P A G E W T Z V A D O N X N
O Y Q J Z L W C L S Z S U Y P P A I O G Z
R I X S Q Q Q N A I I S O I N L V Z N F E
V F D I H R N H V R Y N E Q R C A O È H C
X H M P X I J C W A T D I R D N N G L A G
A N I H C C A M N I I S A S I A T E O W I
R Z A V B J X G U C X F E Z T L I N N D S
W V M D F V F A R H T P U D N R A L T F K
E L K Y Q P L Q S J A P P U A Q A I A O F
C R O Q N E L L A M I A S T R A D A N K P
E R E I T R A U Q O I M L E N P N B O C E
A L L A F I N E D E L L A S T R A D A I M
J R P V I C I N O A C A S A M I A K H T G
```

a. On the left
b. In front of
c. On foot
d. By car
e. On the right there is
f. Near my house
g. It isn't far
h. In my neighbourhood
i. The shop
j. At the end of the road
k. In my street

19. Tick the words below which are names of shops

a. Una macelleria
b. Un bosco
c. Un parco
d. Una panetteria
e. Un supermercato
f. Una mela
g. Una biblioteca

20. Complete with the missing letters

a. Una panet _ _ _ _ _	*A bakery*
b. Una _ _ _ cller _ _	*A butcher's*
c. Un pa _ _ _	*A park*
d. Una bi _ lio _ _ _ _	*A library*
e. Un nego _ _ _ di m _ sic _	*A music shop*
f. Un e _ _ _ _ _ _ _ o	*A building*
g. Un _ _ _ ozio di _ _ arpe	*A shoes shop*

21. Complete with the missing words

a. Nella mia strada ci sono molti ____________.	*In my street there are many shops.*
b. La panetteria si trova a cinque minuti a ______.	*The bakery is five minutes away on foot.*
c. La biblioteca si trova di _________ alla scuola.	*The library in next to the school.*
d. La ____________ è lì, a _____________.	*The butcher's is there, on the right.*
e. La macchina è ____________ al supermercato.	*The car is in front of the supermarket.*
f. Lo stadio si trova molto _________ da casa mia.	*The stadium is very far from my house.*
g. La piscina è alla ___________ della strada.	*The swimming pool is at the end of the road.*
h. Nella mia ______ non ci sono molti _________.	*In my street there aren't many shops.*
i. __________ al mio condominio c'è un parco.	*Behind my building there is a park.*

22. Translate into Italian

a. *Next to my house*	D__ f_______ a c________ m__
b. *Opposite my building*	D__ f_______ a__ m__ c____________
c. *Far from here*	L__________ d__ q____
d. *On the right*	A d____________________
e. *On the left*	A s____________________
f. *Near my house*	V____________ a c________ m__
g. *Behind the butcher's*	D____________ a____ m___________________
h. *Next to the bakery*	D__ f_______ a____ p___________________

23. Write a paragraph in which you:

1. Say where in Italy your town is located and whether you like it or not (*aim for 20 words*)
2. Say where your neighbourhood is located, what shops and other places there are, what is there to do and how much you like it (*aim for 40 words*)
3. Describe the street below as if it were the street where you live (*aim for 40 words*)

Tennis Club			Parco Sempione		
Casa mia	**Supermercato**	**Piscina municipale**	**Negozio di vestiti**	**Biblioteca**	**Parrucchiere**
Viale dei Tigli					
La mia scuola	**Gran Caffè Trieste**	**Negozio di musica**	**Bar Lafüs**	**Palestra**	**Cinema Paradiso**

Question Skills Unit 3

English	Italiano
What is there in your neighbourhood?	**Che cosa c'è nel tuo quartiere?**
Where is your house?	**Dove si trova/Dov'è casa tua?**
What is there near your house?	**Che cosa c'è vicino a casa tua?**
Do you like your neighbourhood? Why? Why not?	**Ti piace il tuo quartiere? Perché? Perché no?**
What shops are there in your neighbourhood?	**Che negozi ci sono nel tuo quartiere?**
Which is your favourite shop? Where is it?	**Qual è il tuo negozio preferito? Dov'è?**
What is the best thing about where you live? What is the worst thing about where you live?	**Qual è la cosa migliore di dove vivi? Qual è la cosa peggiore di dove vivi?**
What places do you NOT have near where you live?	**Che posti NON ci sono vicino a dove vivi?**
What did you do recently in your neighbourhood?	**Che cosa hai fatto nel tuo quartiere recentemente?**
What did you do last weekend?	**Che cosa hai fatto lo scorso fine settimana?**
Where did you go to?	**Dove sei andato?**
How did it go? Did you have a good time?	**Com'è andata? Ti sei divertito/a?**

1. Match questions and answers

Ti piace il tuo quartiere?	È vicino al centro della città.
Che cosa hai fatto nel tuo quartiere recentemente?	Ci sono un parco tematico e un oratorio.
Perché non ti piace il tuo quartiere?	In corso Michelangelo Buonarroti.
Che negozi ci sono?	Sono andato al parco con i miei amici.
Dov'è il tuo quartiere?	No, odio vivere da queste parti.
Che cosa c'è di fianco a casa tua?	C'è di tutto: negozi di vestiti, di musica, ecc.
Che cosa c'è per i giovani?	Perché è molto rumoroso e non è sicuro.
La tua scuola è lontana da casa tua?	C'è un ristorante cinese molto buono.
In quale strada si trova casa tua?	Sì. Per esempio, c'è un centro sportivo.
Ci sono strutture sportive nel tuo quartiere?	No, è molto vicina, a dieci minuti a piedi.

2. Complete with the missing words

a. Come si ch__________ la tua strada? — *What is your street's name?*

b. Dove si __________ la tua strada? — *Where is your street?*

c. Ti p____________ il tuo quartiere? — *Do you like your neighbourhood?*

d. Per_______ non ti piace? — *Why don't you like it?*

e. Che cosa c'è per i g_____________? — *What is there for young people?*

f. Che n____________ ci sono nel tuo quartiere? — *What shops are there in your neighbourhood?*

g. C__ s______ strutture sportive? — *Are there any sports facilities?*

h. Che cosa c'è di f_____________ a casa tua? — *What is there opposite your house?*

i. C'è qualche parco v__________ a casa tua? — *Is there a park near your house?*

j. La tua scuola è l_______ da casa tua? — *Is your school far from your house?*

3. Split questions

Come	non ti piace il tuo quartiere?
Dove	quando vivi lì?
Ci sono	lontano da qui?
Perché	si chiama il tuo quartiere?
Da	si trova il tuo appartamento?
Che cosa c'è	per i giovani?
Che luoghi	strutture sportive?
Con	hai fatto lo scorso fine settimana?
Dove	la cosa migliore di dove vivi?
Qual è	d'interesse ci sono nel tuo quartiere?
Che cosa	chi sei uscito?
È molto	Sei andato ieri?

4. Translate into English

a. Come si chiama il tuo quartiere?
b. In quale parte della città si trova?
c. Parlami del tuo quartiere. Ti piace?
d. Ci sono strutture sportive?
e. Che cosa c'è per i giovani?
f. Qual è la cosa peggiore? E la migliore?
g. Che cosa c'è di fronte a casa tua?
h. Che cosa c'è di fianco a casa tua?
i. Che cosa hai fatto lo scorso fine settimana?
j. Dove sei andato? Con chi? Com'è andata?
k. Da quando vivi lì?

5. Guided translation

a. C _ _ _ s__ chi _ _ _ l _ t _ _ s _ _ _ _ _? — *What is your street's name?*

b. D _ _ _ _ s _ t _ _ _ _ l _ t __ s _ _ _ _ _? — *Where is your street?*

c. C _ _ c _ _ _ c' _ n _ _ _ _ t _ _ z _ _ _? — *What is there in your area?*

d. Q _ _ _ è l _ c _ _ _ m _ _ _ _ _ _ _? — *What's the best thing?*

e. D _ q _ _ _ _ _? — *For how long/since when?*

f. ...l _ s _ _ _ _ _ f _ _ _ s _ _ _ _ _ _ _ _? — *...last weekend?*

g. D _ _ _ s _ _ a _ _ _ _ _? C _ _ c _ _? — *Where did you go to? With whom?*

h. C _ _ _ è a _ _ _ _ _? — *How did it go?*

Unit 4

Describing my home & furniture

In this unit you will learn:

- To say where your house is located
- To say what your house is like
- To describe what items are in each room

Key sentence patterns:

- *In* + noun + *c'è/ci sono* + noun + *per esempio* + noun phrase
- *Mi piace* + noun + *perché è* + *adjective*

Grammar:

- *Essere* + adjective (masc/fem agreements)
- *Essere* & *Esserci*

UNIT 4: Describing my home and furniture

Vivo in *[I live in]*	**un appartamento** *[a flat]* **una casa** *[a house]* **un edificio/condominio** *[a building]*	**in**	**campagna** *[the countryside]* **montagna** *[the mountains]* **periferia** *[outskirts]* **un quartiere residenziale** *[residential neighbourhood]*
		nel	**centro città** *[city centre]*
		sulla	**costa** *[coast]*

In casa mia *[In my house]* **Nel mio appartamento** *[In my flat]*	**ci sono** *[there are]*	**cinque** **sei** **sette**	**stanze,** *[rooms]*	**per esempio** *[for example]* **come** *[such as]*	**camera mia** *[my bedroom]* **la camera dei miei genitori** *[my parents' bedroom]* **un bagno** *[a bathroom]* **un salotto** *[a living room]* **una cucina** *[a kitchen]* **una sala da pranzo** *[a dining room]* **una stanza dei giochi** *[a playroom]*

c'è anche *[there is also]*	**un seminterrato** *[a basement]* **una cantina** *[a wine cellar]* **una mansarda** *[an attic]*	**e**	**un garage** **un giardino** *[a garden]*	**ma non c'è** *[but there isn't]*	**balcone** *[balcony]* **veranda** *[porch]*

Mi piace casa mia perché *[I like my house because]* **Non mi piace casa mia perché** *[I don't like my house because]*	**è** *[it is]*	**accogliente** *[cosy]* **antica** *[old]* **bella** *[beautiful]* **ben arredata** *[well furnished]* **brutta** *[ugly]* **grande** *[big]* **luminosa** *[well lit]* **piccola** *[small]* **pulita** *[clean]* **sporca** *[dirty]*
Mi piace il mio appartamento perché *[I like my flat because]* **Non mi piace il mio appartamento perché** *[I don't like my flat because]*		**accogliente** **antico** **bello** **ben arredato** **brutto** **luminoso** **piccolo** **pulito** **spazioso** **sporco**

Nella cucina c'è	Nel salotto c'è	In camera mia c'è
un forno *[an oven]*	**un divano** *[a sofa]*	**un armadio** *[a wardrobe]*
un frigo *[a fridge]*	**un tappeto** *[a rug]*	**un comodino** *[a nightstand]*
un tavolo *[a table]*	**un tavolo** *[a table]*	**un letto** *[a bed]*
una dispensa *[a pantry]*	**un tavolino** *[a small/coffee table]*	**una libreria** *[a bookshelf]*
una lavastoviglie *[a dishwasher]*	**un televisore** *[a tv]*	**una scrivania** *[a desk]*
una sedia *[a chair]*	**una poltrona** *[an armchair]*	**uno specchio** *[a mirror]*

1. Translate into English

a. In campagna
b. Nella periferia
c. In cucina
d. In salotto
e. Nella stanza dei giochi
f. In mansarda
g. In giardino
h. In garage
i. In camera mia
j. In camera dei miei genitori
k. In camera di mio fratello
l. Nel seminterrato

2. Match

Una dispensa	An armchair
Un letto	A pantry
Una libreria	A mirror
Una sedia	A television
Una poltrona	A desk
Una scrivania	A fridge
Un tappeto	A bed
Un televisore	An oven
Un frigo	A bookshelf
Un forno	A carpet
Uno specchio	A chair

3. Write, in Italian, in which rooms the following objects are most likely to be found

a. La sedia	il salotto, la sala da pranzo	i. La libreria	
b. La scrivania		j. I giocattoli	
c. Il tappeto		k. Il letto	
d. La poltrona		l. Il televisore	
e. La doccia		m. La macchina	
f. Il lavandino		n. L'albero	
g. Il forno		o. Le tende *[curtains]*	
h. L'armadio		p. Lo specchio	

4. Complete with the missing letters

a. La doc _ _ _ — *The shower*
b. Il tav _ _ _ — *The table*
c. Il le — *The bed*
d. La scri _ _ _ _ _ _ — *The desk*
e. L' _ _ _ ero — *The tree*
f. La se _ _ _ — *The chair*
g. I gioca _ _ _ _ _ _ — *The toys*

5. Write Probabile (likely) or Improbabile (unlikely) next to the statements below, as in the example

e.g. In cucina c'è una doccia — *Improbabile*
a. In bagno c'è una scrivania ________
b. In salotto c'è un divano ________
c. In camera mia c'è un forno ________
d. In sala da pranzo c'è un albero ________
e. In giardino c'è un cane ________

6. Multiple choice: choose the correct translation

	1	2	3
a. Cupboard	L'armadio	La porta	La cassa
b. Armchair	La sedia	Il tavolo	La poltrona
c. Toys	I libri	I giocattoli	Le cose
d. Oven	Il forno	Il fuoco	L'armadio
e. Tree	Il tre	L'albero	L'atrio
f. Rug	Il pavimento	Il tetto	Il tappeto
g. Table	Il tavolo	Il forno	La sedia
h. Curtains	La finestra	Le tende	La porta
i. Desk	La scrivania	Il tavolo	L'armadio
j. Chair	La poltrona	La sedia	Il tavolo
k. Bookshelf	Il libro	La parete	La libreria

7. Faulty translation: correct the mistakes in the translations below
Please note: not all translations are incorrect

a. In cucina c'è un tavolo e quattro sedie. — *In the kitchen there is a table and four armchairs.*

b. In camera mia c'è un letto. — *In my living-room there is a bed.*

c. In cucina c'è un piccolo televisore. — *In the kitchen there is a small TV.*

d. Nel nostro giardino non ci sono alberi. — *In our garden there are tall trees.*

e. Nel nostro salotto ci sono due poltrone. — *In our living room there are two armchairs.*

f. Di fianco al mio letto c'è un tavolino. — *Beside my bed there is a mirror.*

g. Lo specchio è vicino alla porta. — *The mirror is near the bookshelves.*

h. L'armadio è a sinistra. — *The wardrobe is on the left.*

i. In cucina c'è un grande armadio. — *In the kitchen there is a big table.*

8. Spot the hidden phrases, fill in the gaps and translate into English
HINT: the words are names of rooms or furniture + adjectives

a. Una p _ _ _ o _ _ c _ _ e _ _.

b. Un l _ _ _ o _ _ _ nd _.

c. Un g _ _ _ d _ n _ _ e _ _ e.

d. Una _ _ ci _ _ pu _ _ _ a.

e. Una _ _ _ era m _ _ _ _ na.

f. Una b _ _ l _ s _ _ _ _ a p _ _ _ z _.

g. Un s _ _ o _ _ o b _ _ ar _ _ _ at _.

9. Write Vero (true) or Falso (false) next to each statement below

a. Di fianco al letto c'è un comodino. ____________

b. Il televisore è dietro al letto. ____________

c. Entrando *[on entering]* a destra c'è uno specchio. ____________

d. La scrivania è vicino al televisore. ____________

e. L'armadio è a destra del letto. ____________

f. Il televisore si trova fra lo specchio e la scrivania. ____________

g. C'è una lampada sopra la scrivania. ____________

h. Il gatto è sotto il letto. ____________

i. La porta si trova fra il letto e l'armadio. ____________

j. Il comodino si trova fra l'armadio e il letto. ____________

k. C'è una sedia vicino alla scrivania. ____________

SINISTRA **DESTRA**

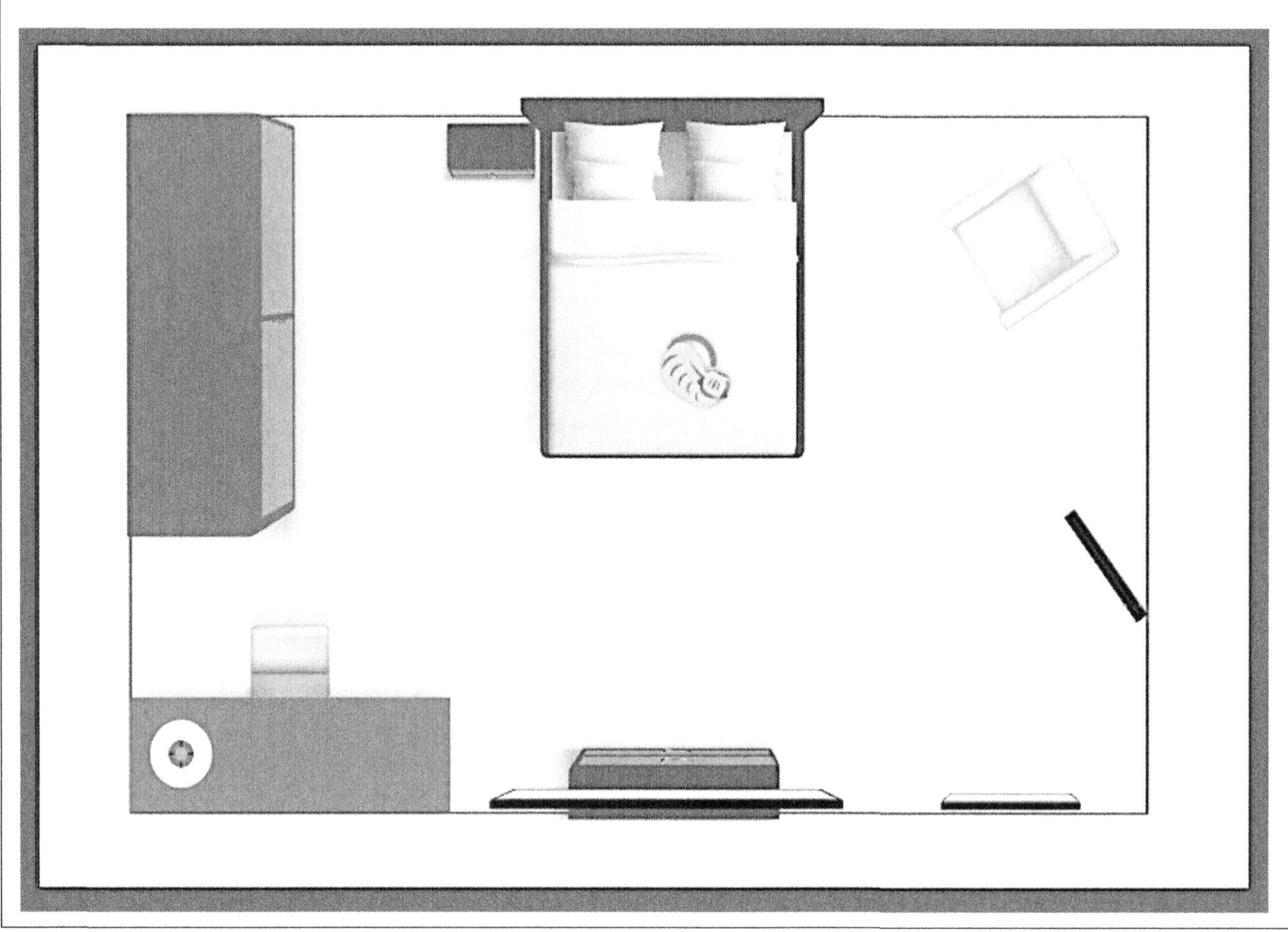

Mi chiamo Pietro e vivo a Ferrara. Vivo con la mia famiglia in un appartamento moderno in periferia. Vivo in un quartiere residenziale.
Amo il mio quartiere perché c'è molto da fare per i giovani della mia età. C'è un parco fantastico vicino a casa mia dove c'è una parete da arrampicata, una pista di pattinaggio, uno scivolo e altri giochi per i bambini e molto spazio per giocare. Vado lì spesso con i miei amici per giocare a frisby, fare footing e per andare in bici. Nel mio quartiere c'è anche un centro commerciale enorme con molti buoni negozi e strutture sportive. Per esempio, c'è una palestra molto buona di fianco a casa mia e una piscina a cento metri a piedi.
Vivo in un edificio moderno, al settimo piano. Nel mio appartamento c'è una cucina, un salotto, due bagni, una stanza dei giochi e tre camere da letto: camera mia, camera di mia madre e la camera di mia sorella maggiore. La mia stanza preferita è camera mia perché è molto accogliente ed è molto ben decorata. C'è un letto molto grande e comodo. A sinistra del letto c'è un armadio molto spazioso. A destra ci sono un comodino e una poltrona. Dall'altro lato della mia stanza, nell'angolo, c'è una scrivania. Di fianco alla scrivania, di fronte al letto, c'è un televisore. È vecchio, ma funziona ancora. Dietro al televisore c'è una finestra molto grande e a destra della finestra c'è uno specchio. Passo molto tempo in camera mia ascoltando musica, leggendo libri e riviste e facendo i compiti.

(Pietro, 14 anni. Ferrara)

10. Answer the questions below in English

a. In which part of Ferrara does Pietro live?
b. Name three things one can find in the park near his home.
c. How often does he go there with his friends?
d. What three activities does he like to do with his friends?
e. What two sports facilities can one find in his street?
f. On which floor does he live?
g. What rooms does Pietro list?
h. Why is his bedroom his favourite room in the house?
i. What is there to the right of his bed?
j. What is there to the left of his bed?
k. What is there in the corner, on the opposite side to the bed?
l. What is old but still functioning?
m. Name three things he does in his room.

11. Find the Italian equivalent

a. Near my house
b. A gym
c. To ride a bike
d. 100 metre away on foot
e. On the 7th floor
f. A playroom
g. ...is very cosy
h. My older sister's bedroom
i. On the other side
j. In the corner
k. Behind the TV
l. To the right of the window

12. Spot the FIVE words on the list below which are not contained in Pietro's text

a. Moto	f. Tempo	k. Lontano
b. Decorata	g. Accogliente	l. Condominio
c. Comodo	h. Poltrona	m. Luminoso
d. Scrivania	i. Specchio	n. Spazioso
e. Angolo	j. Mansarda	o. Passeggio

Mi chiamo Francesco. Sono di Viterbo però vivo a Roma. Vivo con la mia famiglia in un edificio storico in centro città. Vivo molto vicino alla città vecchia.

Amo il mio quartiere perché è molto bello e c'è molto da vedere e da fare. Ci sono due parchi molto belli vicino a casa mia dove c'è molto spazio per giocare. Vado lì spesso con i miei amici. Nel mio quartiere ci sono molti monumenti, teatri, cinema, ristoranti, bar all'aperto e molti bei negozi. C'è anche un grande acquario con delfini e squali.

Vivo in un edificio molto antico, al quarto piano, con una vista magnifica della città. Nel mio appartamento ci sono una cucina, un salotto, una sala da pranzo, due bagni, una stanza dei giochi e due camere da letto: camera mia e quella dei miei genitori.

La mia stanza preferita è camera mia, perché è molto accogliente ed è molto ben arredata e decorata. C'è un letto molto grande e comodo. A sinistra del letto c'è una scrivania molto spaziosa. A destra ci sono un comodino e uno specchio. Dall'altro lato della mia stanza, nell'angolo, c'è un armadio enorme. Di fianco all'armadio, di fronte al letto, ci sono il mio computer e un televisore. Il televisore è molto piccolo, però è nuovo. Dietro al televisore c'è una finestra molto grande. A destra della finestra c'è una poltrona. Passo molto tempo in camera mia ascoltando musica, giocando al computer, suonando la chitarra, leggendo e facendo i compiti.

(Francesco, 13 anni. Viterbo)

13. Complete the sentences based on Francesco's text, providing as many details as possible

a. He lives with his family in a...
b. In the parks there is...
c. In his neighbourhood... (8 details)
d. His building is....
e. In his flat there are... (6 details)
f. His favourite room is... because...
g. The bed is...
h. To the right of the bed there is...
i. There is a big wardrobe in...
j. The TV is... but...
k. Behind the TV there is a...

14. Faulty translation: find the mistakes in the translation of the last paragraph of Francesco's text

My favourite room is my bedroom because it is very spacious and is very well furnished and decorated. There is a very big and soft bed. To the left of the bed there is a very spacious wardrobe. To the right there is a coffee table and a TV. On the other side of the room, in the corner, there is a huge mirror. Next to the wardrobe, behind the bed, there is my computer and a TV. The TV is very small, but it is good. Next to the TV there is a very large window. To the right of the window there is an armchair. I spend a lot of time in my bedroom listening to music, playing the guitar, writing and doing my homework.

15. List as many words from Francesco's text as possible, under the following headings

1. Adjectives

2. Furniture

3. Verbs

4. Locative adverbs/prepositions *(e.g. next to, behind, to the right, etc.)*

16. Arrange the words in each sentence in the correct order, based on the translation

a. un computer In un camera non mia c'è né né televisore
In my bedroom there is neither a tv nor a computer.

b. In sono ci un tavolo e un pensile cucina due un sedie, frigo, un forno
In the kitchen there are a table, two chairs, a fridge, an oven and a cupboard.

c. sono salotto In due poltrone, un, un tappeto e divano un televisore ci
In the living room there are two armchairs, a rug, a sofa and a TV.

d. però Non sono c'è una sedie poltrona in camera mia molto comoda ci
There are no chairs in my bedroom but there is a very comfortable armchair.

e. alla porta si trova Lo specchio alla di la fianco e dietro finestra è la scrivania
The mirror is next to the door and the window is behind the desk.

17. Translate into Italian

a. A beautiful chair U____ b________ s________
b. A bright kitchen U____ c__________ l______________
c. A red carpet U__ t____________ r________
d. Blue curtains D________ t________ a____________
e. A spacious flat U__ a______________________ s______________
f. An old wardrobe U__ a____________ v____________
g. A comfortable bed U___ l________ c______________
h. A building U__ e______________
i. A new television U___ t______________ n________

18. Complete with a suitable word

a. Nel mio quartiere ci sono molte __________ _____________.
b. La mia stanza preferita è la _____________ perché è _______________.
c. Di fianco all'armadio c'è una _______________.
d. Lo specchio ____________ di fianco alla ________________.
e. In casa mia ___________ sette stanze.

19. Insert prepositions as appropriate

a. La sala da pranzo è di fianco _______ cucina.
b. La cucina è a destra _______ sala da pranzo.
c. Il forno si trova vicino _______ frigo.
d. Casa mia è lontana _______ stadio.
e. Il mio quartiere si trova vicino _______ centro.
f. Il mio condominio è di fianco _______ scuola.
g. La mia scrivania è di fronte _______ letto.
h. Il garage si trova di fianco _______ giardino.

20. Spot and add the missing words

a. La cucina di fianco alla sala da pranzo.
b. In casa mia sette stanze.
c. In salotto c'è tappeto rosso.
d. Vivo un edificio antico.
e. Lo specchio si trova fianco alla porta.
f. Amo cucina.
g. Il televisore si trova di fronte mio letto.
h. La camera dei genitori è molto grande.

21. Translate into Italian

a. *In my house there are six rooms.*	I_ c_ _ _ m_ _ c_ s_ _ _ s_ _ s_ _ _ _ _ .
b. *My favourite room is...*	L_ m_ _ s_ _ _ _ _ p_ _ _ _ _ _ _ _ _ è…
c. *I also like my bedroom.*	M_ p_ _ _ _ a_ _ _ _ c_ _ _ _ _ _ m_ _.
d. *My bedroom is very cosy.*	C_ _ _ _ _ _ m_ _ è m_ _ _ _ a_ _ _ _ _ _ _ _ _ _.
e. *There is also a big desk.*	C'è a_ _ _ _ u_ _ g_ _ _ _ _ s_ _ _ _ _ _ _ _ _.
f. *There is also a big, comfortable bed.*	C'è a_ _ _ _ u_ g_ _ _ _ _ l_ _ _ _ c_ _ _ _ _ _.
g. *I live in a modern building.*	V_ _ _ i_ u_ e_ _ _ _ _ _ _ _ _ m_ _ _ _ _ _ _.
h. *I don't like my living room.*	N_ _ m_ p_ _ _ _ _ i_ m_ _ s_ _ _ _ _ _ _.

22. Spot and correct the errors

a. In camera mia è una scrivania molto grande.
b. In casa mia ci sono sei stanza.
c. Nel mio quartiere ci sono molti buone negozi.
d. La mia strada preferita il salotto. (2 errors)
e. La mio stanza è molto grande e accogliente.
f. Vivo un edificio antico.
g. Il salotto e molto ben arredato.
h. Di fianco al leto c'è uno comodino. (2 errors)
i. Amo casa mia perché molto bella.

23. Complete each sentence with an appropriate verb

a. La mia città si ___________ Roma.
b. Roma ______ la capitale d'Italia.
c. Il mio quartiere ___________ nella periferia di Roma.
d. Nel mio quartiere __________ molte cose da fare per i giovani.
e. Per esempio, si __________ andare al parco, si può __________ sport e ci sono molti buoni negozi dove si possono _____________ molti vestiti di qualità.
f. Mi ___________ camera mia perché è molto accogliente.
g. Il salotto ________ ben arredato.
h. P_______ molto tempo in camera mia giocando ai videogiochi.
i. In generale _________ i compiti in salotto.
j. __________ con il mio cane in giardino.
k. __________ in bici al parco vicino a casa mia.
l. Non mi ____________ la cucina perché è molto piccola.

24. Translate into Italian

I live in a beautiful neighbourhood on the outskirts of Napoli, a city in the south of Italy. I like my neighbourhood a lot because there are lot of things to do for people of my age. There are many good shops, two beautiful parks, three big shopping malls and many sports facilities. There are also a lot of bars and restaurants.

I live in a big flat in a modern building. In my flat there are seven rooms. My favourite room is my bedroom because it's spacious and well-furnished. Furthermore, the bed is big and comfortable and there's a big desk with a new computer.

25. Write two 80-100 word paragraphs in the first person in which you say:

▪ You live in Genova. ▪ Your neigbourhood is situated in the centre of the city. ▪ You like your neighbourhood because there are many good shops and excellent sports facilities. ▪ There are many bars and restaurants. ▪ There is a beautiful park near your house. ▪ You live in a flat with seven rooms. ▪ Your favourite room is your bedroom because it is spacious, bright and is well-furnished. ▪ You hate the living room because it is badly furnished ▪ It is small and the sofa is old and ugly.	▪ Your house is big and modern. ▪ You love your living room because it is well-furnished and bright. ▪ In the living room there is a big sofa. Next to the sofa there is a little table. ▪ Opposite the sofa there is a TV. ▪ You also love your bedroom because it is cosy. ▪ In your bedroom there is a big and comfortable bed. ▪ Next to the bed there is a bedside table and next to the bedside table there is a huge wardrobe. ▪ Opposite the wardrobe there is a big desk with a computer.

26. Write a paragraph in Italian in the first person in which you say:

a. You live in Caracas, the capital of Venezuela.

b. You live on the outskirts, in a residential neighbourhood.

c. You like your neighbourhood because one can do a lot of sport.

d. There are many sports facilities, such as gyms, a sports centre, two football pitches, some tennis and golf clubs, some swimming pools and a stadium.

e. Also, there is a huge shopping mall, a beautiful park and a river.

f. Last weekend you did a lot of sport. You went cycling in the park, you did weights in the gym, played football with your school friends and went to your favourite shopping centre with your boyfriend/girlfriend. You had a great time.

g. In your street there are many good shops and restaurants. For instance, there is a good Italian restaurant next to your house.

h. In your flat there are 7 rooms: a kitchen, two bathrooms, three bedrooms and a living room.

i. Your favourite room is the living room because it is big, well-furnished and bright. There is also a very comfortable sofa and a new television.

j. The sofa is opposite the television. To the left of the sofa there is an armchair and to its right there is a big plant. In front of the sofa there is a small black table. Between the sofa and the television there is an old rug.

Question Skills Unit 4

English	Italiano
Do you live in a house or in a flat?	**Vivi in una casa o in un appartamento?**
How many rooms are there in your house?	**Quante stanze ci sono in casa tua?**
How many bathrooms are there?	**Quanti bagni ci sono?**
Which is your favourite room? Why?	**Qual è la tua stanza preferita? Perché?**
Where do you spend most of your time?	**Dove passi la maggior parte del tempo?**
Where do you do your homework?	**Dove fai i compiti?**
Describe your bedroom.	**Descrivi camera tua.**
Do you share your bedroom with anyone?	**Condividi la tua stanza con qualcuno?**
What do you like most about your bedroom?	**Che cosa ti piace di più di camera tua?**
What posters are there on the walls?	**Che poster ci sono sulle pareti?**

1. Faulty translation: spot and fix the incorrect translations
Please note: not all the translations are wrong

a.	Vivi in un condominio?	*Do you live in a house?*
b.	Descrivi camera tua.	*Describe your street.*
c.	Da quanto vivi lì?	*For how long have you been living there?*
d.	Condividi la tua stanza con qualcuno?	*Do you share your room with a sibling?*
e.	Che cosa ti piace di camera tua?	*What do you like about your living room?*
f.	Quante camere da letto ci sono?	*How many bathrooms are there?*
g.	Quante stanze ci sono in casa tua?	*How many floors are there in your house?*
h.	Perché non ti piace il salotto?	*Why don't you like the dining room?*
i.	Dove passi la maggior parte del tempo?	*Where do spend most of your time?*
j.	C'è una stanza dei giochi in casa tua?	*Is there an attic in your house?*

2. Complete with the missing words

a. Che _________ c'è in camera tua?	*What is there in your bedroom?*
b. ___________ stanze ci sono nel tuo appartamento?	*How many rooms are there in your flat?*
c. __________ è la tua stanza preferita?	*Which is your favourite room?*
d. In ________ stanza fai i compiti?	*In which room do you do your homework?*
e. ______________ non ti piace la tua stanza?	*Why don't you like your room?*
f. Da ___________ vivi lì?	*For how long have you been living there?*
g. Con ___________ vivi?	*Who do you live with?*
h. ________ una stanza dei giochi in casa tua?	*Is there a playroom in your house?*
i. ____________ poster nella tua stanza?	*Are there posters in your room?*
j. Che cosa ti _____________ di casa tua?	*What do you like about your house?*

3. Match questions and answers

Vivi in una casa o in un appartamento?	Preferisco il salotto, perché è molto spazioso.
Quante stanze ci sono in casa tua?	È piccola però molto accogliente.
Da quanto vivi lì?	Passo ore e ore in camera mia.
Qual è la tua stanza preferita? Perché?	La cosa migliore di camera mia è il mio letto!
In quale stanza passi più tempo?	Ci sono sette stanze in totale.
Dove fai i tuoi compiti?	Sì, la condivido con mio fratello maggiore.
Descrivi camera tua.	Da cinque anni.
Condividi camera tua con qualcuno?	È bella e c'è un grande frigo.
Che cosa ti piace di più di camera tua?	Li faccio in salotto.
Com'è la cucina?	Vivo in una casa.

4. Guided translation

a. D _ _ _ _ _ _ _ _ c _ _ _ _ _ _ t _ _.	*Describe your bedroom.*
b. V _ _ _ i_ u _ _ c _ _ _ ?	*Do you live in a house?*
c. D _ _ _ f _ _ i c _ _ _ _ _ _ _?	*Where do you do your homework?*
d. C _ _ c _ _ v _ _ _?	*With whom do you live?*
e. C _ _ _ _ _ _ _ _ _ _ c _ _ _ _ _ _ t _ _?	*Do you share your bedroom?*
f. T_ p _ _ _ _ c _ _ _ t _ _?	*Do you like your house?*
g. D_ q _ _ _ _ _ _ v _ _ _ l _?	*How long have you lived there for?*
h. Q _ _ _ è l_ t _ _ s _ _ _ _ _ _ p _ _ _ _ _ _ _ _ _?	*Which is your favourite room?*

Vocab Revision Workout 2

1. Match

Alla fine di	A ten-minute walk
Di fianco a	Next to
Dietro a	Opposite to
Lontano da	Behind
A dieci minuti a piedi	Near
Di fronte a	Far from
Vicino a	To the left
A destra	At the end of
A sinistra	To the right
All'angolo di	In front of
Davanti a	A ten-minute car ride
A dieci minuti di macchina	On the corner of

2. Missing letters

a. C'è una biblio _ _ _ _.
b. C'è un cam _ _ da calcio.
c. C'è una panet _ _ _ _ _ _.
d. C'è un supermerc _ _ _.
e. C'è un nego _ _ _ di vestiti.
f. Non c'è nessuna chi _ _ _.
g. Non c'è nessuna pisc _ _ _.
h. Vivo in un e _ _ _ _ _ _ _ _.
i. Vado a tea _ _ _.
j. La mia scuola è a sin _ _ _ _ _ _.
k. Casa mia si trova a des _ _ _.
l. Il negozio è alla fine della str _ _ _.

3. Break the flow

a. Vicinoacasamiacèunpiccoloparco.
b. Incasamiacisonocinquestanze.
c. Nellamiastradacisonomoltibuoninegozi.
d. VivonelnordItaliavicinoaVenezia.
e. Mipiaceilmioquartiereperchécisonomoltecosedafare.
f. VivoinunacittàturisticanelsuddelPaese.
g. Noncènessunristorantevicinoadovevivo.
h. Casamiasitrovatralamacelleriaeilsupermercato.

4. Write an A next to the adjectives and an N next to the nouns

a. Accogliente	i. Antica
b. Belle	j. Palazzo
c. Televisore	k. Castello
d. Piccolo	l. Casa
e. Noioso	m. Brutto
f. Centro sportivo	n. Campo
g. Negozio	o. Salotto
h. Spazio	p. Strada

5. Spot the incorrect translations and fix them. Note: not all the translations are wrong

a. Casa mia è accogliente.	*My house is cosy.*
b. Vivo in un quartiere industriale.	*I live in an industrial town.*
c. Nella mia stanza ci sono delle tende azzurre.	*In my kitchen there are red curtains.*
d. Casa mia si trova di fianco alla macelleria.	*My house is opposite the butcher's.*
e. Nella mia cucina c'è un forno molto grande.	*In my kitchen there is a very big fridge.*
f. Vivo in una casa nella periferia della città.	*I live in a house on the outskirts of the city.*
g. Il mio appartamento si trova in un edificio moderno.	*My flat is an old building.*
h. Vicino a casa mia c'è un parco molto bello.	*Near my house there is a big park.*
i. Alla fine della strada c'è un supermercato.	*Near my street there is a supermarket.*
j. Nel mio condominio ci sono sette piani.	*In my building there are six floors.*

6. Complete

a. V_________ a casa mia — *Near my house*

b. Nel mio q___________ — *In my neighbourhood*

c. C'è molto r___________ — *There is a lot of noise*

d. Ieri h__ _______ footing — *Yesterday I did jogging*

e. Alla fine della s________ — *At the end of the street*

f. Vivo in un a___________ — *I live in a flat*

g. Nel mio p__________ — *In my town/village*

h. Casa mia è b__________ — *My house is beautiful*

i. Un a___________ grande — *A big wardrobe*

7 Complete with *sono andato, ho giocato, ho fatto* o *ho visto*

a. _______ un film al cinema.

b. _______ al parco con il mio cane.

c. _______ a tennis al centro sportivo.

d. _______ cardio al parco.

e. Non ________ niente ieri.

f. ________ a pallacanestro a scuola.

g. _____ allo stadio a vedere una partita.

h. ________ i cartoni animati.

i. _________ pesi in palestra.

j. ________ un giro turistico.

8. Slalom writing

Mi piace	c'è	cinque minuti	al negozio	***e.g.* I like my flat because it is cosy.**
Ieri	giorni fa	in piscina	niente	a. Yesterday I went to the pool alone.
Nella mia	è	c'è molto	**accogliente**	b. In my town there is a lot to do.
In camera mia	**il mio appartamento**	non ho fatto	spazioso	c. In my bedroom there is a desk.
Due	si trova	una	da solo	d. Two days ago, I did nothing.
La biblioteca	a	**perché è**	a piedi	e. The library is opposite the shop.
Il mio salotto	città	abbastanza	da fare	f. My living room is quite spacious.
Si trova	sono andato	di fronte	scrivania	g. It is five minutes away on foot.

9. Translate into Italian

a. I live in the north-east of Italy, on the coast.

b. I live in a neighbourhood on the outskirts.

c. I live with my parents and my two brothers.

d. My neighbourhood is boring and dangerous.

e. There is nothing to do for young people.

f. There is only a sports centre and a few shops.

g. Last weekend I played tennis and basketball.

h. I also went to the centre. I watched a film.

Unit 5

Saying what I did & am going to do at the weekend

In this unit you will learn:

- To say what plans I am making for the near future and how it will be
- To say what I and others did in the recent past

Key sentence patterns:

- Time marker + future + prepositional phrase
- *Sarà* + intensifier + adjective
- Time marker + past + prepositional phrase

Grammar:

- Future (1st person singular & plural)
- Past (1st person singular & plural) of *fare*, *andare*, *giocare*, *montare* and *essere*

UNIT 5: Saying what I did & am going to do at the weekend

Il prossimo fine settimana *[Next weekend]* **Sabato prossimo** *[Next Saturday]* **Domenica prossima** *[Next Sunday]*	***andrò**** *[I will go]* **andrà** *[she/he will go]* **andremo** *[we will go]*	**a cavallo** **a una festa** *[to a party]* **in bici** *[by bike]* **per negozi** *[shopping]*
	farò *[I will do]* **farà** *[she/he will do]* **faremo** *[we will do]*	**arrampicata** *[rock climbing]* **i compiti** *[homework]* **sport**
	giocherò *[I will play]* **giocherà** *[she/he will play]* **giocheremo** *[we will play]*	**a pallacanestro** *[basketball]* **al computer**
	monterò *[I will ride]* **monterà** *[she/he will ride]* **monteremo** *[we will ride]*	**a cavallo** *[a horse]*
	vedrò *[I will see]* **vedrà** *[she/he will see]* **vedremo** *[we will see]*	**un concerto** **un film** **una partita di calcio** *[a football match]*

Sarà *[It will be]*	**abbastanza** *[quite]* **molto** *[very]* **un po'** *[a little]*	**divertente** *[fun]* **noioso** *[boring]* **stancante** *[exhausting]*
Non sarà affatto *[It will not be ... at all]*		

Lo scorso fine settimana *[Last weekend]* **Sabato scorso** *[Last Saturday]* **Domenica scorsa** *[Last Sunday]*	*****sono andato/a** **è andato/a** **siamo andati/e**		**a cavallo** *[a horse]* **a una festa** *[to a party]* **al centro commerciale** *[to the mall]* **in bici** *[by bike]* **per negozi** *[shopping]*
	ho **ha** **abbiamo**	**fatto**	**i compiti** *[homework]* **sport**
		giocato	**a pallacanestro** *[basketball]* **al computer**
		visto	**un concerto** **un film** **una partita di calcio** *[a football match]*

È stato *[It was]*	**abbastanza** **molto** **un po'**	**avventuroso** *[adventurous]* **emozionante** *[exciting]* **rilassante** *[relaxing]* **stancante** *[exhausting]*
Non è stato affatto *[It was not ... at all]*		

*** The tense in this column translates both the "will" and "going to" futures.**

**** *Andare in bici* is both "to go by bike" and "to ride a bike". Keep it in mind!**

***** The tense in these columns translates both present perfect (I have done/gone) and simple past (I did/went)**

1. Match: near future recap

Andremo per negozi	We are going to ride a horse
Giocheremo a pallacanestro	We are going to do homework
Vedremo un film	We are going to go to the stadium
Leggeremo un libro	We are going to see a concert
Faremo sport	We are going to go swimming
Faremo nuoto	We are going to do sport
Andremo allo stadio	We are going to play videogames
Faremo i compiti	We are going to read a book
Giocheremo ai videogiochi	We are going to watch a film
Vedremo un concerto	We are going to go shopping
Monteremo a cavallo	We are going to play basketball

2. Complete with *andare*, *fare*, *giocare*, *montare* or *vedere* using the future tense.

a. Io _________ per negozi.

b. Io _________ un concerto.

c. Noi _________ a tennis.

d. Noi _________ al centro commerciale.

e. Io _________ in campagna.

f. Io _________ sport.

g. Io _________ un film al cinema.

h. Io _________ allo stadio.

i. Io _________ a cavallo in campagna.

3. Complete with the missing letters

a. Ve__r__ un fil __

b. And__ò al__o stad__o

c. F__rem__ spor__

d. Gioc__ __remo a pal__acanestro

e. __ndr__ a__ par__o

f. Sar__ diver__ente

g. Mont__remo __ cava__lo

h. A__dremo al __entro co__merciale

i. __aremo n__oto

j. An__r__ i__ bici

4. Faulty translation: correct the mistakes in the translations below (not all are wrong!)

a. Sabato prossimo vedrò un film.	*Next Friday I am going to watch a film.*
b. Il prossimo fine settimana andremo in bici.	*Next weekend I am going to go horse riding.*
c. Il mio amico e io faremo escursionismo	*My friend and I are going to go hiking.*
d. Domenica pomeriggio andrò per negozi.	*Sunday morning, I am going to go shopping.*
e. Sabato prossimo mia zia andrà in piscina.	*Next Saturday my aunt is going to go to the beach.*
f. Venerdì prossimo farò i compiti.	*Next Friday my brother is going to do his homework.*
g. Uscirò con la mia amica di mattina.	*I am going to go out with my friend in the afternoon.*

5. Sentence puzzle: rewrite the sentences in the correct order

a. prossimo andremo Sabato allo stadio

b. Il fine andrò settimana al prossimo commerciale centro

c. Il andremo di fine settimana per prossimo negozi

d. Domenica in andrò mattina chiesa di

e. genitori I vedere andranno a un miei film cinema al

f. sorella Mia in andrà piscina le amiche con sue

g. fratello Venerdì mio andrà prossimo per locali

6. Multiple choice: choose the correct translation

	1	2	3
a. Fare sport	To ride a bike	To do sport	To do hiking
b. Andare per negozi	To go compare	To go shopping	To do nothing
c. Vedere un film	To watch a game	To go running	To watch a film
d. Andare in chiesa	To go to church	To go hunting	To go shopping
e. Vedere un concerto	To play guitar	To watch a concert	To watch a film
f. Andare in bici	To ride a bike	To ride a horse	To play games
g. Leggere un libro	To read an article	To read a magazine	To read a book
h. Andare a passeggio	To go for a walk	To go running	To stay at home
i. Non fare nulla	To do homework	To watch a concert	To do nothing

7. Find in the wordsearch the Italian translations of the phrases below and write them as shown in the example

O N E Q R I F S H J G X I E I F Y R M N
L R K R I R O L D V J T T O C A V R O P
N X B K A I F R O B O N F A I R G N N J
I O B I L C F H P D A B Q U B E L Q T F
L F N O L B O W R N O Q Q X N S F Q A Y
R X N F L N B I O L S J X N I P B E R Z
V N A X A T U I G W O M D V E O C A E D
G W U E T R S E B K I C L G R R R W A H
A Y D B K S E Y R J O J S U A T T M C T
S A R À A W E N U E N V X O D S T Y A B
R M O P L A C J I D G C T T N Y F H V N
U Q P F F Q I A I E H G N V A A Z C A B
H A C Q L I M L I F N U E R E D E V L A
B S A P M F H Y H C D T G L L D V B L N
U M O I G G E S S A P A E R A D N A O Y

a. Boring

b. Exciting

c. It will be

d. To do nothing

e. To do sport

f. To go for a walk

g. To play

h. To ride a bike

i. To ride a horse

j. To watch a film

k. To read a book

8. Translate into English

a. Sabato prossimo la mia ragazza e io vedremo un film.

b. Il prossimo fine settimana mio fratello e io giocheremo a volano.

c. Venerdì prossimo i miei genitori vedranno uno spettacolo teatrale.

d. Domenica prossima di pomeriggio andrò per negozi con mia madre.

e. Il prossimo fine settimana mia sorella andrà in piscina con il suo ragazzo.

f. Il prossimo fine settimana farò i compiti di matematica.

g. Sabato prossimo di mattina andrò al parco con mio fratello minore.

h. Dopo, mio fratello e io andremo a mangiare al ristorante italiano vicino a casa mia.

9. Match

Sono andato per negozi	I went to the library
Ho letto un libro	We played tennis
Ho visto un film	I rode a horse
Sono andato a cavallo	We did sport
Non ho fatto nulla	I watched a film
Sono andata in biblioteca	We went jogging
Abbiamo fatto sport	I played basketball
Ho giocato a pallacanestro	I read a book
Abbiamo giocato a tennis	We didn't do anything
Abbiamo fatto footing	I didn't do anything
Non abbiamo fatto nulla	I went shopping

10. Complete with the missing letters

a. Sono anda_i per negozi.
b. Siamo andat__ in campagna.
c. Abbiam__ fatto sport.
d. __o visto un film.
e. Son__ andata allo stadio.
f. Ho lett__ un libro.
g. A__biamo giocato a pallacanestro.
h. Abbiamo vi__to monumenti.
i. No__ h__ fatto nu____a.

11. Choose the correct verb and cross out the wrong ones

a. Ho fatto / ho visto / Ho giocato a pallacanestro.
We played basketball.

b. Non ho fatto / ho visto / ho giocato niente.
I didn't do anything.

c. Sono andata / Ho visto / Ho fatto in bici.
I rode a bike.

d. Sono andato / Ho visto / Ho ascoltato musica.
I listened to music.

e. Ho visto / Ho giocato/ Sono andato per negozi.
I went shopping.

12. Anagrams: rewrite the jumbled-up words correctly

a. onoS datano erp egonzi

b. Oh tosvi nu lifm

c. onN ho fotta nenite

d. Oh toiacgo a nalroacalestp

e. amoSi daanti lola staiod

f. mobiaAb tofat prots

g. oNn oh tafto i picotim

h. iamboAb gitooca a nniste

13. Slalom writing

e.g. Yesterday I rode my bike in the park.

a. Last Saturday I went shopping with my girlfriend.
b. Last Friday I did my homework after school.
c. Last Sunday I didn't do anything. I only watched a film.
d. Three days ago, I went to the gym with my brother.
e. The day before yesterday I played basketball with my friends.
f. Next Saturday I am going to the stadium with my cousin.
g. Next Friday I am going to go sightseeing in the old town.

Ieri	andrò	giro turistico	con la mia	con mio cugino.
Venerdì scorso	**sono andato in**	nulla.	Ho solo	**parco.**
Tre giorni fa	sono andato per	**bici**	**al**	fratello.
L'altro ieri	ho fatto	pallacanestro	Dopo la	amici.
Sabato scorso	sono andato in	allo	con i miei	visto un film.
Sabato prossimo	non ho fatto	i compiti	con mio	ragazza.
Venerdì prossimo	ho giocato a	negozi	stadio	vecchia.
Domenica scorsa	farò un	palestra	nella città	scuola.

14. Translate into English

a. Sono andato in piscina.
b. Andrò per negozi.
c. Siamo andati al bowling.
d. Il mio amico e io abbiamo fatto sport.
e. Andremo in bici.
f. Ho fatto nuoto.
g. Andrò allo stadio.
h. Abbiamo giocato a pallacanestro.
i. Abbiamo fatto un giro turistico.
j. Abbiamo fatto un aperitivo.
k. Ho letto un romanzo.
l. Abbiamo visto dei cartoni animati.
m. Siamo andati allo stadio.
n. Ho fatto una passeggiata al parco.

15. Complete the hidden sentences

a. S _ _ _ a _ _ _ _ _ i _ _ b _ _ _
b. S _ _ _ a _ _ _ _ _ p _ _ n _ _ _ _
c. H _ g _ _ _ _ _ _ a p _ _ _ _ _ _ _ _ _ _ _ _
d. S _ _ _ _ a _ _ _ _ _ a _ b _ _ _ _ _ _
e. S _ _ _ a _ _ _ _ _ a _ _ _ s _ _ _ _ _
f. N _ _ h _ f _ _ _ _ n _ _ _ _
g. H _ f _ _ _ _ i c _ _ _ _ _ _
h. A _ _ _ _ _ _ g _ _ _ _ _ _ a t _ _ _ _ _
i. S _ _ _ a _ _ _ _ _ i _ p _ _ _ _ _ _
j. H _ m _ _ _ _ _ _ a c _ _ _ _ _ _
k. H _ l _ _ _ _ u _ r _ _ _ _ _ _

16. Complete the table using the words listed below. Note: three of the words are distractors
HINT: all the sentences are in the past tense

macchina	scuola	amico	bici
piscina	ho visto	la	pinguino
centro	ho fatto	negozi	ieri
cinema	venerdì	fa	parco
scorsa	ho giocato	film	scorso
televisione	sono andato	settimana	stadio

Quando?	Che cosa hai fatto?	Dove? / Con chi?
a. Sabato ______________	sono andato in ______________	al ______________.
b. ______________ scorso	________ una partita di calcio	alla ______________.
c. Domenica ______________	sono andato per ______________	al ____________ commerciale
d. ______________	______________ nuoto	alla ____________ municipale.
e. Tre giorni ______________	ho visto un ______________	al __________ vicino casa mia.
f. __________ settimana scorsa	_____________ a pallacanestro	a _________________.
g. Lo scorso fine ____________	______________ a una festa	a casa di un mio __________.

17. Complete the table below with the missing verb forms, as shown in the example

PAST	PRESENT	FUTURE
Sono andato/a *al cinema*	***Vado*** *al cinema*	***Andrò*** *al cinema*
	Andiamo per negozi	Andremo per negozi
		Farò i compiti
Sono andato/a sullo skateboard *[I skateboarded]*	Vado sullo skateboard	
	Vado allo stadio	
	Monto a cavallo	
Sono andato/a a una festa	Vado a una festa	
	Vado in bici	Andrò in bici
	Vedo un film	
Ho visto i cartoni animati		

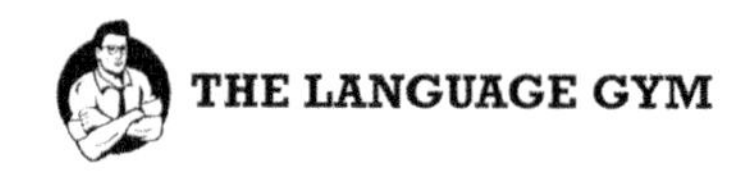

Lo scorso fine settimana non ho fatto nulla di speciale. Venerdì, dopo scuola, sono tornato *[I came back]* a casa verso le quattro. Ho mangiato un panino e mi sono rilassato *[I relaxed]* un po' ascoltando musica. Dopo, come sempre, ho fatto i compiti e sono andato in palestra con mio fratello maggiore. È stato stancante, ma divertente. Di pomeriggio ho visto un film d'azione in tv. Niente di straordinario!
Il sabato di mattina sono andato per negozi con mia madre. Ho comprato *[I bought]* una maglietta e dei jeans. Di pomeriggio sono andato in bici al parco vicino a casa mia con il mio miglior amico e poi, verso le sette, sono andato al cinema con la mia ragazza. È andata molto bene con lei. È molto intelligente e ha un buon senso dell'umorismo!
Domenica non ho fatto nulla. Mi sono alzato *[I got up]* molto tardi, sono andato in chiesa con i miei genitori e dopo mi sono rilassato giocando al computer e ascoltando musica. Niente di speciale.
È stato un fine settimana molto rilassante.
(Sergio, 15 anni, Bergamo)

18. Find in the text the Italian equivalent for the items below.

a. I didn't do anything special
b. I came back home
c. I ate a sandwich
d. I did my homework
e. I went to the gym
f. It was tiring
g. I watched a film
h. Nothing great
i. I went shopping
j. In the afternoon
k. I rode the bike
l. With my girlfriend
m. I had a good time with her
n. She is very clever and has a good sense of humor
o. I went to church
p. Afterwards I relaxed
q. Nothing special

19. Answer the questions below in the first person, as if you were Sergio

a. A che ora sei tornato a casa venerdì scorso?
b. Che cosa hai mangiato?
c. Che cosa hai fatto per rilassarti?
d. Con chi sei andato in palestra?
e. Come è stato l'allenamento?
f. Che tipo di film hai visto in tv?
g. Dove sei andato sabato di mattina?
h. Con chi?
i. Che cosa hai comprato?
j. A che ora sei andato al cine con la tua ragazza?
k. Com'è la tua ragazza?
l. Dove sei andato domenica di mattina?

20. Spot and correct the mistakes in these sentences from Sergio's text

a. Non ho fatto nulla speciale (1 mistake)
b. Venerdi, dopo alla scuola, sono tornato a casa verso i quattro (3)
c. Ho mangiato un paneno di formaggio (2)
d. Ho fatto i compiti i ho andato in palestra (2)
e. O visto una film (2)
f. Il sabado per mattina (2)
g. Ho andato per negozi (1)
h. Ho computo una maglietta (1)
i. Domenica ho fatto nulla (1)
j. Me sono alzato tardi (1)
k. Mi sono rilassato ascoltare musica (1)
l. È un fine setimana molto rilassante (1)

Sabato scorso di mattina sono andata a passeggio in centro con la mia sorella maggiore. Sono andata al mio negozio di vestiti preferito e ho comprato un vestito rosa molto alla moda. Di pomeriggio sono uscita *[I went out]* con il mio ragazzo. Siamo andati al parco vicino a casa mia e poi, verso le sette, sono andata al ristorante italiano con la mia famiglia. Il ristorante è a cento metri a piedi da casa mia e quindi siamo andati a piedi. Abbiamo mangiato molto bene!

Domenica non ho fatto nulla di speciale. Mi sono alzata *[I got up]* abbastanza tardi, poi sono andata in piscina e dopo mi sono rilassata leggendo un libro e suonando la chitarra.

È stato un fine settimana molto rilassante.

(Lucia, 13 anni. Napoli)

Sabato scorso di mattina sono andata a passeggio in centro con mia sorella minore. Sono andata al mio negozio di vestiti preferito e ho comprato una gonna rosa molto alla moda. Di pomeriggio sono uscita *[I went out]* con la mia miglior amica. Siamo andate al centro commerciale vicino a casa mia. Abbiamo guardato le vetrine e abbiamo mangiato un gelato. Poi sono andata al giapponese con la mia famiglia. Il ristorante è di fianco a casa mia. È molto buono. Abbiamo mangiato molto bene.

Domenica non ho fatto nulla di speciale. Mi sono alzata *[I got up]* presto per fare footing con mia madre. Sto cercando di restare in forma! Poi mi sono rilassata ascoltando musica e giocando a videogiochi online fino alle cinque.

(Anna, 13 anni. Matera)

21. Tick the phrases below that are contained in Lucia's text

a. Andata a passeggio	g. Di pomeriggio
b. Siamo andati lì	h. A cento metri
c. Per negozi	i. In macchina
d. Sono andata in bici	j. Poi sono andata
e. Non ho fatto nulla	k. Siete andati
f. Sono andata in piscina	l. Ho comprato

22. *Lucia*, *Anna* or *Neither* of them?

a. Went to the park with her boyfriend.
b. Relaxed reading a book.
c. Had an ice cream with her best friend.
d. Went to the restaurant by car.
e. Went for a walk with her older sister.
f. Went window shopping.
g. Relaxed playing guitar.
h. Lives right next to a restaurant.
i. Went to the pool on Sunday.
j. Woke up early to go jogging.

23. Find the Italian equivalent of the items below in Anna's text.

HINT: they are not listed in the same order as in the text

a. In the morning
b. Till five
c. Next to my house
d. I didn't do anything special
e. Early
f. I am trying to stay fit
g. With my best friend
h. We went window shopping
i. We ate very well
j. I went to my favourite shop
k. I relaxed

24. Translate the words underlined below. HINT: the sentences are from Anna's text

a. <u>Sono uscita</u> con la mia miglior amica
b. Una gonna rosa molto <u>alla moda</u>
c. <u>Abbiamo mangiato</u> molto bene
d. Mi sono alzata <u>presto</u>
e. <u>Abbiamo guardato</u> le vetrine
f. <u>Sto cercando</u> di restare in forma
g. Mi sono rilassato <u>ascoltando musica</u>

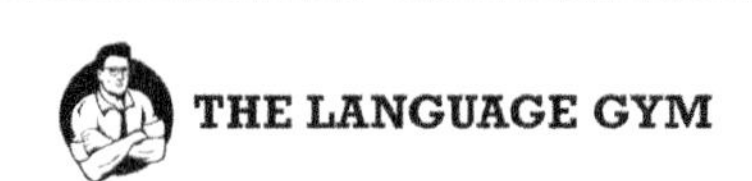

Silvia: Domenica scorsa non ho fatto nulla di speciale. Di mattina sono andata in biblioteca e poi, di pomeriggio, sono andata al centro commerciale vicino casa mia. Poi ho fatto i compiti di matematica. Finiti i compiti, ho visto un film romantico in tv. È stato abbastanza noioso.

Marcella: Domenica scorsa non è stata affatto divertente. Ho solo fatto i compiti, ho giocato con il mio cane in giardino e ho aiutato mia madre con le faccende domestiche. Verso le sette del pomeriggio sono andata a casa dei miei nonni con mia madre e abbiamo cenato lì.

Francesco: Domenica scorsa è stata fantastica perché ho fatto tanto sport con i miei migliori amici. Di mattina sono andato in mountain bike con la mia amica Anna. È stato molto stancante, però anche molto divertente! Di pomeriggio ho fatto arrampicata con il mio miglior amico, Paolo, al parco del mio quartiere. Lì c'è una parete da arrampicata molto alta. È stato emozionante! Poi ho fatto pesi con il mio amico Gianni. È stato fantastico! Mi fanno ancora male le braccia!

Susanna: Domenica scorsa non ho fatto niente di niente. Ho solo dormito, mangiato e visto la televisione.

Alessandro: Domenica scorsa sono stato molto bene. Ho passato tutto il giorno con la mia ragazza. Di mattina siamo andati per negozi in centro. Poi abbiamo preso qualcosa al bar e abbiamo fatto un giro per la città vecchia. Abbiamo fatto i turisti e abbiamo scattato moltissime foto al castello. Poi siamo andati al luna park vicino al porto. È stato molto divertente! Una gran bella giornata!

25. Find someone who...

a. ...went to an amusement park last Sunday
b. ...didn't do anything special
c. ...went rock climbing in the afternoon
d. ...had a nice day with his girlfriend
e. ...went mountain biking
f. ...who still had sore arms from their work-out
g. ...spent the evening with their grandparents
h. ...watched a romantic film on TV
i. ...spent the whole Sunday eating, sleeping and watching television
j. ...took a lot of pictures in a castle
k. ...helped their mother with the chores

26. Find the Italian equivalent

a. Last Sunday
b. I went to the library
c. Once I finished my homework
d. It was quite boring
e. I helped my mother with the house chores
f. We had dinner there
g. I did a lot of sport
h. With my best friends
i. My neighbourhood park
j. I did weights
k. My arms still hurt

27. Tick or cross? Tick the phrases below that are contained in the text above and the cross the ones that are not.

a. Sono stato molto bene	f. Una gran bella giornata	k. Ho fatto pesi
b. Ho fatto vela	g. È stato interessante	l. Di mattina
c. Ho scattato molte foto	h. Abbiamo preso qualcosa	m. Abbiamo fatto i turisti
d. Sono andato in bici	i. La città vecchia	n. Non ho fatto niente di niente
e. Abbiamo cenato lì	j. Sono andato in piscina	o. Mi sono connessa ad internet

28. Sentence puzzle: rewrite the sentences in the correct order

a. alzato Mi presto sono	*I got up early*
b. Ho scattato foto molte	*I took many pictures*
c. ho fatto Non speciale di nulla	*I didn't do anything special*
d. al andato Sono solo da cinema	*I went to the cinema alone*
e. Mi ascoltando rilassata musica sono	*I relaxed listening to music*
f. visto Abbiamo monumenti in centro	*We did some sightseeing in the centre*
g. fatto campagna in Abbiamo ciclismo	*We did some biking in the countryside*
h. colline escursionismo Abbiamo sulle fatto	*We did some hiking on the hills*
i. Sabato andati per scorso siamo negozi	*Last Saturday we went shopping*
j. la Di con pomeriggio ragazza mia sono uscita	*In the afternoon I went out with my girlfriend*

29. Complete the translation

a. *I had a great time.*	S _ _ _ s _ _ _ _ _ m _ _ _ _ _ b _ _ _
b. *I went to the old part of town.*	S _ _ _ a _ _ _ _ _ _ a _ _ _ c _ _ _ _ _ v _ _ _ _ _ _ _
c. *Last Saturday.*	S _ _ _ _ _ _ s _ _ _ _ _ _
d. *I rode the bike.*	S _ _ _ a _ _ _ _ _ _ i__ b _ _ _
e. *We did some sightseeing.*	A _ _ _ _ _ _ _ f_ _ _ _ _ u_ g___ t_ _ _ _ _ _ _ _ _ _
f. *I went to the stadium.*	S _ _ _ a _ _ _ _ _ _ a _ _ _ s _ _ _ _ _ _
g. *I relaxed.*	M__ s _ _ _ r _ _ _ _ _ _ _ _ _ _
h. *I did not do anything special.*	N _ _ h__ f _ _ _ _ _ n _ _ _ _ _ d__ s _ _ _ _ _ _ _ _ _
i. *I got up late.*	M__ s _ _ _ a _ _ _ _ _ _ _ t _ _ _ _ _
j. *In the morning*	D__ m _ _ _ _ _ _ _ _

30. Rewrite the sentences on the left in the past and the right in the future

Past indicative	Present indicative	Future indicative
Sono andato in bici	Vado in bici	Andrò in bici
	Vado allo stadio	
	Faccio i compiti	
	Monto a cavallo	
	Gioco a pallacanestro	
	Sto molto bene	
	Mangio un panino	
	Ascolto musica	

31. Split sentences

Ho mangiato	una partita di calcio in tv
Mi sono rilassato	alla piscina municipale
Non ho fatto	presto
Ho comprato	carne e insalata
Ho visto	in bici
Sono andata	un vestito rosa
Ho fatto nuoto	leggendo
Mi sono alzato	a pallacanestro
Sono andato	al centro commerciale
Ho giocato	niente

32. Translate into Italian

a. I had a great time
b. I went to the cinema
c. We went sightseeing
d. I am going to play basketball
e. I didn't do anything
f. We went shopping
g. We are going to go to a party
h. I rode (my) bike

35. Write a 200 word description of your neighbourhood including the following information

- Where it is located.
- What one can see and do in your neighbourhood (***si può*** **+ verb**).
- A brief description of your street.
- What sports facilities can be found.
- What you usually do at the weekend (**present tense**).
- What you are planning to do next weekend (**future tense**).
- What you did last weekend (**past tense**).

33. Complete with the missing verbs. Please note: use first person singular of the past (e.g. sono andato, ho fatto, etc.)

a. ____________ al parco con il mio cane.
b. ____________ una maglietta.
c. Ieri ____________ una serie in tv.
d. ____________ in bici al parco.
e. ____________ a carte con mio nonno.
f. Mi ____________ ascoltando musica.
g. Sabato mi ____________ presto.
h. ____________ alla festa di mio cugino.
i. Non ____________ niente domenica scorsa.
j. ____________ a tennis.
k. ____________ molte foto.
l. ____________ allo stadio con mio padre.
m. ____________ una rivista in salotto.

34. Write a paragraph in which you include as much of the information below as possible

Things to see in your neighbourhood	shops a medieval castle a big museum
Things one can do in your neighbourhood	eat well go shopping go to concerts go to the cinema
Sports facilities	a big sports centre gyms a swimming pool rock-climbing wall
Things you did last weekend	went shopping watched a football match went to a party at a friend's place
Things you are going to do next weekend	go to a concert play basketball with friends go sightseeing in the old town

Question Skills Unit 5

English	Italiano
What are you going to do next weekend?	**Che cosa farai il prossimo fine settimana?**
What time are you going to get up?	**A che ora ti alzerai?**
Where are you going to go?	**Dove andrai?**
Who are you going to go with?	**Con chi andrai?**
What will it be like?	**Come sarà?**
What did you do last weekend?	**Che cosa hai fatto lo scorso fine settimana?**
Where did you go? With whom?	**Dove sei andato? Con chi?**
How did it go? What was the best thing?	**Com'è stato? Qual è stata la cosa migliore?**
What was the weather like?	**Com'era il tempo?**
At what time did you get up?	**A che ora ti sei alzato?**
At what time did you go to bed?	**A che ora sei andato a letto?**

1. Sentence puzzle: rewrite the sentences in the correct order

a. chi Con andrai?

b. farai Che cosa settimana il fine prossimo?

c. era Come tempo il?

d. sport Quale hai fatto?

e. settimana Che cosa hai fatto lo fine scorso?

f. andato ora A che a sei letto?

g. Qual la cosa migliore è stata?

h. Con andato chi sei?

2. Gapped questions: complete with the suitable words

a. Che cosa _______________ il prossimo fine _______________?

b. Com'era il _______________ lo _______________ fine settimana?

c. Dove sei _______________? Con _______________?

d. Come _______________? Qual è stata la cosa _______________?

e. A _______________ ora sei _______________ a letto sabato scorso?

f. A che ora _______________ alzerai sabato _______________?

g. Che cosa _________________ domenica _________________?

3. Write the questions to the answers below

a.	*Andrò per negozi al centro commerciale.*
b.	*Andrò con il mio miglior amico.*
c.	*Comprerò dei jeans.*
d.	*Sarà molto divertente.*
e.	*Sono andato in piscina con mio papà e mia sorella Mary*
f.	*È stato stupendo. La cosa migliore è stata la piscina.*
g.	*Poi siamo andati al parco e siamo andati a passeggio.*
h.	*C'è stato il sole tutto il giorno.*

4. Break the flow

a. Acheoraseiandatoaletto?

b. Checosahaifattoloscorsofinesettimana?

c. Conchiandrai?

d. Doveseiandato?

e. Acheoratiseialzato?

f. Qualèstatalacosamigliore?

g. Comeerailtempo?

h. Comeseitato?

i. Checosafaraiilprossimofinesettimana?

5. Spot and add in the one word missing

a. Che cosa hai fatto scorso fine settimana?

b. Che ora ti sei alzato?

c. Come sei?

d. Con chi sei andato centro sportivo?

e. Com'era tempo?

f. Andrai domenica prossima?

g. Dove andato lo scorso fine settimana?

h. Dove sabato prossimo?

i. A che ora sei andato letto?

6. Complete the answers to the questions

a. A che ora ti sei alzato domenica scorsa?	Mi sono alzato…
b. Che cosa hai fatto di mattina?	Di mattina, …
c. Che cosa hai fatto di pomeriggio?	Di pomeriggio, sono andato a…
d. Com'era il tempo?	È stato …
e. Come sei stato?	Sono stato…
f. Che cosa farai il prossimo fine settimana?	Il prossimo fine settimana…
g. Dove andrai?	Andrò a…
h. Con chi?	Con…
i. Come sarà?	Sarà…
j. Dove cenerai?	Cenerò...
k. Che cosa mangerai per cena?	Per cena mangerò…

Unit 6

Talking about my daily routine & activities

In this unit you will learn:

- To say what daily activities you do
- To say what time you do things at
- To describe what you "can", "must" and "want" to do

Key sentence patterns:

- Time adverbial + verb phrase + *alla/alle* + time + adversative clause
- *Però/tuttavia* + time adverbial + modal verb + infinitive

Grammar:

- Present of reflexive & non-reflexive verbs
- Present of modal verbs

UNIT 6: Talking about my daily routine & activities

<table>
<tr>
<td rowspan="3">Di mattina
[In the morning]

Di notte
[At night]

Di pomeriggio
[In the afternoon]

Di sera
[In the evening]

In settimana
[During the week]

Prima della scuola
[Before school]

Questo fine settimana
[This weekend]</td>
<td>mi alzo [I get up]
mi lavo i denti [I brush my teeth]
mi pettino [I brush my hair]
mi vesto [I get dressed]</td>
<td>alla*</td>
<td>una</td>
<td rowspan="2">e un quarto
[quarter past]

e mezzo/mezza
[half past]

meno un quarto
[quarter to]</td>
</tr>
<tr>
<td rowspan="2">ceno [I have dinner]
esco di casa [I leave my house]
faccio colazione [I have breakfast]
faccio i compiti [I do homework]
faccio una doccia [I shower]
gioco ai videogiochi [I play videogames]
guardo la televisione [I watch television]
leggo un libro [I read a book]
navigo in internet [I surf the internet]
preparo lo zaino [I prepare my bag]
pranzo [I have lunch]
riposo [I rest]
torno a casa [I return home]
vado a letto [I go to bed]
vado a scuola [I go to school]</td>
<td>alle</td>
<td>due
tre
quattro
cinque
sei
sette
otto
nove
dieci
undici</td>
</tr>
<tr>
<td colspan="2">a</td>
<td>mezzogiorno
[midday]
mezzanotte
[midnight]</td>
</tr>
</table>

<table>
<tr>
<td>ma
[but]

invece
[instead]

però
[but]

tuttavia
[however]</td>
<td>domani
[tomorrow]

oggi
[today]</td>
<td>(non) devo [I -don't- have to]

(non) posso [I can -not-]

(non) voglio [I -don't- want to]</td>
<td>aiutare a casa [help at home]
alzarmi presto/tardi [get up early/late]
andare a scuola [go to school]
fare i compiti [do homework]
fare le faccende domestiche [do chores]
(ri)fare il letto [make the bed]
uscire con i miei amici [go out with friends]</td>
</tr>
</table>

*** You can also say "all'una".**

1. Match

Faccio colazione	I go to bed
Faccio i compiti	I wash my face
Esco di casa	I read a book
Mi alzo	I do my homework
Arrivo a scuola	I have breakfast
Vado a letto	I rest
Leggo un libro	I want
Mi lavo la faccia	I leave my house
Mi vesto	I arrive at school
Faccio una doccia	I get dressed
Riposo	I can
Pranzo	I have lunch
Voglio	I shower
Posso	I get up

2. Missing letters

a. Fa__cio cola__ione
b. Ripo__o
c. M__ lav__
d. Po__so
e. Vo__lio
f. __i al__o
g. E____o d__ ca__a
h. Le__go un li__ro
i. Po__ vado a s__uola
j. Mi v__sto
k. Fa__cio una do__cia
l. A__riv__ a casa

3. Multiple choice: choose the correct translation

	1	2	3
a. I get dressed	mi lavo	preparo lo zaino	mi vesto
b. I have lunch	pranzo	faccio colazione	ceno
c. I have dinner	mangio qualcosa	ceno	pranzo
d. I wash	mi lavo	mi vesto	mi sveglio
e. I want	mi piace	devo	voglio
f. I read a book	leggo un libro	leggo una rivista	vado al cinema
g. I watch a film	vado per negozi	guardo un film	leggo un libro
h. I have to	devo	mi piace	voglio
i. I am going to do	mi piacerebbe	farò	andrò
j. I arrive	arrivo	vado	torno

4. Complete with the missing verb

a. _ _ _ _ _ _ _ *I get dressed*
b. _ _ _ _ _ _ *I wash*
c. _ _ _ _ _ _ _ *I have lunch*
d. _ _ _ _ _ _ _ _ _ _ _ _ _ _ *I read a book*
e. _ _ _ _ _ _ _ *I want*
f. _ _ _ _ *I am going to/will do*
g. _ _ _ _ *I must*
h. _ _ _ _ _ _ _ _ _ _ _ *I go to bed*

5. Match action and place

mi lavo	in camera mia
pranzo	in palestra
mi vesto	in bagno
faccio footing	al centro commerciale
faccio pesi	in piscina
guardo un film	al ristorante
vado per negozi	al cinema
faccio nuoto	al parco

6. Arrange the actions below in the correct chronological order

Mi sveglio	1
Pranzo	
Ceno	
Mi alzo	
Faccio colazione	
Esco da scuola	
Vado a scuola	
Arrivo a scuola	
Dopo cena, guardo la televisione	

7. Faulty translation: correct the English

a. Mi alzo alle sei e mezzo — *I get up at 6:15*

b. Faccio subito una doccia — *I shower much later*

c. Mi vesto — *I have breakfast*

d. Mi metto l'uniforme — *I take off my uniform*

e. Arrivo a scuola — *I go to school*

f. Faccio footing — *I have feet*

g. Pranzo — *I have dinner*

h. Esco da scuola — *I go to school*

i. Riposo — *I read*

j. Vado a letto — *I shower*

8. Complete with the options below

a. In generale mi alzo alle sei e ___________. — *I usually get up at 6:30.*

b. Faccio colazione verso le sette meno __________. — *I have breakfast around 6:40.*

c. Esco di casa verso le sette e __________. — *I leave my home around 7:10.*

d. Prendo l'autobus alle sette e un ____________. — *I catch the bus at 7:15.*

e. Arrivo a scuola alle otto ________ un quarto. — *I get to school at 7:45.*

f. Le lezioni iniziano alle otto meno ___________. — *Lessons start at 7:55.*

g. Pranzo a __________________. — *I have lunch at midday.*

h. Torno a casa con l'autobus delle quattro e _________. — *I get back home on the 4:20 bus.*

i. Ceno _________ le otto di sera. — *I have dinner around 8:00 p.m.*

j. Vado a letto a _________________. — *I go to bed at midnight.*

venti	venti	quarto	meno	mezzogiorno
mezzo	dieci	mezzanotte	verso	cinque

9. Match

Alle otto e un quarto	Alle otto e dieci	Alle otto e mezzo	Alle otto e cinque	Alle nove meno cinque	Alle nove meno dieci	Alle nove meno un quarto
8:05	8:10	8:15	8:30	8:50	8:45	8:55

10. Sentence puzzle: rewrite the sentences in the correct order

a. non Oggi fare i devo compiti	*Today I don't have to do homework.*
b. devo presto alzarmi non Domani	*Tomorrow I don't have to get up early.*
c. Questa uscire posso sera miei i con amici	*This evening I can go out with my friends.*
d. devo Domani non scuola andare a	*Tomorrow I don't have to go to school.*
e. fine Questo settimana allo andrò stadio	*This weekend I am going to go to the stadium.*
f. devo Venerdì le prossimo faccende fare domestiche	*Next Friday I must do the house chores.*
g. Sabato prossimo a posso tardi andare letto	*Next Saturday I can go to bed late.*
h. Domenica prossima alla posso andare festa	*Next Sunday I can go to the party.*

Silvio: Domani non posso uscire con la mia ragazza perché ho molti compiti.

Marina: Il prossimo fine settimana andrò alla festa di Lucia.

Gabriele: Sabato prossimo voglio andare in spiaggia.

Elena: Oggi di pomeriggio andrò per negozi con mia madre.

Fernando: Oggi non voglio fare le faccende domestiche. Sono stanchissimo.

Roberto: Tutti i giorni dopo essermi alzato devo rifare il letto.

Susanna: In generale aiuto mia madre in casa, però oggi non posso perché devo ripassare per un esame.

Anna Rita: Questo fine settimana voglio passarlo con la mia famiglia. Andremo al Luna Park e poi a un ristorante italiano in centro.

Pietro: Oggi non posso fare ciclismo in montagna con i miei amici perché c'è brutto tempo.

Carla: Il sabato che viene non farò nulla. Mi riposerò e basta.

11. Find someone who...

a. …must revise for an exam

b. …can't go mountain biking today

c. …has a lot of homework so can't go out with his girlfriend

d. …wants to spend the weekend with her family

e. …must go shopping with his mother

f. …is going to an amusement park with her mother

g. …mentions bad weather

h. …who has to make their bed after getting up

i. …wants to go to the beach at the weekend

j. …is planning to go to a party

k. …is planning to only rest at the weekend

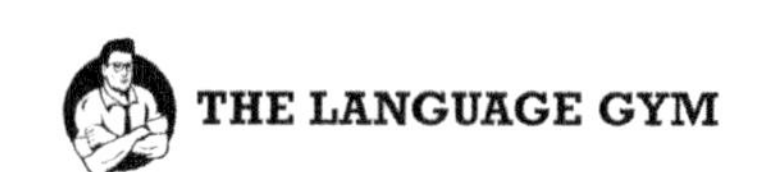

12. Gapped translation

a. Domani non posso uscire con la mia ragazza perché ho molti compiti.
Tomorrow I ___________ go out with my girlfriend because I have ________________________.

b. Il prossimo fine settimana andrò alla festa di Lucia.
Next ________________ I am going to go to Lucia's ______________.

c. Domenica prossima voglio andare in spiaggia.
Next _______________ I ___________ to go to the beach.

d. Oggi di pomeriggio andrò per negozi con mia madre.
Today in the ________________ I am going to go _______________ with my mother.

e. Oggi non voglio fare le faccende domestiche. Sono stanchissimo.
_____________ I don't want to do the chores. I am very _______________.

f. Tutti i giorni dopo essermi alzato devo rifare il letto.
Every day, after __________________ I __________ ______ make my bed.

g. Oggi non posso andare in bicicletta perché c'è brutto tempo.
Today I ______________ go biking because ______________________________.

h. Il sabato che viene non farò nulla. Mi riposerò e basta.
Next _________________ I am not going to do anything. I am only going to ______________.

13. Sort the activities below in the appropriate box

a. Fare ciclismo
b. Fare i compiti
c. Ripassare per un esame
d. Fare il letto
e. Guardare le vetrine
f. Andare per negozi
g. Comprare vestiti
h. Giocare a pallacanestro
i. Lavare i piatti
j. Andare a lezione di spagnolo
k. Fare pesi
l. Cucinare

Gli sport *(Sports)*	**Lo shopping** *(Shopping)*
Gli studi *(Studies)*	**Le faccende domestiche** *(Chores)*

14. Complete with a suitable word (only one word per space).

a. Oggi devo fare i ________
b. Domani voglio andare per ________
c. Questo pomeriggio aiuterò mio ________
d. Questa mattina _____ andrò a scuola
e. Oggi voglio mangiare ________
f. Devo ________ per l'esame
g. Voglio ________in bici
h. Arrivo a scuola ________ otto
i. Faccio ________ in cucina
j. Non faccio ________
k. Leggo un ________ nella mia stanza

In generale, in settimana mi alzo molto presto, verso le sei, perché devo prendere l'autobus per andare a scuola alle sette meno un quarto. Faccio subito una doccia e faccio colazione con dei toast con miele e una spremuta d'arancia.
Dopo la colazione mi metto l'uniforme ed esco di casa per prendere l'autobus. In generale arrivo a scuola verso le sette e mezzo. Le lezioni iniziano alle otto meno un quarto e finiscono alle tre e un quarto.
Torno a casa verso le quattro. Poi faccio subito una doccia e riposo un po' prima di fare i compiti.
Oggi devo ripassare per gli esami e quindi non posso uscire con i miei amici. In generale, tra le cinque e le sette e mezzo andiamo al centro commerciale per guardare le vetrine e passeggiare. Invece, oggi studierò fino alle undici. Sarà molto noioso!

(Edoardo, 14 anni. Siena)

16. Complete the sentences

a. During the week I get up _______________.
b. At 6.45 I must ________________________ to go to school.
c. For breakfast I have ____________________ with __________________.
d. After breakfast I put on the uniform and __________________ to catch the bus.
e. Lessons start at____________________ and end at ________________________.
f. Around four I ______________________.
g. Before doing my homework I _______________________________ and _________.
h. Today I must revise for my exams, so I _______________________________.
i. Between five and seven thirty we go to the shopping mall to _______________________ and to _______________________________.

15. Find the Italian equivalent

e.g. During the week: ***In settimana***

a. Early
b. I must catch
c. I shower right away
d. Toasts with honey
e. After breakfast
f. I arrive at
g. Lessons start
h. I rest a bit
i. I cannot go out
j. To go window shopping
k. I am going to study

17. Find in the text and write below

a. Two reflexive verbs:
b. Two modal verbs:
c. Two names of food:
d. Two verbs associated with school:
e. Three verbs usually associated with free-time activities:
f. A time adverb starting with O:
g. A time phrase starting with I:
h. A time preposition with F:

18. Answer the questions in Italian in full sentences, as if you were Edoardo

a. A che ora ti alzi, Edoardo?
b. A che ora prendi l'autobus?
c. Con che cosa fai colazione?
d. Quando ti metti l'uniforme?
e. A che ora iniziano le lezioni?
f. Perché non puoi uscire con i tuoi amici?
g. Che cosa fai al centro commerciale con i tuoi amici?
h. Che cosa farai questa sera?

In settimana sono solita alzarmi abbastanza presto. Devo alzarmi verso le sei e mezzo, perché devo prendere l'autobus delle sette e un quarto per andare a scuola. Faccio subito una doccia e dopo faccio colazione con dei toast con la marmellata e un succo di mela. Dopo colazione mi lavo i denti e prima di uscire di casa mi metto l'uniforme. Poi esco di casa per prendere l'autobus.
In generale, arrivo a scuola verso le sette e mezzo. Le lezioni iniziano alle otto meno un quarto e finiscono alle tre e un quarto. Prima di uscire da scuola, in generale passo un'ora o due ripassando in biblioteca. È abbastanza difficile e noioso, però la mia migliore amica Laura studia con me e quindi ci aiutiamo quando non capiamo qualcosa.
Torno a casa verso le cinque. Poi faccio subito una doccia e riposo un po' prima di fare i compiti. Per via degli esami non posso né uscire con le mie amiche né chattare con loro in internet. Quando esco con loro mi diverto molto. Ci scambiamo battute *[we tell each other jokes]*, parliamo di ragazzi e delle nostre cotte *[of our crushes]* e chiacchieriamo dei nostri compagni di classe. Nel mio quartiere ci sono tanti buoni negozi e quindi andiamo per negozi, guardiamo vetrine e compriamo vestiti. Di tanto in tanto ci prendiamo qualcosa in un bar del quartiere. Il mio ragazzo si chiama Sandro. È molto bello e simpatico. In generale, esco con lui il sabato e la domenica.
(Daniela, 14 anni. Napoli)

19. Find the Italian equivalent

a. During the week
b. I have to get up
c. Right away
d. I brush my teeth
e. I leave the house
f. I get to school
g. Lessons start
h. Before leaving school
i. We help each other
j. I spend one hour
k. Since I have exams
l. We chitchat
m. We go window shopping

20. Translate into English the following extracts from the text above

a. Sono solita alzarmi abbastanza presto
b. Devo alzarmi verso le sei e mezzo
c. Prima di uscire di casa
d. Prima di uscire da scuola
e. Ci aiutiamo quando non capiamo qualcosa
f. Torno a casa
g. Riposo un po' prima di fare i compiti
h. Non posso né uscire con le mie amiche né chattare con loro
i. Guardiamo vetrine e compriamo vestiti

21. Tick the phrases that you can find in Daniela's text

a. ci prendiamo qualcosa	e. ho esami	i. ci divertiamo molto
b. buoni negozi	f. passo un'ora	j. prima di mangiare
c. andiamo al parco	g. fare vela	k. è molto bello
d. con me	h. fare i compiti	l. venerdì

22. Complete the text with one of the options below

In ______________ sono solita ______________ abbastanza presto: ______________ alzarmi verso le sei e mezzo perché devo prendere l'autobus delle sette e un quarto per andare a scuola. Faccio ______________ una doccia e dopo faccio colazione con dei toast con ______________ e un succo di mela. Dopo colazione mi lavo i denti e prima di uscire ______________ casa mi metto l'uniforme. Poi esco di casa ______________ prendere l'autobus. In generale ______________ a scuola verso le otto. Le lezioni iniziano alle otto meno un quarto e ______________ alle tre e un quarto. Prima di ______________ da scuola, in generale, passo un'ora o due ripassando in ______________. È abbastanza difficile e ______________, però la mia ______________ amica Laura studia con me e ______________ ci aiutiamo quando non capiamo qualcosa.

subito	per	devo	alzarmi	finiscono	migliore	noioso
uscire	settimana	arrivo	di	miele	biblioteca	quindi

23. Jigsaw reading: arrange the text in the correct order

In generale, mi alzo presto perché	
a scuola. Poi faccio subito una doccia	
Ciao. Mi chiamo Sergio e ti	1
due toast con marmellata e burro. Poi	
devo prendere l'autobus delle sette e mezzo per andare	
alle tre e torno a casa con l'autobus.	
parlerò della mia routine giornaliera.	
mi metto l'uniforme ed esco di casa. Arrivo a	
e faccio colazione. A colazione mangio solo	
scuola verso le otto. Resto a scuola fino	
Quindi riposo un po' e faccio i compiti.	

24a. Translate the sentences below into Italian using *devo* + infinitive

a. I have to get up early.

b. I have to do homework.

c. I have to help my mother.

d. I have to go to school.

e. I have to make the bed.

f. I have to go to bed early.

g. I have to revise for the exams.

24b. Translate the sentences below into Italian using *(non) posso* + infinitive

a. I can go out with my friends.

b. I cannot play on the computer.

c. I can ride a bike in the park.

d. I can go to bed late.

e. I cannot have breakfast.

f. I can go to school by bike.

g. I can get up early.

24c. Translate the sentences below into Italian using *voglio / devo / posso* + infinitive

a. I have to work.

b. I don't want to take a shower.

c. I can't go to the party.

d. I have to tidy up my room.

e. I want to watch TV.

f. I don't want to go fishing.

g. I can't get up early.

h. I want to eat pizza.

i. I don't want to play.

j. I have to go back home.

k. I don't want to study.

l. I have to do homework.

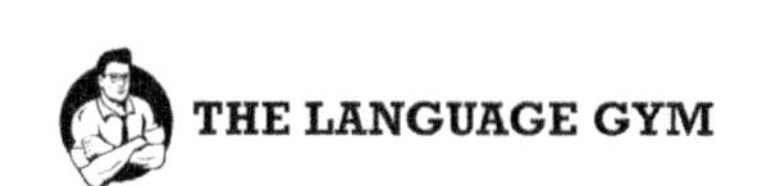

25. Guided translation

a. D_________ d______ a__________ p____ n__________ c____ m____ m________.

Tomorrow I have to go shopping with my mother.

b. Q_________ s______ n____ p________ u__________ c____ i m______ a________.

This evening I can't go out with my friends.

c. O______ n____ p________ g__________ a__ v__________________.

Today I can't play videogames.

d. O______ n____ v__________ f______ i c____________.

Today I don't want to do my homework.

e. Q_________ f______ s_______________ v__________ p____________ d____ t________ c____ l__ m____ f______________.

This weekend I want to spend time with my family.

f. I__ s________________ d______ a____________ p__________.

During the week I must get up early.

g. Q_________ m____________ n____ p________ a__________ a s__________.

This morning I can't go to school.

h. N____ v__________ a__________ a______ f________ d__________.

I don't want to go to the party tomorrow.

26. Translate the following text into Italian

Hi. My name is Marisa. I am going to tell you about my daily routine.

During the week I have to get up early because I must catch the six thirty bus to go to school. I get up at six and shower right away. I then have breakfast. Generally, I eat two eggs, a toast and a banana. After breakfast I leave home and catch the bus to go to school.

I usually arrive at school at seven thirty. Lessons start at 7:40 and end at 2:20. My favourite subject is Italian because the teacher is very good and funny.

I come back home at three o'clock. After coming back, I rest a bit, I shower and then I have to do my homework, or I cannot go out. Around six I go out with my friends. We usually go to the shopping mall near my house. We go window shopping, buy clothes and chat about school and our classmates.

I must come back home at eight for dinner. After dinner I watch TV and then go to bed.

27. Write a 150 to 250 words paragraph in which you:

- Briefly describe yourself and your family
- Say where you live and where your town is located.
- Describe your neighbourhood and what one can do there.
- Say what you normally do on a typical weekday.
- Say what you normally do at the weekend and your plans for next weekend.
- Say what you did yesterday (3 things minimum).
- List three things you want to do today (feel free to make them up).
- List three things you must do today (feel free to make them up).

Question Skills Unit 6

English	Italiano
Tell me about your daily routine. *What do you do in the morning?*	**Parlami della tua routine giornaliera.** **Che cosa fai di mattina?**
At what time do you wake up?	**A che ora ti svegli?**
At what time do you get up?	**A che ora ti alzi?**
What do you usually have for breakfast?	**Con che cosa fai colazione di solito?**
Who do you have breakfast with?	**Con chi fai colazione?**
At what time do you leave the house?	**A che ora esci di casa?**
How do you go to school?	**Come vai a scuola?**
What do you do when you come back from school?	**Che cosa fai quando torni da scuola?**
What do you have to do after school?	**Che cosa devi fare dopo la scuola?**
What do you like to do when you get home from school?	**Che cosa ti piace fare quando torni da scuola?**
What are you going to do next weekend?	**Che cosa farai il prossimo fine settimana?**

1. Split questions

A che	chi fai colazione?
Con	la tua scuola?
Dove fai	ora esci di casa?
Con che cosa	il tuo passatempo preferito?
Che cosa fai	ti piace?
Che cosa farai	dopo la scuola?
Ti piace	sabato prossimo?
Qual è	fai colazione di solito?
Come	colazione?
Perché	vai a scuola?

2. Find and write in the missing words

a. Parlami della routine giornaliera.

b. A che ora svegli?

c. chi fai colazione?

d. A che esci di casa?

e. Che cosa fai quando torni scuola?

f. A ora fai i compiti?

g. Che cosa ti piace fare scuola?

h. Che cosa il prossimo fine settimana?

3. Match questions and answers

A che ora ti svegli?	Di solito, con un toast con miele.
A che ora ti alzi?	Sono solito fare colazione in cucina.
Con che cosa fai colazione di solito?	Esco di casa alle otto meno un quarto.
Con chi fai colazione?	Il mio passatempo preferito è suonare l'ukulele.
Dove fai colazione?	Quando torno a casa leggo sempre un libro.
A che ora esci di casa?	A volte vado in macchina e a volte in autobus.
Come vai a scuola?	Mi sveglio alle sei tutti i giorni.
Che cosa fai quando torni da scuola?	Mi piace giocare ai videogiochi online.
Che cosa devi fare dopo scuola?	Faccio colazione con mia madre.
Che cosa ti piace fare quando torni da scuola?	Andrò al centro commerciale con il mio ragazzo.
Qual è il tuo passatempo preferito?	Devo mettere in ordine camera mia, che barba!
Che cosa farai il prossimo fine settimana?	Mi alzo alle sette.

4. Guided translation

a.	C_ _ c_ _ f_ _ c_ _ _ _ _ _ _ _ _ _?	*With whom do you have breakfast?*
b.	A c_ _ o_ _ t_ a_ _ _?	*What time do you get up?*
c.	C_ _ _ v_ _ a s_ _ _ _ _ _?	*How do you go to school?*
d.	T_ p_ _ _ _?	*Do you like it?*
e.	D_ _ _ f_ _ c_ _ _ _ _ _ _ _ _ _?	*Where do you have breakfast?*
f.	A c_ _ o_ _ t_ s_ _ _ _ _ _?	*What time do you wake up?*
g.	C_ _ f_ _ _ _ _ _ _ _ _ d_ _ _ _ _ _ _ _ _ _ _ d_ _ _ f_ _ _?	*What chores do you have to do?*
h.	C_ _ c_ _ _ f_ _ d_ _ _ s_ _ _ _ _ _?	*What do you do after school?*
i.	Q_ _ _ è i_ t_ _ p_ _ _ _ _ _ _ _ _ _ _ p_ _ _ _ _ _ _ _ _?	*What is your favourite hobby?*

5. Translate into Italian

a. At what time do you wake up?
b. At what time do you get up?
c. Who do you have breakfast with?
d. How do you go to school?
e. Do you like it?
f. At what time do you get back home?
g. What chores do you have to do?
h. What is your favourite hobby?
i. What are you going to do next weekend?

6. Answer the following questions in your own words, using full sentences

A che ora ti svegli?

A che ora ti alzi?

Con che cosa fai colazione? Con chi?

A che ora esci di casa?

Come vai a scuola? Ti piace?

Che cosa fai quando torni a casa?

Che faccende domestiche devi fare?

Che cosa farai il prossimo fine settimana?

Vocab Revision Workout 3

1. Translate into English

a. Giocheremo a pallacanestro.
b. Mia madre andrà in ufficio.
c. Non andrò a scuola oggi.
d. E tu, che cosa farai domani?
e. E voi, che cosa farete oggi?
f. Domani non studierò
g. Mio fratello e io giocheremo a calcio.
h. I miei fratelli andranno in palestra.
i. Mia sorella non farà nulla.
j. Questa sera mio fratello maggiore andrà per locali.

2. Complete with the correct form of the verb *andare*

a. La prossima settimana io _ _ _ _ _ in spiaggia.
b. Questa sera lei _ _ _ _ _ a vedere un concerto.
c. Domenica prossima noi _ _ _ _ _ _ _ _ al parco.
d. I miei fratelli non _ _ _ _ _ _ _ _ _ a scuola.
e. Domani i miei non _ _ _ _ _ _ _ _ _ in ufficio.
f. Mio fratello e io _ _ _ _ _ _ _ _ in vacanza.
g. E tu, dove _ _ _ _ _ _ _ sabato prossimo?
h. E voi, dove _ _ _ _ _ _ _ _ questa sera?
i. I miei fratelli _ _ _ _ _ _ _ _ _ a cavallo.

3. Gapped translation

a. Il negozio di sport si trova d _ f _ _ _ _ _ _ al cinema. *The sports shop is next to the cinema.*
b. La piscina è d _ f _ _ _ _ _ _ alla scuola. *The pool is opposite the school.*
c. Il centro commerciale è alla _ _ _ _ della strada. *The mall is at the end of the street.*
d. La banca si trova _ _ _ _ _ _ _ a questo edificio. *The bank is behind this building.*
e. Lo stadio si trova _ _ _ _ _ _ _ _ da qui. *The stadium is far from here.*
f. Il supermercato è _ _ _ _ _ _ _ _ a casa mia. *The supermarket is near my house.*
g. Si trova _ _ _ il negozio e la piscina. *It is between the shop and the pool.*

4. Guided translation

a. *A beautiful chair* U____ b________ s________
b. *A bright kitchen* U____ c__________ l______________
c. *A red carpet* U__ t____________ r________
d. *Blue curtains* D________ t________ a____________
e. *A spacious room* U____ s__________ s______________
f. *An old wardrobe* U__ v____________ a____________
g. *A comfortable bed* U__ l________ c__________
h. *A modern building* U__ e_____________ m___________
i. *A new TV* U__ t__________________ n________
j. *A quiet neighbourhood* U__ q____________ t____________

5. Complete with a suitable word

a. Nella mia città ci sono tanti ________ ______________.
b. La mia stanza preferita è ___ ____________ perché è ______________.
c. Di fianco all' armadio c'è ___ ________________.
d. Lo specchio _______ di fronte alla _____________.
e. Nel mio appartamento ____ __________ sette stanze.

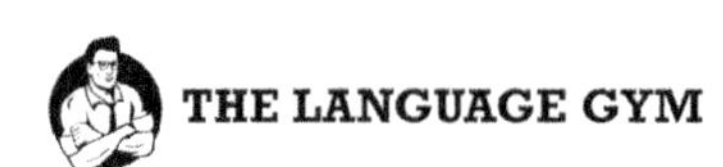

6. Faulty translation: correct the mistakes in the translations below
Please note: not all translations are incorrect.

a.	Nella cucina ci sono quattro vecchie sedie.	*In the kitchen there are four old armchairs.*
b.	In camera mia ci sono tende rosse.	*In my living-room there are red curtains.*
c.	In cucina c'è un piccolo televisore.	*In the kitchen there is a small television.*
d.	Nel nostro giardino non ci sono alberi.	*In our garden there are many trees.*
e.	Nel nostro salotto ci sono due poltrone.	*In our game room there are two armchairs.*
f.	Di fianco al mio letto c'è un comodino.	*Opposite my bed there is a bedside table.*
g.	Lo specchio è vicino alla porta.	*The mirror is near the bookshelf.*
h.	L'armadio si trova a sinistra.	*The wardrobe is on the left.*
i.	In cucina c'è un armadio grande.	*In the kitchen there is a big table.*

7. Translate the sentences below into Italian using *voglio / devo / posso* + infinitive

a. I must study.	g. I can't get up early.
b. I don't want to go out.	h. I want to eat pasta.
c. I can't go to the party.	i. I don't want to go jogging.
d. I must tidy up the kitchen.	j. I must go to the gym.
e. I want to watch a film.	k. I don't want to work.
f. I want to go to school.	l. I must do my homework.

9. Translate into Italian

a. In my neighbourhood there are a lot of things to do for young people.
b. Last week I went to the mall with my mother.
c. Three days ago, I rode on my bike and played with my friends in the park.
d. I don't want to go to the party this evening.
e. We relaxed listening to music.
f. We went to the old town and took many photos.
g. Next week we will go to Rome. It will be fun.
h. Every day I help my mother in the house.
i. I usually get up very early because I must leave the house to go to school at seven.
j. This afternoon I am not going to do anything.

8. Complete with the missing verb in the past (use I pers. sing. e.g. *sono andato*, *ho fatto*, etc.)

a. _________ al negozio con mio padre.
b. Non ________ nulla lo scorso fine settimana.
c. Ieri di pomeriggio __________ un film al cinema.
d. _____________ in bici in centro.
e. _____________ a tennis con mio padre.
f. Mi _____________________ ascoltando musica.
g. Mi ______________ presto per fare footing con mia madre.
h. __________________ a una festa a casa della mia amica Marta.
i. ____________ molte foto.
j. ____________ a pallacanestro.
k. ______________ un maglione.
l. ______________ al parco con la mia ragazza.
m. _________ fumetti in salotto.

Unit 7

Saying what I do to help at home – present & past

In this unit you will learn:

- To say what house chores I and other family members must do
- To say what house chores I did in the recent past
- To say why I didn't help at home in the recent past

Key sentence patterns:

- *Devo* + infinitive + adversative clause + causal clause
- *Però/Tuttavia* + time marker + *non* + recent past
- *Perché* + imperfect

Grammar:

- Use of *dovere*: first and third person
- Introduction of imperfect: first person

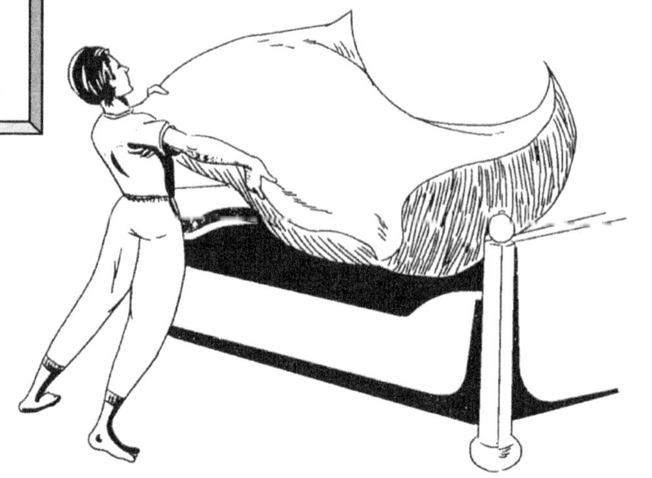

UNIT 7: Saying what I do to help at home – present & past

<table>
<tr>
<td rowspan="3">Di solito
[Usually]
Due volte alla settimana
[Twice a week]
Oggi
[Today]
Tutti i giorni
[Every day]
Una volta alla settimana
[Once a week]</td>
<td>devo
[I have to]
mio fratello deve
[my brother has to]
mia sorella deve
[my sister has to]</td>
<td>aiutare i miei genitori [help my parents]
annaffiare le piante [water the plants]
apparecchiare la tavola [lay the table]
cucinare [cook]
(ri)fare il letto [make the bed]
fare la spesa [do the shopping]
lavare i piatti [wash the dishes]
lavare il pavimento [mop the floor]
passare l'aspirapolvere [vacuum]
portare fuori il cane [walk the dog]
sparecchiare la tavola [clear the table]</td>
</tr>
<tr>
<td>devo</td>
<td>aiutare mio fratello [help my brother]
mettere in ordine la mia stanza [tidy my room]
prendermi cura di mio fratello [take care of my brother]</td>
</tr>
<tr>
<td>mio fratello deve
mia sorella deve</td>
<td>aiutarmi con i compiti [help me with my homework]
mettere in ordine la sua stanza [tidy his/her room]</td>
</tr>
</table>

<table>
<tr>
<td>però
[but]</td>
<td>ieri
[yesterday]</td>
<td>non ho aiutato i miei genitori [I did not help my parents]
non ho annaffiato le piante [I did not water the plants]
non ho apparecchiato la tavola [I did not lay the table]
non ho cucinato [I did not cook]
non ho fatto niente/nulla [I did not do anything]
non ho lavato i piatti [I did not wash the dishes]
non ho messo in ordine la mia stanza [I did not tidy my room]
non ho passato l'aspirapolvere [I did not vacuum]
non ho portato fuori il cane [I did not walk the dog]
non ho potuto [I was not able to]
non ho sparecchiato la tavola [I did not clear the table]
non ho voluto [I did not want to]</td>
</tr>
</table>

<table>
<tr>
<td rowspan="3">perché [because]</td>
<td>ero [I was]</td>
<td>occupato/a [busy] stanco/a [tired]
malato/a [sick]</td>
</tr>
<tr>
<td>mi faceva male [my ... hurt]</td>
<td>il braccio [arm] la testa [head]
il piede [foot] la schiena [back]</td>
</tr>
<tr>
<td colspan="2">avevo molti compiti da fare [I had a lot of homework to do]
non avevo voglia [I didn't feel like it]</td>
</tr>
</table>

1. Match

Devo fare la spesa	I have to mow the lawn
Devo lavare i piatti	I have to water the plants
Di solito devo fare il letto	I have to do the shopping
Devo lavare il pavimento	I have to clean the floor
Devo apparecchiare la tavola	I usually have to make the bed
Oggi devo portare fuori il cane	Today I have to walk the dog
Di solito devo sparecchiare la tavola	Today I have to help my brother
Oggi devo aiutare mio fratello	I have to lay the table
Devo tagliare il prato	I usually have to clear the table
Devo annaffiare le piante	I have to wash the dishes

2. Missing letters

a. De__o me__tere in o__dine la mia stanza.

b. Di solit__ devo fa__e il le__to.

c. __ggi dev__ lav__re il pavimento.

d. Devo a__na__fiare le p__ante.

e. De__o aiut__re mio fratel__o.

f. D__vo cu__in__re.

g. Devo a__pare__c__iare la tavol__.

h. Di solito devo ____are__chiare la tavola.

3. Complete

a. Devo ______________ in ordine la mia stanza.

b. Di solito devo ______________ mio fratello con i compiti.

c. ______________ cucinare.

d. Devo ______________ le piante.

e. Devo prendermi ______________ di mia sorella.

f. Di solito devo ______________ il letto.

g. Oggi _________ portare __________ il cane.

h. Devo ______________ e sparecchiare la tavola.

4. Give your opinion about the activities listed, using the following expressions

– Mi piace *[I like it]*

– Non m'importa *[I don't mind it]*

– Non mi piace *[I don't like it]*

– Non mi piace affatto *[I don't like it at all]*

a. Mettere in ordine la mia stanza ________

b. Annaffiare le piante ______________

c. Lavare la macchina ______________

d. Apparecchiare la tavola ______________

e. Portare fuori il cane ______________

f. Tagliare il prato ______________

g. Aiutare mio fratello ______________

h. Giocare ai videogiochi ______________

i. Cucinare ______________

j. Fare la spesa ______________

k. Dormire ______________

l. Uscire con i miei amici ______________

m. Passare l'aspirapolvere ______________

n. Fare le faccende domestiche ___________

o. Sparecchiare la tavola ______________

5. Write P for probabile (likely) and I for improbabile (unlikely) for the sentences below

a. Devo annaffiare mio fratello

b. Di solito devo portare fuori il mio gatto

c. Devo lavare la macchina di mio padre

d. Di solito devo cucinare la tavola

e. Di solito devo fare la spesa con mia madre

f. Devo pulire il tavolo

g. Tutti i giorni devo portare fuori il cane

h. Una volta alla settimana devo aiutare le piante con i compiti

6. Complete the table with the missing present forms of the verbs *potere*, *volere* and *dovere*

	Potere	Volere	Dovere
io	posso		devo
tu		vuoi	devi
lui/lei/si	può		
noi		vogliamo	
voi	potete		dovete
loro/loro		vogliono	

Ciao, mi chiamo Giuseppe.

In famiglia siamo in cinque: i miei genitori, mio fratello maggiore, mio fratello minore e io.

Tutti dobbiamo aiutare in casa. Mio padre di solito cucina e fa la lavatrice. Anche mia madre cucina e inoltre deve prendersi cura del giardino e apparecchiare la tavola.

Mio fratello maggiore deve rifare il suo letto, sparecchiare la tavola e lavare i piatti dopo colazione e deve lavare la macchina di mia madre tutti i fine settimana.

Anche mio fratello minore deve rifare il suo letto. Inoltre, deve sparecchiare la tavola e lavare i piatti dopo pranzo. Deve anche lavare la macchina di mio padre tutti i sabati.

Io devo rifare il mio letto, ovviamente. Inoltre, devo sparecchiare la tavola e lavare i piatti dopo cena. Devo anche aiutare mio padre in giardino e aiutare mio fratello minore con i compiti di matematica e scienze.

7. Find in the text

a. There are five of us
b. We all have to help at home
c. Also my younger brother must do his bed
d. I have to clear the table
e. He has to wash the car
f. I have to help my father in the garden
g. My dad usually cooks
h. ...also has to look after the garden
i. I must make my bed
j. Of course
k. Moreover
l. After breakfast
m. To wash the dishes
n. After dinner
o. After lunch

8. Translate into English

a. In famiglia siamo in sei.
b. Mio fratello maggiore è pigro.
c. Mio fratello minore è un gran lavoratore.
d. Mia madre deve lavorare in giardino.
e. Mio padre deve cucinare.
f. Devo rifare il mio letto.
g. Di solito lavo anche la macchina.
h. Inoltre, di solito apparecchio la tavola.
i. Di solito mio fratello minore lava i piatti.
j. Di solito aiuta anche mio padre in giardino.
k. Mio fratello maggiore non vuole fare niente.
l. Deve rifare il suo letto, però non lo fa mai.

9. Sentence puzzle: rewrite the sentences in the correct order

a. la macchina Due volte lavare alla settimana di mio padre devo
Twice a week I have to wash my father's car.

b. Una alla mio devo aiutare padre settimana volta in giardino
Once a week I have to help my father in the garden.

c. mio letto i il giorni devo rifare il cane Tutti e portare fuori
Every day I must make my bed and walk the dog.

d. tagliare Tutti però sabato devo i sabati il prato, non l'ho fatto scorso
Every Saturday I have to mow the lawn, but last Saturday I didn't do it.

e. pranzo la tavola, però oggi sparecchio Di dopo solito non ho potuto avevo molti compiti perché
After lunch I usually clear the table, but today I couldn't because I had a lot of homework.

f. Quando però oggi solito rifaccio mi alzo il mio letto, di non ho potuto
When I get up I usually make my bed but today I couldn't.

g. Tutti mio fratello però aiuto i giorni non ho voluto con i compiti, ieri
Every day I help my brother with his homework, but yesterday I didn't want to.

10. Rock climbing translation: translate the sentences by selecting each tile in the wall below and numbering them off, as shown in the example

e.g. I usually help my brother with his homework. Di solito aiuto mio fratello con i suoi compiti.

a. *Today I have to water the plants after lunch.*

b. *This afternoon I have to walk the dog.*

c. *When I get up I have to make my bed.*

d. *Every day I have to lay and clear the table.*

e. *On Saturdays I usually wash my father's car.*

letto	cane	**compiti**	tavola	pranzo	padre
il	**i suoi**	dopo	il mio	di mio	la
e sparecchiare	piante	fuori	macchina	**con**	rifare
le	apparecchiare	portare	**fratello**	devo	la
devo	alzo	**mio**	lavare	devo	annaffiare
devo	pomeriggio	i giorni	**aiuto**	mi	sono solita
Questo	Oggi	**Di solito**	Quando	Tutti	Il sabato

HELP BOX	
Non ho messo in ordine	I didn't tidy up
Non ho aiutato i miei genitori	I didn't help my parents
Non ho cucinato	I didn't cook
Non ho lavato i piatti	I didn't wash the dishes
Non ho rifatto il letto	I didn't make the bed
Non ho fatto nulla	I didn't do anything
Non ho lavato il pavimento	I didn't clean the floor
Non ho passato l'aspirapolvere	I didn't vacuum
Non ho portato fuori il cane	I didn't walk the dog
Non ho potuto	I wasn't able to
Non ho apparecchiato la tavola	I didn't lay the table
Non ho voluto aiutare	I didn't want to help
Non ho sparecchiato la tavola	I didn't clear the table

11. Complete with the missing letters

a. Non ho f _ _ _ o nu _ _ _

b. _ on _ o po _ _ ato fuori il cane

c. Non ho f _ _ _ o il le _ _ _

d. Non _ _ lavato _ _ pavimento

e. N _ _ _ o po _ _ _ _

f. Non ho v _ l _ to _ _ _ tar _

g. _ _ _ ho lavato _ _ _ _ tti

h. Non ho _ parec _ _ _ _ to _ _ tavol _

i. Non ho _ i _ _ _ _ _ i m _ _ _ genitori

j. Non ho _ u _ _ _ ato

12. Faulty translation

a. Ho lavato i piatti. *I helped the dishes.*

b. Non ho fatto nulla. *I didn't want anything.*

c. Non ho sparecchiato la tavola. *I didn't lay the table.*

d. Non ho lavato i piatti. *I didn't vacuum.*

e. Ho messo in ordine la mia stanza. *I lay my room.*

f. Ho passato l'aspirapolvere. *I mopped the floor.*

g. Non ho apparecchiato la tavola. *I didn't clear the table.*

13. Spot and correct the errors.
HINT: not all sentences contain mistakes

a.	Non ho pasato l'aspirapolvere	*I didn't vacuum*
b.	No ho apareciato la tavola	*I didn't lay the table*
c.	Ho portato fuori il cane	*I walked the dog*
d.	Ho fatto niente	*I did nothing*
e.	Ho sparecchiato il tavola	*I cleared the table*
f.	Non o aiutato a mio padre	*I didn't help my dad*
g.	Ho fato lo spesa	*I did the shopping*
h.	Ho fatto fuori il cane	*I walked the dog*
i.	Ho portato il letto	*I made the bed*

14. Tangled translation: rewrite in Italian

a. Tutti i **days** porto fuori il **dog**, però ieri **I wasn't able**.

b. Il **Saturday** devo **wash the car but** sabato **last I didn't want to**.

c. Dopo colazione **usually I have to** sparecchiare la **table** però ieri non **did it**.

d. L'altro ieri **I tidied up** la mia stanza e **I washed** i piatti però ieri non ho fatto **nothing**.

e. Tutti **the days** devo rifare il mio **bed**, tuttavia questa **morning** non **wanted**.

f. Domenica di solito devo **help** mio **brother** con i **homework**, **however** domenica **last** non l'ho fatto.

g. Tutti i **Fridays** di solito **I go to the** supermercato **with** mia madre, però **Friday** scorso non **went** con **her** perché ero **tired**.

HELP BOX	
PAST	
Non mi sono ricordato/a	*I didn't remember*
Non ho potuto	*I wasn't able to*
Non ho voluto	*I didn't want to*
IMPERFECT TENSE	
Ero *[I was]*	**arrabbiato/a** *[angry]* **malato/a** *[ill]* **occupato/a** *[busy]* **stanco/a** *[tired]*
Mi faceva male *[My...hurt]*	**il braccio** *[arm]* **la testa** *[head]* **la schiena** *[back]*
Non avevo voglia *[I didn't feel like it]*	
Avevo molti compiti da fare *[I had a lot of homework to do]*	

15. Complete with a suitable word based on the HELP BOX.
Please ensure no word is repeated.

a. Ieri non ____________ voglia.
b. Mi ____________ male la testa.
c. ____________ occupato.
d. ______ ho potuto.
e. ______ faceva male la schiena.
f. __________ molti compiti da fare.
g. Non ho ____________.
h. Mi faceva male la ______________.
i. Mi faceva male ______ braccio.
j. Non mi ______ ricordato.

16. Multiple choice: choose the correct translation

	1	2	3
a. Ero stanco	I was lazy	I was tired	I was ill
b. Avevo molti compiti	I had non homework	I was too busy	I had lots of homework
c. Non ho voluto	I could not	I didn't want to	I didn't do it
d. Ero malata	I was in shape	I was ill	I was happy
e. Non mi sono ricordato	I didn't want to	I didn't like it	I didn't remember
f. Mi faceva male la testa	My head hurt	My arm hurt	My back hurt
g. Non ho potuto	I didn't remember	No pudding	I wasn't able to
h. Non avevo voglia	I had no game	I didn't feel like it	I had no time
i. Mi faceva male la schiena	My back hurt	My face hurt	My arm hurt
j. Ero occupato	I was too lazy	I was ill	I was busy

17. Translate into English

a. Ieri non ho portato fuori il cane perché ero malata.
b. L'altro ieri non ho lavato i piatti perché non avevo voglia.
c. Stamattina (This morning) non sono andata a scuola perché mi faceva male la testa.
d. Questo pomeriggio non ho portato fuori la spazzatura perché mi faceva molto male il braccio.
e. Lo scorso fine settimana non ho lavato la macchina perché mi faceva molto male la schiena.
f. Domenica scorsa non ho fatto nulla per aiutare a casa perché ero molto occupato.
g. Lo scorso fine settimana non ho aiutato i miei genitori perché ero arrabbiato con loro.
h. Tutti i giorni apparecchio e sparecchio la tavola, però ieri non ho voluto perché non avevo voglia.

18. Wordsearch: find the Italian translation of the sentences below and write them down

I	N	G	H	W	Y	R	T	G	G	S	I	A	O	A	D	X	L	H
E	T	O	N	D	P	L	G	D	P	A	G	F	T	R	J	G	Z	O
R	Y	T	N	U	I	H	E	Z	V	J	H	A	U	V	U	J	N	R
D	C	O	A	H	T	N	Y	P	S	N	P	D	I	Q	N	Z	X	I
A	G	V	Z	I	O	O	X	B	D	U	N	L	A	D	M	T	T	F
P	I	C	H	I	P	P	E	Z	C	R	E	F	O	I	G	X	R	A
O	J	B	O	L	V	I	O	C	K	K	F	P	T	C	K	Y	V	T
I	K	J	Q	R	U	W	O	T	L	V	R	V	I	W	N	O	K	T
M	G	Z	D	T	Q	O	W	T	U	T	P	H	L	C	D	G	J	O
O	Q	N	T	D	R	I	Y	M	A	T	D	N	O	Y	H	X	L	I
T	U	X	A	E	Y	W	H	N	Y	V	O	J	S	U	Z	V	L	L
A	X	O	Y	R	N	J	V	C	P	T	A	W	I	J	E	H	S	L
T	P	O	U	A	K	M	R	Q	Z	D	O	L	D	H	Y	I	M	E
U	Z	P	F	N	O	N	A	V	E	V	O	V	O	G	L	I	A	T
I	F	E	T	N	E	I	N	O	T	T	A	F	O	H	N	O	N	T
A	O	T	A	I	H	C	C	E	R	A	P	S	O	H	N	O	N	O
O	B	P	A	Z	Q	Q	O	A	P	H	R	A	Y	A	J	H	V	Y
H	L	R	N	T	S	T	K	J	Q	S	O	Q	V	M	G	V	I	L
M	I	F	A	C	E	V	A	M	A	L	E	L	A	T	E	S	T	A

a. I usually help

b. I was busy

c. I didn't feel like it

d. I wasn't able to

e. I made my bed

f. I did nothing

g. I helped my father

h. My head hurt

i. I didn't clear (the table)

j. I washed the dishes

19. Match

Non ho potuto	I have to lay the table
Non ho aiutato mio padre	My head hurt
Ero arrabbiata	I didn't wash the car
Ero occupato	I didn't wash the dishes
Ho apparecchiato la tavola	I was busy
Non ho voluto	I was angry
Mi faceva male il braccio	I usually wash the car
Mi faceva male la testa	My arm hurt
Non avevo voglia	I didn't do anything
Non ho portato fuori il cane	I didn't want to
Sono solita lavare la macchina	I didn't feel like it
Non ho lavato la macchina	I didn't walk the dog
Devo apparecchiare la tavola	I laid the table
Non ho fatto nulla	I didn't help my father
Non ho lavato i piatti	I wasn't able to

20. Missing letters

a. Non ho __pparecchiato perch__ non avevo vo__lia.

b. Non __o portato fuori il cane perché er__ malata.

c. Non ho fa__to nulla perché ero s__anco.

d. Non ho a__utato mio padre perché non ho __oluto.

e. Non ho fatto la __pesa con mia madre perché ero arrabbiato con le__.

f. I__ri non ho lavato la ma__china di mi__ padre.

g. Non ho s__arecchiato la tavola perché ero occup__to.

h. Non ho giocato con mio frate__lo perché non ho pot__to.

Mi chiamo Paolo. Ho tredici anni e sono di Isernia, in Molise. Nella mia città c'è molto da fare per i giovani. Ci sono molte strutture sportive, che è molto importante per me perché sono molto sportivo. Nel tempo libero faccio nuoto, arrampicata e ciclismo. Amo questi sport. Nella mia città ci sono anche molti negozi che mi piacciono e dei bar e ristoranti molto buoni.
In famiglia ci dividiamo sempre le faccende domestiche. Di solito mia madre cucina e si prende cura del giardino. Mio padre deve lavare la macchina e portare fuori il cane. Mio fratello e io dobbiamo rifare il letto, mettere in ordine la nostra stanza, portare fuori la spazzatura e apparecchiare e sparecchiare la tavola. I nostri genitori sono molto contenti quando li aiutiamo. Tuttavia, ieri non ho potuto aiutarli perché ero malato.

(Paolo, 13 anni. Isernia)

21. Find in the text

a. There is a lot to do for young people
b. I am very sporty
c. In my free time
d. Rock climbing
e. These sports
f. We always share the chores
g. Usually cooks
h. Looks after the garden
i. To walk the dog
j. Make the bed
k. Tidy up our bedroom
l. Take the rubbish out
m. Are very happy

22. Gapped translation

My name is Paolo. I am _________ years old and am from Isernia in Molise. In my city there is a lot to do ____ _________ ____________. There are many _____________ __________________, which is very important _________ _________ because I am very ________________. In my __________ _________ I go swimming, _________ _______________ and cycling. I love these sports. In my city there are also lots of _____________ that I ________ and some really good bars and restaurants.
In my family we always _____________ the _________________. My mother usually ___________________ and looks after ________ ________________. My father has to ____________ _______ ___________ and ___________ the _________. My brother and I have to _____________ the _____________, tidy up________ _____________, take out ________ ______________ and __________ and _____________ the ______________. Our parents are very happy when we _________ ________ .
However, yesterday I couldn't because I was __________.

23. Answer the following questions in Italian, as if you were Paolo

a. Di dove sei, Paolo?
b. Che cosa fai nel tempo libero?
c. Che cosa c'è nella tua città?
d. Che faccende domestiche fa tuo padre?
e. Che faccende domestiche fa tua madre?
f. Che faccende domestiche fai tu?
g. Che faccende domestiche fa tuo fratello?

24. Tick the items below which are contained in Paolo's text and cross out the ones which aren't. Can you do it in under two minutes?

a. amo
b. contenti
c. quartiere
d. aiutiamo
e. andiamo
f. dobbiamo
g. stirare
h. lavare
i. sorella
j. tuttavia
k. sportivo
l. lavorare

Ciao. Sono Michele. Vivo a Napoli, nel sud Italia, sulla costa. Vivo in un quartiere residenziale in periferia dove non c'è molto da fare per i giovani. Non ci sono molte strutture sportive né buoni negozi. C'è solo un centro commerciale molto grande e moderno, però brutto.

Vivo con la mia famiglia in una casa abbastanza grande. Mi piace casa mia perché è spaziosa e luminosa. C'è un giardino molto grande e bello. La mia stanza è molto accogliente e ha una scrivania e un letto molto comodo.

In famiglia ci dividiamo le faccende domestiche. È giusto. Mia madre deve portar fuori la spazzatura e prendersi cura del giardino. Mio padre deve cucinare e fare la lavatrice. Mio fratello maggiore, mia sorella e io dobbiamo rifare i nostri letti e mettere in ordine le nostre stanze.

Inoltre, mio fratello maggiore deve aiutare mia madre in giardino e lavare la macchina dei miei genitori. Deve anche aiutare mia sorella con i compiti di francese due volte alla settimana. Tuttavia, ieri non ha potuto perché era malato. D'altra parte, mia sorella deve apparecchiare la tavola, portare fuori il cane e aiutare mio fratello con i compiti di matematica. È una gran lavoratrice e lo fa tutti i giorni. Tuttavia, ieri non ha voluto perché era arrabbiata con lui.

In quanto a me, io sparecchio, stiro e aiuto mia sorella con i compiti d'inglese. Ieri, però, non l'ho fatto perché non ne avevo voglia.

(Michele, 15 anni. Napoli)

25. True, False or Not mentioned?

a. Napoli is in the south of Italy, on the coast.

b. Michele's neighbourhood has many good shops.

c. His house is small.

d. His bedroom is big.

e. Apart from his father, every member of his family shares out the house chores.

f. Michele and his siblings must all tidy up their respective rooms.

g. Yesterday his older brother was so busy that he couldn't help his sister with her homework.

h. His sister does the ironing.

i. His sister was angry yesterday.

26. Who does what?

a. Who has to wash their parents' cars?

b. Who has to help to study French?

c. Who has to take the rubbish out?

d. Who has to make their beds?

e. Who has to look after the garden?

f. Who didn't feel like helping his sister?

g. Who does the laundry?

h. Who has to walk the dog?

i. Who was sick yesterday?

j. Who clears the table?

27. Find in Michele's text the Italian equivalent for the following items

a. Outskirts	f. Desk	k. To help	p. I clear the table
b. There aren't	g. We share	l. To wash	q. I iron
c. Bright	h. Chores	m. He wasn't able to	r. I help my sister
d. Cosy	i. Fair	n. On the other hand,	s. However
e. Beautiful	j. Our	o. Angry	t. I didn't fancy it

28. Complete

a. D__ s__________ p________ f________ i__ c______. — *I usually walk the dog.*

b. D______ a________________________ l__ t__________. — *I have to lay the table.*

c. N____ h__ f________ n________. — *I didn't do anything.*

d. M____ f______________ d______ c______________. — *My brother has to cook.*

e. D______ f______ l__ l________________. — *I have to do the laundry.*

f. M____ f______________ m______________ p________ f________ l__ s__________________. — *My older brother takes out the rubbish.*

g. I______ n____ h__ v__________ a____________ i m______ g______________. — *Yesterday I didn't want to help my parents.*

h. D__ s__________ a________ m____ f______________, m__ i______ n____ h__ p__________. — *I usually help my brother but yesterday I wasn't able to.*

i. C__ d______________ le f______________ d________________ — *We share the house chores.*

29. Write two paragraphs for Giuseppe in the first person singular (*io*) and for Valentina in the third person singular (*lei*)

Name and age	**Giuseppe, 15 years old**	**Valentina, 17 years old**
Description of neighbourhood	On the outskirts Ugly Many factories	In the city centre Historic Beautiful
What one can do in their neighbourhood	Not much There is a stadium Not many sports facilities	A lot for young people Many green areas Many sports facilities
What they do at the weekend	Rides bike in the park Goes to a friend's house Goes to the cinema with his family	Goes window shopping Goes out with her friends Goes clubbing
What they did last weekend	Went to Luca's party Did a lot of sports Relaxed listening to music and watching TV	Visited the city Took many pictures Went shopping Visited her cousins
What they usually do to help at home	Lays and clears the table Makes his bed Tidies up his room Helps his father in the garden	Prepares the food Washes her mother's car Makes her bed Looks after her younger brother
What they didn't do yesterday and why	He didn't help his father in the garden because he was ill	She didn't wash her mother's car because she was busy

Question Skills Unit 7

English	Italiano
Do you help your parents at home?	**Aiuti i tuoi genitori in/a casa?**
How often do you help your parents?	**Quanto spesso aiuti i tuoi genitori?**
When do you help at home?	**Quando aiuti a casa?**
What do you do to help your parents at home?	**Che cosa fai per aiutare i tuoi genitori a casa?**
What chores do you not like to do? Why?	**Che faccende domestiche non ti piace fare? Perché?**
What does your brother/sister do to help at home?	**Che cosa fa tuo fratello/ tua sorella per aiutare a casa?**
Who normally cooks in your family?	**Normalmente chi cucina nella tua famiglia/a casa tua?**
Who mows the lawn?	**Chi taglia il prato?**
Who washes your mum/dad's car?	**Chi lava la macchina di tuo padre/tua madre?**
What did you do yesterday to help at home?	**Che cosa hai fatto ieri per aiutare a casa?**
Why did you not help at home yesterday?	**Perché non hai aiutato in casa ieri?**

1. Sentence puzzle: rewrite the Italian

a. Che piace non ti faccende domestiche fare?
b. prato taglia il Chi?
c. ieri per hai fatto Che cosa i tuoi genitori aiutare?
d. chi Normalmente a casa tua cucina?
e. aiuti Quanto i tuoi genitori spesso?
f. in casa aiuti Quando?
g. lava di tuo padre Chi la macchina?
h. ieri Perché in casa non hai aiutato?
i. Che hai fatto faccende scorso lo fine domestiche settimana?

2. Match the sentences below with the questions in Exercise 1

a. Non ho fatto nulla per aiutarli.
b. Mia madre, perché è una gran cuoca.
c. Mio fratello, perché ama il giardino.
d. Una o due volte alla settimana.
e. Odio lavare i piatti.
f. Perché ero malata.
g. Lo faccio io.
h. Ho apparecchiato la tavola e ho messo in ordine la mia stanza.
i. Quando non ho molti compiti.

Mi chiamo Ida. In famiglia, ci dividiamo le faccende domestiche. Mi sembra normale. Mio padre deve portar fuori la spazzatura e prendersi cura del giardino. Di solito mia madre cucina e fa la lavatrice. Mio fratello maggiore, mia sorella e io dobbiamo rifare i nostri letti e mettere in ordine le nostre stanze tutti i giorni. Inoltre, mio fratello maggiore, Guido, deve aiutare mio padre in giardino e lavare la macchina dei miei genitori una volta alla settimana. Tuttavia, ieri non ha voluto perché era arrabbiato. Invece, mia sorella Antonietta deve aiutare nostro fratello minore con i compiti di scienze e di matematica. Lei è molto intelligente e una gran lavoratrice e lo fa tutti i giorni. In futuro vuole diventare biologa, come mia zia Emma. Tuttavia, ieri non ha potuto aiutare perché era malata.

3. Answer the questions below as if you were Ida

a. Chi fa le faccende domestiche a casa tua?
b. Che cosa dovete fare tu e i tuoi fratelli? Con che frequenza?
c. Che cosa fa tuo padre per aiutare a casa?
d. Chi aiuta tuo fratello Guido in giardino?
e. Chi lava la macchina dei tuoi genitori? Con che frequenza?
f. Perché tuo fratello Guido non ha voluto aiutare ieri?
g. Che cosa fa tua sorella per aiutare a casa?
h. In che cosa Antonietta aiuta vostro fratello minore?
i. Chi è la biologa in famiglia?
j. Perché tua sorella non ha potuto aiutare ieri?

4. Translate into English

a. Parlami della tua routine giornaliera.
b. Che cosa fai per aiutare a casa?
c. Con che frequenza aiuti con le faccende domestiche?
d. Chi cucina in casa tua?
e. Chi mette in ordine la tua stanza?
f. Che faccende domestiche odii fare? Perché?
g. Che cosa fanno i tuoi fratelli per aiutare a casa?
h. Che cosa hai fatto per aiutare a casa lo scorso fine settimana?
i. Perché non hai aiutato i tuoi genitori ieri?
j. Chi era malato ieri?
k. A che ora hai lavato i piatti ieri?
l. Che cosa ha cucinato tua madre domenica scorsa?
m. Chi ha aiutato tuo padre in giardino?

5. Complete with the missing words

a. ________ ti chiami?
b. Quanti ________ hai?
c. ________ vivi?
d. Con ________ vivi?
e. In che parte della ________ vivi?
f. Come ________ il tuo quartiere?
g. Che cosa si può ______ nel tuo quartiere?
h. Ci ________ buoni negozi?
i. Che strutture ________ ci sono?
j. Che ________ hai fatto nel tuo quartiere ieri?
k. Com'è stato? Qual è stata la cosa ________?
l. Che cosa farai il prossimo ________ settimana?
m. Che cosa fai normalmente per ________ a casa?
n. Che ________ non ti piace fare?

è	città	sono	fine	Dove	faccende domestiche	cosa
fare	Come	migliore	anni	sportive	chi	aiutare

Unit 8

Describing a typical day at school

In this unit you will learn:

- To say what you must do at school;
- To say what you can and cannot do;
- To say where certain actions are and are not allowed.

Key sentence patterns:

- Verb phrase + time of the day;
- Place (prepositional phrase) + modal verb + verb phrase (infinitive).

Grammar:

- Use of present tense modal verbs in positive and negative forms.

UNIT 8: Describing a typical day at school

<table>
<tr><td colspan="2" rowspan="2">Arrivo a scuola [I get to school]
Esco da scuola [I leave school]
Faccio attività di doposcuola [I do after-school activities]
Faccio i compiti in biblioteca [I do homework in the library]
Il pranzo è [Lunchtime is at]
L'intervallo è [Breaktime is at]
Le lezioni iniziano [Lessons start]
Le lezioni finiscono [Lessons end]
Vado al club di scacchi [I go to chess club]</td><td>alle</td><td>sette
otto
nove
dieci
undici</td><td>del mattino
[in the morning]</td></tr>
<tr><td>a</td><td colspan="2">mezzogiorno [midday]</td></tr>
<tr><td>*Ho
[I have]</td><td>la prima lezione [my first class]
la terza lezione [my third class]
l'ultima lezione [my last class]
matematica [maths class]</td><td>alle</td><td>due
tre
quattro</td><td>del pomeriggio
[in the afternoon]</td></tr>
</table>

***Don't forget, you can also say "Alla/La prima/seconda/terza/… ora ho inglese"** *[First/second/third/… period I have English]*. **This is what students in Italy would say.**

<table>
<tr><td rowspan="2">Nella mia scuola
[In my school]</td><td rowspan="2">devi
[you must/have to]
(non) devo
[I must -not-]
(non) posso
[I can -not-]
(non) si deve/devono
[one must -not-]
(non) si può/possono
[one can/-cannot-]</td><td colspan="2">andare in bagno durante le lezioni
[go to the toilet during lessons]
alzare la mano prima di parlare
[raise the hand before speaking]
fare la coda alla mensa [queue up in the canteen]
fumare [smoke]
mangiare in classe [eat in the classrooms]
masticare il chewing gum [eat chewing gum]
usare il cellulare [use the mobile phone]</td></tr>
<tr><td>indossare/portare
[wear]</td><td>gonne corte* [short skirts]
gonne lunghe [long skirts]
(il) make up [make-up]
orecchini [earrings]
uniforme [uniform]</td></tr>
</table>

***Remember that we use si devono/possono if followed by a verb and a plural noun (i.e. gonne)**

1. Match

Arrivo a scuola	I eat in the canteen
Esco da scuola	I leave school
Faccio i compiti	I go to the canteen
Vado in biblioteca	Break is at noon
Vado alla mensa	I do my homework
Mangio in mensa	I have the last lesson
L'intervallo è a mezzogiorno	I go to the library
Ho l'ultima lezione	I have English
Ho inglese	I arrive at school
Ascolto il prof	I have history
Ho storia	I chat with my schoolmates
Chiacchiero con i compagni	I listen to the teacher

2. Missing letters

a. La ter__a lezione.

b. La prim__ lezione.

c. A__rivo a scuola.

d. Es__o da scuola.

e. Facc__o i compiti.

f. Ascolto il pro__.

g. C__iacchero con i miei compagni.

h. Mangio in mens__.

i. Faccio la co__a alla mensa.

j. C'è una pausa per m__ngiare.

3. Complete with the missing words

a. In generale a _ _ _ _ _ a scuola alle otto e un quarto

b. Il lunedì, la mia p _ _ _ _ lezione è italiano

c. Dopo abbiamo l'i _ _ _ _ _ _ _ _ _ _

d. Durante l'intervallo c _ _ _ _ _ _ _ _ _ _ _ _ con i miei amici

e. Poi ho la s _ _ _ _ _ _ _ lezione, che è la lezione di storia

f. Non mi piace storia perché è molto n _ _ _ _ _

g. Poi, c'è il p _ _ _ _ _

h. Devo fare la c _ _ _ alla mensa

i. Di solito m _ _ _ _ _ _ pasta o riso con pollo o carne

j. La mia u _ _ _ _ _ _ lezione è alle due e mezzo

4. Put the actions below in chronological order

Arrivo a scuola alle otto	
Ho la prima lezione	
Ho l'ultima lezione	
Mi alzo	1
Le lezioni finiscono	
Ho l'intervallo	
Faccio una doccia	
Esco da scuola	
Mi metto l'uniforme	
Mangio in mensa	
Torno a casa a piedi	
Vado a scuola a piedi	

5. Spot and correct all the mistakes

a. Vado al club scacchi.

b. Arrivo con scuola alle otto.

c. Ho la storia lezione.

d. Durante il intervallo.

e. Esco a scuola.

f. Vado a biblioteca.

g. Non posso porto gonne corti.

h. No devo porto gli orecchini.

i. Non si può masticare l'uniforme.

j. Ho la mia lezione ultima.

k. Mia secunda lezione è inglese.

l. Le lezioni finire a le tre.

6. Gapped translation

a. Nella mia scuola non si può fumare. — *In my school one cannot* ________________.

b. La prima ora ho inglese. — *My* ____________________ *class is English.*

c. Venerdì la mia prima lezione è informatica. — *On Fridays my first class is* _____________.

d. L'intervallo è alle nove e mezzo. — *Break is at* ____________________________.

e. Durante l'intervallo gioco a pallacanestro. — *During break I play* ______________________.

f. A scuola non si possono portare gli orecchini. — *At school one cannot wear* ______________.

g. Di solito faccio i compiti in biblioteca. — *I usually do my homework in the* _________.

h. Si deve fare la coda alla mensa. — *You must* ________________ *in the canteen.*

i. Non si può mangiare in classe. — *One cannot eat in the* __________________.

j. Devo portare l'uniforme scolastica. — *I have to wear the* _________ __________.

7. Which of the following are unlikely to be REAL school rules? Write I for *improbabile* or P for *probabile* next to the rule below

a. Non si deve fumare.
b. Si può mangiare in classe durante le lezioni.
c. Non si possono portare gli orecchini.
d. Si può masticare il chewing gum.
e. Non si devono rispettare i professori.
f. Non si possono leggere libri in biblioteca.
g. Non si può studiare.
h. Si possono insultare i professori.
i. Si può picchiare un compagno di classe.
j. Si devono ascoltare i prof.
k. Devi portare il tuo animale domestico.

8. Sentence puzzle: rewrite the sentences in the correct order

a. può Non fumare si
b. uniforme Si portare l' deve
c. la fare coda Devo alla mensa
d. usare Non può si il cellulare.
e. compiti fare Devi i
f. otto Le iniziano lezioni alle e un quarto
g. Non chewing gum si il masticare può
h. possono Non orecchini si gli portare
i. devono rispettare i Si professori
j. Si la prima mano deve di parlare alzare

9. Complete with a suitable word

a. Non si possono _________ sigarette.
b. Le lezioni _____________ alle tre e mezzo.
c. Torno a __________ in autobus.
d. All'___________ non mangio molto.
e. Si deve __________ la coda alla mensa.
f. Faccio i compiti in ________________.
g. Non si possono portare gli ________________.
h. Si devono ______________ i professori.
i. Si devono ________________ i compiti.
j. Non si può _______________ il cellulare.
k. Le lezioni __________________ alle otto.
l. Vado a scuola ___ piedi.
m. Non si può _______________ il chewing gum.
n. Si deve ________________ l'uniforme.

LE MATERIE
(SCHOOL SUBJECTS)

Mi piace **Non mi piace**	**tedesco** *[German]*
	arte
	spagnolo
	francese
	inglese
	educazione fisica
	geografia
	informatica *[IT]*
	musica
	scienze
	matematica
When you talk about subjects don't need the article *il/la*	

10. Translate into English

a. La mia prima lezione è inglese.

b. La mia materia preferita è geografia.

c. Non sopporto *[I can't stand]* tedesco.

d. L'informatica è una materia appassionante.

e. Scienze è molto noiosa.

f. Adoro le lezioni d'inglese.

g. Il lunedì, la mia ultima lezione è educazione fisica.

h. La mia prof di matematica è troppo severa.

i. Nelle lezioni di musica si deve lavorare molto.

j. Il prof d'italiano è molto buono.

k. Il prof di francese è molto divertente.

11. Faulty translation

a. Non si deve chiacchierare in classe.	*One must not eat in class.*
b. Non si possono portare gli orecchini.	*One cannot wear trainers.*
c. Si deve alzare la mano prima di parlare.	*One must raise their hand before moving around.*
d. Non si può masticare il chewing gum.	*One cannot use the mobile phone.*
e. Non si può fumare a scuola.	*One cannot run at school.*
f. Non si possono portare scarpe da ginnastica.	*One cannot wear smart shoes.*
g. Non si può portare make-up.	*One cannot wear glasses.*
h. Si devono ascoltare i professori.	*One must ignore the teachers.*

12. Complete with *posso, possono* or *può* as appropriate

a. Non si __________ fumare.

b. Non si __________ correre per i corridoi.

c. Non si __________ portare gonne corte.

d. Non __________ portare make up.

e. Non __________ usare il mio cellulare.

f. Non si __________ masticare il chewing gum.

g. Non si __________ portare gli orecchini.

h. ___________ giocare a pallacanestro durante l'intervallo.

i. Non si __________ parlare senza alzare la mano.

13. Split sentences

Non si possono portare	la mano prima di parlare
Non posso usare il	la coda alla mensa
Non si può correre per	gli orecchini
Si deve alzare	alle otto
Devo fare	prof di storia
Le lezioni iniziano	cellulare
All'intervallo gioco	i corridoi
All'ultima ora ho	a pallacanestro
Amo la	matematica

14. Gapped translation

a. Non si deve __________ durante le lezioni.	*One must not eat during lessons.*
b. Non si possono __________ gli orecchini.	*One cannot wear earrings.*
c. Si deve ____________ la mano prima di parlare.	*One must raise their hand before speaking.*
d. Non si può ____________ il chewing gum.	*One cannot chew gum.*
e. Non si può _____________ per i corridoi.	*One cannot run in the corridors.*
f. Non si possono ___________ scarpe da ginnastica.	*One cannot wear trainers.*
g. Non si può ____________ make up.	*One cannot wear make-up.*
h. Si devono _____________ le regole.	*One must respect the rules.*
i. Si devono ______________ i professori.	*One must listen to the teachers.*

Ale: Nella mia scuola non si possono portare gli orecchini.

Marina: Nella mia scuola si deve studiare molto.

Sonia: Nella mia scuola non si può mangiare in classe durante il pranzo.

Marcello: Non si può parlare senza alzare la mano.

Gianni: Nella mia scuola non si può andare in bagno durante le lezioni e non si può fumare.

Giuseppe: Nella mia scuola non si può né giocare ai videogiochi né usare il cellulare.

Maria: Nella mia scuola non si possono portare né gonne corte né scarpe da ginnastica.

Susanna: Nella mia scuola non si può né masticare il chewing gum né mangiare nei corridoi.

Marta: Nella mia scuola si può fare molto sport, incluso nuoto perché c'è una piscina molto grande.

Filippo: Nella mia scuola si devono fare i compiti tutti i giorni.

Carla: Nella mia scuola non si possono avere i capelli rasati a zero. Non si può nemmeno portare make up.

15. Read the box on the left and find someone who, in their school...

a. ...can do a lot of sport

b. ...cannot eat in a classroom at lunchtime

c. ...cannot chew gum

d. ...cannot talk without raising their hand

e. ...must study a lot

f. ...cannot play videogames

g. ...cannot go to the toilet during lessons

h. ...cannot shave their head

i. ...cannot eat in the corridors

j. ...cannot use their mobile phone

k. ...cannot wear make-up

l. ...cannot wear trainers

16. Wordsearch: find the Italian translation of the sentences below and write them as shown in the example.

V T O M E F Ò U P I S N O N G Z O P O V D
O A W S U F P F E A P U R T U I I U J F Z
N X D M S R G N V Z F A D O C A L E R A F
J O A O P O V R T J Q X K X C V T K P O N
H R N K A U P N T Q S P P G X B H A T S L
E K K S G S I N F O Q I E U Y S G M P H K
A S C M I C C H O A R E Z I L F B E K G V
O G Y O U D D U G N S D M H P G K R S U A
P O R T A R E G O N N E C O R T E A Q S Q
F U I W R X O V V L L L G W D E X T C O Z
F R Y C T D D H E M A O F N A Q I R P C X
V K A K D Z V G E G F N E O B X S O B A A
M G J V E X D L K P R Q A N O Y F P D D R
X G P B I X I C Q S R O Q D B E O F E V E
M A S T I C A R E I L C H E W I N G G U M
X J K H K E N K R P M X D V U P W C Y E M
G V U U X N C O Z O J R O O Z J D L T I I

a. I cannot

b. To wear make-up

c. To chew gum

d. I go to school

e. I must not

f. To smoke

g. One cannot

h. To wear short skirts

i. One must not

j. To queue up

17. Complete the two texts with the options below

a. Ti parlerò di una ___________ tipo nella mia scuola. Vado a una scuola di Londra, in Inghilterra. Le _____________ iniziano alle otto e un quarto. Il lunedì, ho arte alla ____________ ora. Amo arte perché il prof è bravo e molto _____________. Poi abbiamo l'_________ fino alle nove e mezzo. Durante l'intervallo gioco a _______________ con i miei amici. Poi ho italiano. Amo le lezioni diitaliano perché sono ______________ e imparo molto. Il pranzo _________ all'una meno un quarto. L' ______________ lezione comincia alle due meno dieci. In generale, _____________ da scuola verso le tre e mezzo, dopo il club di ________________. Mi _______________ la mia scuola.

esco	calcio	è	divertente	divertenti	prima
scacchi	intervallo	lezioni	ultima	piace	giornata

b. Ti ______________ di una giornata tipo nella mia scuola. Vado a una scuola internazionale a Reggio Calabria. Le lezioni _______________ alle otto meno venti. Il ___________ alla prima ora ho scienze. Poi ___________ geografia. Non mi piace questa _______________ perché è noiosa. Inoltre, il prof è molto _____________. L'intervallo comincia alle nove e venticinque e ____________ alle dieci meno venticinque. Poi ho matematica fino a ______________. All'ora di pranzo mangio e ____________ con i miei compagni di classe alla mensa. In generale, mangio ____________ o pasta con del pollo. L'ultima lezione comincia alla una e dieci. Non mi piace ___________ la mia scuola. Odio _____________, anche se so che è molto importante.

materia	parlerò	venerdì	ho	riso	severo
iniziano	mezzogiorno	studiare	molto	finisce	chiacchiero

Ciao, sono Amedeo. Ti parlerò di una giornata tipo nella mia scuola. In generale, arrivo a scuola verso le otto, quindici minuti prima dell'inizio delle lezioni. Le lezioni iniziano alle otto e un quarto.
Il lunedì, la mia prima lezione è geografia. Non sopporto *[I can't stand]* questa lezione, perché il prof è molto noioso e nella sua lezione non facciamo mai lavori di gruppo. Poi abbiamo l'intervallo.
Durante l'intervallo gioco a pallacanestro con i miei amici. Dopo l'intervallo ho italiano. Amo questa materia perché il prof è molto divertente e posso imparare giocando. Imparo moltissimo! Poi ho inglese. Non mi piace molto questa materia perché la prof grida molto ed è troppo severa. Poi c'è il pranzo.
Passo il pranzo in mensa con i miei amici. Mangiamo e chiacchieriamo. Lunedì scorso ho mangiato riso con pollo e ho bevuto una Coca-Cola. Fa molto male alla salute perché contiene molto zucchero (trentacinque grammi in una lattina!), però mi piace. La mia ultima lezione è educazione fisica. La amo perché sono molto sportivo.
Nella mia scuola le regole sono abbastanza severe. Si deve portare l'uniforme, non si può usare il cellulare, non si può fumare, non si può correre per i corridoi e si devono fare i compiti tutti i giorni. Se si infrangono le regole, i castighi sono molto severi. Venerdì scorso non ho fatto i compiti e ho dovuto passare un'ora con il preside mettendo in ordine il suo ufficio. È stato noiosissimo!

18. Find the Italian equivalent

a. I arrive at school
b. Lessons start
c. We never do group work
d. During break
e. I have English
f. There is lunch
g. We eat and chat
h. I ate rice
i. I am very sporty
j. The rules are quite strict

19. Correct the statements

a. Amedeo loves geography.
b. At lunchtime he plays basketball.
c. He learns little in the Italian lessons.
d. The English teacher never shouts.
e. Every Monday he eats rice with chicken.
f. He hates sport.
g. There are 30 grams of sugar in a Coke.
h. Every Friday he must tidy up the headteacher's office.

20. Correct the mistakes in these sentences from Amedeo's text and then translate them

a. Arrivo a scuola verso otto.
b. Durante l'intervallo gioco pallacanestro.
c. Non facciamo mai lavorare di gruppo.
d. Mangiemo e chiachieriamo.
e. La amo perché sono molto sportista.
f. Non si può usare lo cellulare.
g. Non si può correre per i corridoio.
h. Si devono fare compiti.
i. Se si rompe le regole.
j. Dovuto passare un'ora con il preside.
k. E stato noiosissimo.

21. Answer the following questions

a. When does he get to school?
b. When do the lessons start?
c. What does he do during break?
d. What is his Italian teacher like?
e. How much does he learn in Italian?
f. What 2 things make him dislike English?
g. What 2 things did he eat last Monday?
h. Why does he like P.E.?
i. Name 4 school rules he mentions.
j. What happens if one breaks the rules?
k. What did he do wrong last Friday?
l. What was his punishment? How was it?

Ciao, sono Adriana. Ti parlerò di una giornata tipo nella mia scuola. In generale, arrivo a scuola verso le otto e mezzo. Le lezioni iniziano alle nove meno venti.

Venerdì, la mia prima lezione è storia. Non mi piace questa lezione perché il prof è molto antipatico e durante le sue lezioni non facciamo mai nulla di divertente. Imparo molto poco. Poi abbiamo l'intervallo. Durante l'intervallo gioco con i miei amici in cortile e mangio qualcosa in mensa. Dopo l'intervallo ho francese. Amo questa materia perché il prof è molto divertente, simpatico e ci racconta delle barzellette. Inoltre, posso imparare parlando con i miei amici. Imparo moltissimo! Poi ho arte. Non mi piace molto questa materia perché la prof grida molto e non spiega bene. Poi c'è il pranzo.

Passo il pranzo giocando a calcio in cortile con i miei amici. Mangiamo, chiacchieriamo e ci raccontiamo barzellette. Ieri ho mangiato della carne con le patate e ho bevuto una spremuta d'arancia. La mia ultima lezione è scienze. La amo perché la prof è molto simpatica e imparo molto nelle sue lezioni. È la mia materia preferita.

Nella mia scuola ci sono troppe regole severe. Si deve portare l'uniforme; non si può usare il cellulare; non si può fumare; non si può correre per i corridoi; non si può usare l'ascensore; si devono fare i compiti tutti i giorni e si deve sempre alzare la mano prima di parlare durante le lezioni. Se si infrangono le regole, i castighi sono molto duri. Mercoledì scorso sono arrivata tardi a scuola e ho dovuto passare un'ora con il preside pulendo il suo ufficio. È stato molto pesante!

22. Complete the sentences below based on the text

a. I am going to talk to you about a typical day at my **school**.
b. I get to school at around ______.
c. On Fridays my first lesson is ______________.
d. I don't like history because the teacher is very ________________ and we don't do anything ________.
e. I have French after ____________.
f. The French teacher is funny, friendly and tells us ______________.
g. I don't like art a lot because the teacher ____________ a lot and doesn't ____________ well.
h. I spend the lunch break playing _________ with my friends in the ____________.
i. We eat, ______ and tell each other jokes.
j. Yesterday I ate ______________ and drank an _________ __________.
k. My ____________ lesson is science. I love the teacher because she is very _____________.

23. Find in the last paragraph of Adriana's text the Italian equivalent of the following items

a. There are too many rules
b. One must wear
c. One cannot use
d. One cannot smoke
e. One cannot run
f. Before speaking
g. The punishments
h. I had to spend one hour

24. Correct the false statements

a. Adriana non mangia durante l'intervallo.
b. Adriana detesta le lingue straniere.
c. La prof d'arte non si arrabbia mai.
d. Adriana è vegetariana.
e. Adriana odia scienze.
f. Non ci sono molte regole nella sua scuola.
g. Adriana è sempre puntuale.
h. Adriana dovrà pulire l'ufficio del preside

25. Translate the last paragraph of Adriana's text into English

26. Match questions and answers

Come vai a scuola?	Perché mi aiuta sempre.
A che ora arrivi?	Sì, facciamo atletica e nuoto.
Qual è la tua prima lezione il venerdì?	Vado in bici.
Perché non ti piace il prof di storia?	Sono molto severe. Non mi piacciono.
Chi è il tuo prof preferito?	Mangio e chiacchiero con i miei amici in mensa.
Perché?	Verso le otto meno un quarto del mattino.
Che cosa fai durante l'intervallo?	Perché è molto antipatico e urla.
Fate sport nella tua scuola?	La professoressa d'italiano.
A che ora torni a casa? Come?	La prima ora ho arte.
Come sono le regole nella tua scuola?	Che non si può portare make up.
Qual è la regola che ti piace di meno?	Verso le tre e mezzo del pomeriggio, in autobus.

27. Translate into Italian

a. *I arrive at school at around 8.* A__________ a s__________ v________ l__ o______.

b. *Today my first lesson is English.* O______ l__ m____ p________ l____________ è i____________.

c. *Afterwards, I have Italian.* P____ h__ i______________.

d. *Lunch break is at noon.* I__ p__________ è a m____________________.

e. *My last lesson is ICT.* L__ m____ u__________ l____________ è i____________________.

f. *I hate this subject.* O______ q__________ m____________.

g. *In my school there are many rules.* N________ m____ s__________ c__ s______ m________ r__________.

h. *One cannot wear make-up.* N____ s__ p____ p____________ m______ u__.

28 a. Translate the two paragraphs into Italian
28 b. Write a 150-250 words text about a typical school day of yours, listing five key rules

1. I usually arrive at school at 8.15. On Mondays, my first lesson is history. I love history because the teacher is friendly and fun. Then I have break until 9.30. During break I usually chat with my best friend Francesco or with my girlfriend. The second lesson is PE. I don't like this subject. Lunch is at noon. After lunch I have two other lessons: English and maths. I don't like these subjects because they are too hard. In my school, the rules are very strict: one cannot run in the corridors, one cannot wear make-up or earrings, one cannot use the lift and one cannot talk without putting their hand up.

2. The rules of my school are very strict. First of all, one must arrive at 7.45 sharp *[in punto]*. Secondly, one must wear a uniform. I hate it, because I cannot wear my baseball cap *[cappellino da baseball]* and my favourite trainers. Also, I cannot chew gum and use my mobile phone. I also can't play videogames during break and lunch break. During lessons, one cannot talk without raising one's hand and cannot go to the toilet. However, what I like about my school, is that the teachers are kind, I learn a lot and one can do a lot of sport.

Question Skills Unit 8

English	Italiano
What is a typical school day like?	**Com'è una giornata tipo a scuola?**
What time do classes start?	**A che ora iniziano le lezioni?**
How many classes do you have per day?	**Quante lezioni hai al giorno?**
What is your first class?	**Che lezione hai (al)la prima ora?** **Qual è la tua prima lezione?**
What is your last class?	**Che lezione hai (al)l'ultima ora?** **Qual è la tua ultima lezione?**
Which after-school activities can one do in your school?	**Che attività di doposcuola si possono fare nella tua scuola?**
At what time do you leave school?	**A che ora esci da scuola?**
Which is your favourite subject?	**Qual è la tua materia preferita?**
Which subjects can't you stand? Why?	**Che materie non sopporti? Perché?**
Who is your favourite teacher?	**Chi è il tuo professore preferito? (masc.)** **Chi è la tua professoressa preferita? (fem.)**
What can you not do in your school?	**Che cosa non si può fare nella tua scuola?**
Can one wear make-up?	**Si può portare il make-up?**

1. Complete with the missing words

a. A ________ ora ti alzi in generale?

b. A che ora ________________ le lezioni?

c. ____________ lezioni hai al giorno?

d. _________ è la tua materia preferita?

e. Si __________ portare gli orecchini?

f. Che cosa non si può __________ nella tua scuola?

g. Chi _________ la tua professoressa preferita?

h. A che _________ esci da scuola?

i. Che attività di doposcuola _________?

j. _________ è una giornata tipo a scuola?

possono	che	ora	Quante	Come
ci sono	Qual	iniziano	fare	è

2. Write the questions to the answers below

a. ______________________________? Iniziano alle otto meno venti.

b. ______________________________? Ho cinque lezioni.

c. ______________________________? Mi piace francese perché è divertente.

d. ______________________________? La mia materia preferita è storia.

e. ______________________________? Non sopporto arte perché è noiosa.

f. ______________________________? Il prof d'italiano perché è molto simpatico.

g. ______________________________? Non si può né fumare né usare il cellulare.

h. ______________________________? No, non si possono portare gli orecchini.

i. ______________________________? Le regole sono molto severe.

3. Guided translation

a. *At what time do lessons end?* A c____ o____ f________________ l__ l____________?

b. *What are the school rules like?* C______ s______ l__ r___________ d________ s__________?

c. *What is your favourite lesson?* Q______ è l__ t____ m____________ p________________?

d. *Can one wear earrings?* S__ p____________ p____________ g____ o________________?

e. *How many classes a day do you have?* Q__________ l____________ h____ a__ g__________?

f. *What is a typical day like?* C____' __ u____ g________________ t______?

g. *Can one smoke?* S__ p____ f__________?

h. *Can one wear short skirts?* S__ p____________ p____________ g________ c________?

4. Spot and correct the errors in the sentences below. HINT: sometimes words are missing

a. Como è una giornata tipo a scuola?
b. Quante lezione hai al giorno?
c. Che ora inizia le lezioni?
d. Si possono portare corte gonne?
e. Si può uso il cellulare?
f. Qual sei tua materia preferita?
g. Che attività di doposcuola sono?
h. Chi il tuo professore preferito?
i. Che cosa deve portare a scuola?
j. A ora finiscono le lezioni?
k. Perché non piace scienze?

5. Translate into Italian

a. How many classes do you have?
b. What is your favourite class?
c. Why don't you like Maths?
d. Who is your favourite teacher?
e. What subjects do you not like?
f. At what time do lessons start and end?
g. What is a typical day like?
h. What can one not do in your school?
i. Can one smoke?
j. Can one use the mobile phone?
k. What must one do?
l. Must one queue up in the canteen?

Vocab Revision Workout 4

1. Match

Devo sparecchiare la tavola	I have to cook
Devo lavare la macchina	I have to water the plants
Di solito faccio il letto	I have to clear the table
Devo pulire il pavimento	I have to clean the floor
Devo apparecchiare la tavola	I usually make the bed
Di solito porto fuori il cane	I usually walk the dog
Di solito sparecchio la tavola	I usually help my brother
Di solito aiuto mio fratello	I have to lay the table
Devo cucinare	I usually clear the table
Devo annaffiare le piante	I have to wash the car

2. Translate the sentences below into Italian using *(non) Posso + infinitive*

a. I can go out with my friends.

b. I cannot play on the computer.

c. I can ride my bike in the park.

d. I can go to bed late.

e. I cannot have breakfast.

f. I can go to school by bike.

g. I cannot smoke.

h. I cannot use the mobile phone.

3. Split sentences

Ho mangiato	una partita di calcio alla televisione
Mi sono rilassato	ciclismo
Non ho fatto	presto
Ho comprato	carne e insalata
Ho visto	in bici
Sono andato	un vestito rosa
Ho fatto	leggendo
Mi sono alzato	a pallacanestro
Sono andato	al centro commerciale
Ho giocato	nulla

4. Sentence puzzle: rewrite the sentences correctly

a. *Last weekend we went to the cinema together*
andati al siamo Lo fine insieme cinema settimana scorso

b. *Yesterday I got up early and took many pictures*
alzato mi presto sono Ieri ho scattato foto molte e

c. *I relaxed listening to music before going to bed*
a rilassato ascoltando sono letto di andare Mi musica prima

d. *We did biking in the countryside*
ciclismo Abbiamo fatto in campagna

e. *On Sunday we went hiking in the hills*
escursionismo collina Domenica abbiamo fatto in

5. Translate into English

a. Sono andato in piscina.

b. Andrò per negozi.

c. Siamo andati in campagna.

d. Abbiamo fatto sport.

e. Andremo in bici.

f. Ho fatto nuoto.

g. Andrò allo stadio.

h. Ieri abbiamo giocato a pallacanestro.

i. Abbiamo fatto un giro turistico.

j. Abbiamo guardato i cartoni animati.

k. Sono andato a passeggio al parco.

6. Complete the table below with the missing verb forms, as shown in the example

PASSATO (Past)	PRESENTE (Present indicative)	FUTURO (Simple future)
Sono andato al cinema	***Vado al cinema***	***Andrò al cinema***
1.	Andiamo per negozi	Andremo per negozi
2.	3.	Farò i compiti
Sono andato in bici	Vado in bici	4.
5.	Vado allo stadio	6.
7.	Monto a cavallo	8.
Sono andato a una festa	Vado a una festa	9.
10.	11.	Andrò in piscina
12.	Faccio skateboard	Farò skateboard
13.	Guardo un film	14.
Ho guardato i cartoni animati	15.	16.

7. Faulty translation: correct the mistakes in the translations below

a. Domani resterò a casa. *Tomorrow I am going to do the house chores.*
b. Sabato prossimo vedrò un film. *Next Friday I am going to watch a film.*
c. Giovedì prossimo andremo in bici. *Next Thursday we are going to go horse riding.*
d. Domenica pomeriggio andrò per negozi. *Sunday morning, I am going to go shopping.*
e. Venerdì i miei genitori riposeranno. *On Friday my parents are going to play golf.*
f. Il prossimo fine settimana *Next week*
g. Mia sorella andrà in piscina. *My brother is going to go to the beach.*
h. Di pomeriggio farò i compiti. *In the morning I am going to do my homework.*

8. Complete with the missing letters

a. N _ _ m _ _ q _ _ _ _ _ _ _ _ _ . *In my neighbourhood.*
b. S _ p _ _ m _ _ _ _ _ _ _ _ b _ _ _ . *One can eat well.*
c. S _ p _ _ a _ _ _ _ _ _ p _ _ n _ _ _ _ _ _ . *One can go shopping.*
d. S _ p _ _ f _ _ _ s _ _ _ _ _ . *One can do sport.*
e. S _ p _ _ a _ _ _ _ _ _ i _ b _ _ _ . *One can ride a bike.*
f. I _ _ _ s _ _ _ _ _ a _ _ _ _ _ _ a _ c _ _ _ _ _ _ . *Yesterday we went to the cinema.*
g. L' _ _ _ _ _ _ i _ _ _ s _ _ _ _ a _ _ _ _ _ _ a _ _ _ s _ _ _ _ _ _ . *The day before yesterday I went to the stadium.*
h. H _ v _ _ _ _ _ u _ b _ _ f _ _ _ . *I watched a good film.*

Unit 9

Making after-school plans with a friend

In this unit you will learn:

- To suggest an activity to do with someone else;
- To accept or refuse an invitation.

Key sentence patterns:

- Question word + modal + infinitive;
- *Mi piacerebbe* + infinitive;
- Modal + infinitive;
- *Che* + adjective*!*.

Grammar:

- Use of modal verbs

UNIT 9: Making after-school plans with a friend

Che cosa vuoi fare *[What do you want to do]* **Che cosa volete fare** *[What do you all want to do]*	**domani?** *[tomorrow?]* **oggi?** *[today?]* **questo fine settimana?** *[this weekend?]* **questo pomeriggio?** *[this afternoon?]* **stamattina?** *[this morning?]*

Oggi	***mi va di** *[I fancy 'to']* **mi piacerebbe** *[I would like to]* **voglio** *[I want to]*	**andare al cinema** *[go to the cinema]* **andare per negozi** *[go shopping]* **fare un giro in bici** *[go for a bike ride]* **giocare a pallacanestro** *[play basketball]*

Ti piacerebbe *[Would you like to]*	**andare a casa di Paolo** *[go to Paolo's house]* **andare al parco** *[go to the park]* **fare un giro in centro** *[go for a walk in the centre]* **giocare alla PlayStation** *[play on the PlayStation]*	**con me?** *[with me?]* **insieme?** *[together?]*

Mi dispiace, *[Sorry,]*	**non mi va** *[I don't fancy it]* **non ho voglia** *[I don't feel like]*

Beh, *[Well,]*	**mi va,** *[I fancy it,]* **mi piacerebbe,** *[I would like to,]*	**però** *[but]*	**non posso** *[I can't]*	
			devo *[I have to]*	**aiutare mia madre** *[help my mum]* **andare a casa dei miei nonni** *[go to my grandparents' house]* **fare le faccende domestiche** *[do chores]* **studiare** *[study]* **lavorare** *[work]*

Va bene *[It's fine]* **Non c'è problema** *[No problem]*	**possiamo** *[we can]*	**fare** *[make it]*	**a un altro orario** *[another time]* **un altro giorno** *[another day]* **un'altra volta** *[another time**]* **lunedì** *[on Monday]*
		restare a casa *[stay at home]*	

Sì, mi va *[Yes, I fancy it]*	**Che bello!** *[Great!]*

Fantastico! **Alla grande!** *[Great!]*	**A che ora** *[At what time]* **Dove** *[Where]*	**ci troviamo?** *[shall we meet?]*

Troviamoci *[Let's meet]* **Ci possiamo trovare/vedere** *[We can meet]*	**davanti** *[in front of]*	**a casa di Francesco** **al centro commerciale**	**alle**	**cinque** **sei**	**e un quarto** **meno dieci**

Alla grande! *[Great!]*	**Ci vediamo dopo** *[We'll see each other later]* **A dopo** *[Later!]*

*** In Italian we use "mi va di"+infinitive to talk about an action that we "fancy doing".**
**** This means another time all together (another day), not a different time of the same day like *a un altro orario*.**

1. Match

Fare un giro in bici	To not do anything
Giocare a pallacanestro	To go out with my best friend
Vedere un film	To go for a bike ride
Andare allo stadio	To go out with my girlfriend
Non fare niente	To study
Fare pesi	To play basketball
Fare nuoto	To do weights
Uscire con la mia ragazza	To stay at home
Restare a casa	To watch a film
Uscire con il mio miglior amico	To go to a friend's house
Studiare	To go on the Internet
Andare a casa di un amico	To do swimming
Andare su internet	To go to the stadium

2. Complete with the appropriate option

a. Voglio __________ un giro in bici.

b. Non voglio _________ nulla.

c. Mi piacerebbe __________ con i miei amici.

d. Adesso devo ___________ il pavimento.

e. Dobbiamo ___________ la macchina di papá.

f. Vogliamo __________ a casa di Filippo.

g. Ci piacerebbe ___________ un film al cinema.

h. Voglio ____________ mia madre con le faccende domestiche.

aiutare	fare
fare	vedere
pulire	lavare
uscire	andare

3. Sort the sentences in the categories below

1. Giocare a scacchi	9. Scrivere un saggio
2. Studiare	10. Memorizzare parole
3. Lavare il pavimento	11. Apparecchiare la tavola
4. Fare i compiti	12. Ripassare per un esame
5. Vedere un film	13. Giocare ai videogiochi
6. Guardare le vetrine	14. Fare il letto
7. Fare nuoto	15. Vedere una partita di tennis
8. Fare pesi	16. Lavare la macchina

Faccende domestiche *(House chores)*	**Passatempi** *(Hobbies)*	**Cose per scuola** *(School work)*

4. Sentence puzzle: rewrite the sentences in the correct order

a. che ci A ora troviamo?

b. cinema. Questo andare pomeriggio al voglio

c. troviamo al Ci davanti cinema.

d. di a casa mi andare va Non Francesco oggi. di

e. vuoi cosa Che oggi? fare

f. Non oggi. te con uscire posso

g. mia aiutare Devo madre.

h. con di va al Mi andare cinema te.

5. Translate into English

a. Voglio fare un giro in bici questo pomeriggio.

b. Voglio andare allo stadio con mio padre domani.

c. Oggi devo studiare prima di uscire con il mio ragazzo.

d. Non mi va di fare sport oggi.

e. Voglio giocare a scacchi con mio fratello.

f. Devo ripassare per il mio esame di matematica.

g. Dobbiamo aiutare nostra madre oggi.

6. Multiple choice: choose the correct translation

	1	2	3
a. Come va?	What?	What is it?	How are you?
b. Dove vuoi andare?	Where are you?	Where shall we meet?	Where do you want to go to?
c. Che cosa vuoi fare?	What do you want to do?	Where is it?	What do you want to see?
d. Dove ci troviamo?	Where are you?	Where shall we go?	Where shall we meet?
e. Ti va?	Do you like?	Do you fancy it?	Are you free?
f. Che bello!	How cool!	How crazy!	How boring!
g. A che ora ci troviamo?	Where are we going?	What time shall we meet?	What time are you free?
h. A dopo	Hello	See you later	See you tomorrow
i. Non c'è problema	Not a problem	I have nothing	I'm not doing anything
j. Non ho voglia	I have no foils	I don't have it	I don't feel like it

7. Match

Come va?	What are we going to do?
Che cosa vuoi fare questo pomeriggio?	Who do we go with?
Ti va?	Where shall we meet?
Dove ci troviamo?	Do you fancy it?
A che ora ci troviamo?	How are you?
Con chi andiamo?	Why can't you come?
Perché non puoi venire?	At what time shall we meet?
Che cosa faremo?	What do you want to do this afternoon?

8. Match questions and answers

Come va?	No, non ho voglia, preferisco andare al cinema.
Che cosa vuoi fare questo pomeriggio?	Di fronte alla fermata dell'autobus.
Ti va?	Alle sette e mezzo.
Dove ci troviamo?	Sto molto bene, grazie.
A che ora ci troviamo?	Perché devo studiare per l'esame.
Con chi andiamo?	Voglio andare al parco.
Perché non puoi venire?	Giocheremo alla Play e ascolteremo musica.
Che cosa faremo?	Con Paolo e Michele.

9. Complete with the missing letters

a. C _ _ _ — *Hi*
b. D _ _ _? — *Where?*
c. Mi v _ — *I fancy it*
d. D _ _ _ — *I have to*
e. Ci v _ _ _ _ _ _ _ — *See you*
f. D _ _ _ — *After/later*
g. Mi d _ _ _ _ _ _ _ _ — *Sorry*
h. N _ _ p _ _ _ _ — *I can't*
i. Mi pia _ _ _ _ _ _ _ _ _ — *I'd like*
j. N _ _ v _ _ _ _ _ _ — *I don't want*
k. Alla g _ _ _ _ _ _! — *Great!*
l. N _ _ c'_ problema — *No problem*
m. T _ _ _ _ _ _ _ _ _ _ _ — *Let's meet up*
n. A _ _ _ ora? — *At what time?*

10a. Complete with the most suitable option

Marcello: _________ Paolo, come va?
Paolo: Ciao Marcello. Bene, ___________.
Marcello: _______ vuoi fare oggi?
Paolo: Oggi mi piacerebbe _______ un giro in bici. E tu?
Marcello: Non so, non mi ________. Mi piacerebbe andare al cinema.
Paolo: Va ________, non c'è problema. Possiamo andare al cinema.
Marcello: Fantastico. A che _________ ci troviamo?
Paolo: Ci __________ alle sette?
Marcello: Alla _________, dove ci troviamo?
Paolo: Troviamoci davanti ________ cinema.
Marcello: Alla grande, ci vediamo __________.
Paolo: Bene, perfetto! __________ dopo.

va	ora	grazie	al	ciao	troviamo
che cosa	fare	bene	a	dopo	grande

10b. Complete with the most suitable option

Manuel: _________ Paolo, come va?
Sergio: Ciao Manuel. _______ bene, grazie.
Manuel: Che cosa ___________ di fare oggi?
Sergio: Oggi ho voglia di _______ al cinema. Tu?
Manuel: Non so, non ______ va. __________ andare a casa di Michele. C'è una festa.
Sergio: Va bene, non c'è __________. Possiamo andare alla __________ di Michele
Manuel: Fantastico. _______ che ora ci troviamo?
Sergio: Troviamoci alle otto.
Manuel: Molto bene, dove __________?
Sergio: Troviamoci di fronte alla fermata dell'_________ vicino a casa mia.
Manuel: Alla grande, ci ________ dopo.
Sergio: Bene, perfetto! A dopo.

festa	andare	voglio	a	ci troviamo	autobus
ti va	ciao	molto	mi	problema	vediamo

11. Faulty translation: correct the English

a. Come va? — *Who are you?*
b. A dopo. — *See you tomorrow.*
c. A che ora ci troviamo? *Why do we meet?*
d. Ci vediamo dopo. — *Nice to see you.*
e. Va bene. — *It's not OK.*
f. Non c'è problema. — *There is a problem.*
g. Se ti va, possiamo andare. *If you want we must go.*
h. Molto bene. — *Very badly.*
i. Non mi va. — *I really want to.*
j. Che cosa vuoi fare oggi? *What do you want to do this evening?*
k. Voglio fare un giro al centro commerciale. *I want to go to the city centre.*
l. Devo fare le faccende domestiche. *I have to wash the dishes.*

Susanna: Ciao Marta, come va?

Marta: Ciao Susanna. Bene, grazie. Sono un po' stanca oggi.

Susanna: Che cosa vuoi fare stasera?

Marta: Oggi mi piacerebbe fare un giro al centro commerciale. E tu?

Susanna: Non so. Non mi va oggi, mi dispiace. Magari domani. Oggi preferisco andare a casa di Lucia. Ti va di venire?

Marta: Va bene. Non c'è problema. Possiamo andare a casa di Lucia, che bello!

Susanna: Alla grande. A che ora ci troviamo?

Marta: Alle sei?

Susanna: No, alle sei non posso perché devo aiutare mio fratello con i compiti fino alle sette.

Marta: Alle sette e mezzo?

Susanna: Perfetto. Dove ci troviamo?

Marta: Troviamoci al bar di fianco alla scuola.

Susanna: Alla grande, ci vediamo dopo.

Marta: Bene, perfetto! A dopo.

12. Find in the text the Italian equivalent

a. How are you?

b. What do you want to do this evening?

c. At what time shall we meet?

d. We'll see each other later.

e. Where shall we meet?

f. OK, perfect!

g. I would like to go to the shopping centre.

h. Next to school.

i. How nice!

j. I am sorry.

k. To Lucia's house.

l. I must help my brother with the homework.

13. Answer in English

a. How is Marta feeling today?

b. What does Marta want to do this evening?

c. What does Susanna want to do instead?

d. At what time does Marta want to meet?

e. Why can't Susanna meet at six?

f. Where are they going to meet?

14. Spot and correct the mistakes

a. Che ora ci troviamo?

b. Devo aiutare mia fratello.

c. Va bene. No ce problema.

d. Non me va.

e. A dopi.

f. Dove chi troviamo?

g. Che cosa vuoi fare questo sera?

h. Alle sette mezzo?

Gianni: Ciao Carla, come va?

Carla: Ciao Gianni. Sto bene, grazie. Sono un po' annoiata.

Gianni: Che cosa hai fatto sabato scorso?

Carla: Niente di speciale. Ho fatto i compiti, ho messo in ordine la mia stanza e ho portato fuori il cane. E tu?

Gianni: Ho fatto footing, ho tagliato il prato e ho fatto un giro in bici al parco con Francesco. Che cosa vuoi fare stasera?

Carla: Oggi mi piacerebbe andare per negozi. E a te?

Gianni: Non so, tesoro. Non mi va di andare per negozi oggi, mi dispiace. Domani, magari. Oggi preferisco andare al cinema. Ti va?

Carla: Va bene. Non c'è problema. Al cinema? Che film vuoi vedere?

Gianni: L'ultimo film di Star Wars?

Carla: Alla grande. A che ora ci troviamo?

Gianni: Alle quattro?

Carla: No, alle quattro non posso perché devo aiutare mio fratello con i compiti.

Gianni: Alle cinque?

Carla: No, alle cinque non posso perché devo fare la lavatrice e stirare. Alle sei e mezzo?

Gianni: Molto bene, dove ci troviamo?

Carla: Troviamoci davanti a casa tua.

Gianni: Alla grande, ci vediamo dopo.

Carla: Va bene, perfetto! A dopo.

15. Find the Italian equivalent in the conversation above

a. I am a bit bored.
b. Nothing special.
c. I tidied my room.
d. I mowed the lawn.
e. I would like to go shopping.
f. I don't know, darling.
g. Not a problem.
h. The latest film.
i. I have to do the laundry and iron.
j. In front of your house.
k. Great.

16. Answer in English

a. How is Carla feeling?
b. What three things did she do this morning?
c. What three things did Gianni do?
d. What does Carla want to do this evening?
e. How about Gianni?
f. Why can't Carla meet at four?
g. Why can't she meet at five?
h. At what time can she meet him?
i. Where are they going to meet?

17. Complete the table

Italiano	English
Mi dispiace	
	I am fine
	Great
Non posso	
Non mi va	
Stasera	
	In front of your house
	At what time?
Dove ci troviamo?	
A che ora ci troviamo?	
Non c'è problema	

18. Complete with a suitable word

a. Che cosa vuoi ____________?

b. Dove ci ________________?

c. Alle cinque e ______________.

d. __________ di fronte a casa tua.

e. Come ____________?

f. Sono un po' ____________.

g. No, non mi _______________.

h. Voglio andare al __________ con te

i. Devo aiutare mio ____________ in cucina.

j. Devo ____________ fuori il cane.

19. Complete

a. *Where shall we meet this evening?* D______ c__ t______________ s____________?

b. *What do you want to do?* C____ c______ v______ f______?

c. *OK. Not a problem.* V__ b______, n____ c'è p______________.

d. *I have to help my parents.* D______ a____________ i m______ g______________.

e. *Sorry. I don't fancy it.* M__ d______________, n____ m__ v__.

f. *Let's meet opposite the cinema.* C__ t______________ d__ f__________ a__ c__________.

g. *I must tidy up.* D______ m____________ i__ o__________.

h. *We can go to the park.* P______________ a__________ a__ p________.

i. *At what time shall we meet?* A c____ o____ c__ t______________?

j. *See you later.* C__ v_____________ d______.

20. Translate into Italian

a. Not a problem.

b. Do you want to go shopping?

c. I don't like it.

d. I can't because I have to study.

e. What do you want to do?

f. I have to help my mother.

g. I have to iron.

h. Where shall we meet?

i. Let's meet at the bus stop near my house.

j. At what time shall we meet?

k. I would like to go swimming.

l. I am sorry, I have to do homework

21. Answer each of the questions below with a full sentence, as in the example

e.g. Come ti chiami? – Mi chiamo Mark.

a. Ciao, come va?
b. Che cosa hai fatto ieri?
c. Che cosa vuoi fare oggi pomeriggio?
d. Vuoi venire con me al centro commerciale?
e. A che ora ci troviamo?
f. Dove ci troviamo?
g. Che cosa farai domani?
h. Vuoi uscire con me un'altra volta?
i. Ti piacerebbe andare al cinema?
j. Che cosa ti piacerebbe fare dopo il cinema?

22. Write the questions for the answers below

e.g. Andrò allo stadio con mio padre questo pomeriggio.
Che cosa farai questo pomeriggio?

a. Voglio giocare alla PlayStation.
b. Perché è noioso.
c. Ieri non ho fatto nulla. Ho solo riposato.
d. Ci troviamo di fronte alla piscina municipale.
e. No, non mi va.
f. Sì, voglio andare al cinema.
g. Mi dispiace, venerdì non posso. Sono occupata.

23. Translate 1 and 2 into English and 3 into Italian

Marina e Giulio	Marcello e Errico	Anna e Dolores
M. Ciao Giulio. Come va? *G. Tutto bene, Marina. E tu?* M. Bene, però sono molto stanca. *G. Perché?* M. Ieri pomeriggio ho fatto footing e poi nuoto. Inoltre, mi sono alzata molto presto oggi. *G. Oh. Quindi non puoi uscire stasera?* M. Sì, ovvio che posso! Dove vuoi andare? *G. Alla festa di Fernando?* M. Sì, va bene, perfetto. Mi va! Dove ci troviamo? *G. Ci troviamo a casa mia alle sette?* M. Alla grande. Ci vediamo dopo.	M. Ciao Errico. Come stai? *E. Molto bene, Marcello. E tu?* M. Che cosa hai fatto sabato scorso? *E. Ho fatto la spesa con mia madre. E tu?* M. Ho aiutato mio padre in giardino. È stato noioso! *E. Vuoi venire con me allo stadio oggi?* M. Sì. Che bello! Dove ci troviamo e a che ora? *E. Troviamoci alla fermata dell'autobus di fronte a casa mia, alle tre.* M. Va bene, perfetto. Ci vediamo lì alle tre.	A. Hi Dolores. Do you want to go out this afternoon? *D. Yes, but first I have to help my mother until 5:00.* A. Ok. Do you want to go to the cinema this evening? *D. No. I am sorry, but I don't feel like it. I would like to go to the town centre and do some window-shopping.* A. OK, not a problem. At what time shall we meet? At 5:30? *D. I cannot at 5:30. I have to help my brother with the homework. Let's meet at 6:00.* A. OK. At six. Where shall we meet? *D. Let's meet at your house.*

Question Skills Unit 9

English	Italiano
What activities do you do in your free time?	**Che attività fai nel tuo tempo libero?**
What do you do to help your parents at home?	**Che cosa fai per aiutare i tuoi genitori a casa?**
What did you do yesterday to help your father/mother?	**Che cosa hai fatto ieri per aiutare tuo padre/tua madre?**
What do you want to do this weekend with your friend?	**Che cosa vuoi fare questo fine settimana con il tuo amico/la tua amica?**
What do you fancy doing this afternoon?	**Che cosa ti va di fare questo pomeriggio?**
Do you want to go to the cinema with me?	**Vuoi andare al cinema con me?**
Where shall we meet?	**Dove ci troviamo?**
At what time shall we meet?	**A che ora ci troviamo?**
Do you fancy playing football in the park?	**Ti va di giocare a calcio al parco?**
Why can you not go out this afternoon?	**Perché non puoi uscire questo pomeriggio?**
What would you like to do this weekend?	**Che cosa ti piacerebbe fare questo fine settimana?**
Are you going to meet up with your friends this weekend?	**Ti trovi con i tuoi amici questo fine settimana?**
Where are you going to go?	**Dove andrete?**

1. Match questions and answers

Che cosa fai per aiutare a casa?	Mi va di fare una passeggiata.
Che cosa hai fatto ieri per aiutare tuo padre?	Apparecchio la tavola e aiuto i miei genitori.
Che cosa ti va di fare questo pomeriggio?	Ho passato l'aspirapolvere e ho preparato la cena.
Dove ci troviamo?	Sì, è il mio sport preferito. Amo Nadal.
A che ora ci troviamo?	Troviamoci di fronte a casa mia.
Perché non puoi uscire questo pomeriggio?	Andremo con Francesco e Raffa.
Con chi andremo?	Alle cinque.
Dove andrete?	Perché ho molti compiti e non ho tempo.
Vuoi giocare a tennis dopo?	Non andremo da nessuna parte.

2. Write the questions to the answers below

a.	Sì, voglio andare al cinema con te.
b.	Alle sette e mezzo.
c.	Di fronte al negozio, di fianco al cinema.
d.	Andremo con Giuliana e Leonardo.
e.	Normalmente porto fuori il cane.
f.	Ieri non ho fatto nulla perché ero stanco.
g.	Sì, voglio trovarmi con i miei amici.
h.	Questo fine settimana andremo in spiaggia.

3. Break the flow

a. Comestaioggi?

b. Checosavuoifareoggi?

c. Vuoiandareincentroconme?

d. Símivadavverotanto.

e. Dovecitroviamo?

f. Conchiandremo?

4. Spot and add in the one word missing from each sentence

a. Che cosa fai per aiutare casa?

b. Che cosa va di fare questo pomeriggio?

c. A che ci troviamo?

d. Ti va di andare cinema?

e. Perché non puoi con me dopo?

f. Dove andrai questo settimana?

5. Fill in the gaps with appropriate questions

Tommaso: Ciao Valeria, (a.) ____________________ ?

Valeria: Ciao Tommaso. Sto bene. (b.) ______________ ?

Tommaso: Sì, anch'io sto bene, grazie. (c.) __________________________ ?

Valeria: Oggi mi piacerebbe andare allo stadio. Gioca il Milan. (d.) ___________________ ?

Tommaso: Sì, mi va un sacco! Il Milan è fortissimo! (e.) ______________________ ?

Valeria: Va bene, alla grande. Troviamoci davanti allo stadio. (f.) ______________________ ?

Tommaso: Buona domanda. La partita è alle quattro del pomeriggio. Troviamoci verso le tre e un quarto.

Valeria: Molto bene. (g.) ______________________________ ?

Tommaso: Andremo con Alice e Alessio. Sono di Milano e amano il calcio.

Valeria: Perfetto, ci vediamo dopo.

Tommaso: Alla grande. A dopo!

Unit 10

Describing a typical day in the present, past & future

In this unit you will learn:

- To describe a typical day in the past, present & future tenses
- To say what you "had to", "were able to" and "wanted to" do
- To say what you "will have to" and "will be able" to do

Key sentence patterns:

- Time marker + verb in the present/past + noun or prepositional phrase
- Time marker + modal verb in the present/past/future + infinitive

Grammar:

- Use of modal verbs across tenses
- First person singular of key verbs in present, future & past

Oggi
[Today]

Domani
[Tomorrow]

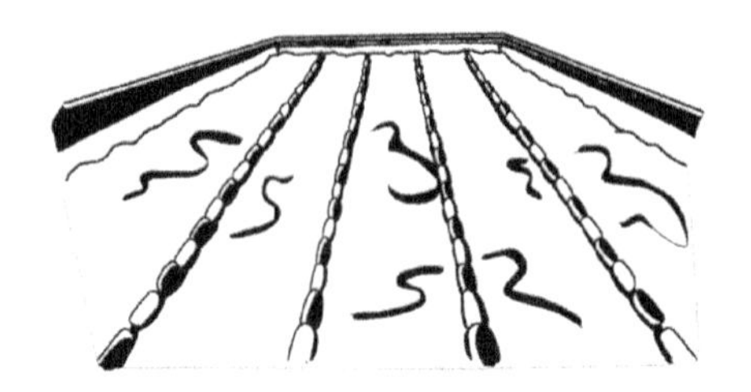

UNIT 10: Describing a typical day in the present, past & near future

<table>
<tr><th colspan="4">PRESENT</th></tr>
<tr><td rowspan="2">In generale
[In general]</td><td rowspan="2">in settimana
[during the week]</td><td colspan="2">aiuto i miei genitori [I help my parents]
esco con il mio ragazzo [I go out with my boyfriend]
esco con la mia ragazza [I go out with my girlfriend]
faccio i compiti [I do my homework]
gioco alla PlayStation [I play on the PlayStation]
gioco con i miei fratelli [I play with my siblings]
mangio al ristorante italiano [I eat in the Italian restaurant]
metto in ordine la mia stanza [I tidy my room]
vado al centro commerciale [I go to the mall]
vado in bici [I ride my bike]</td></tr>
<tr><td>devo [I have to]
sono solito/a*
[I usually]</td><td>aiutare mio fratello [help my brother]
andare al parco [go to the park]
fare i compiti [do my homework]
giocare con i miei amici [play with my friends]
uscire con i miei amici [go out with my friends]</td></tr>
</table>

<table>
<tr><th colspan="4">PAST</th></tr>
<tr><td rowspan="2">Ieri
[Yesterday]
La settimana scorsa
[Last week]
Venerdì scorso
[Last Friday]</td><td rowspan="2">non
[not]</td><td colspan="2">ho aiutato mio fratello [I helped my brother]
ho fatto footing al parco [I went jogging in the park]
ho mangiato al ristorante cinese [I ate in the Chinese restaurant]
ho messo in ordine il salotto [I tidied the living room]
ho suonato la chitarra [I played guitar]
sono andato allo stadio [I went to the stadium]
sono uscito con la mia miglior amica [I went out with my best friend -f-]</td></tr>
<tr><td>ho dovuto [I had to]
ho voluto [I wanted to]
ho potuto [I could]</td><td>andare in palestra [go to the gym]
fare sport [do sport]
giocare ai videogiochi [play videogames]
portare fuori il cane [take the dog for a walk]</td></tr>
</table>

<table>
<tr><th colspan="3">FUTURE</th></tr>
<tr><td>Domani
[Tomorrow]
Il prossimo fine settimana
[Next weekend]
La settimana prossima
[Next week]</td><td>mi piacerebbe (non)
[I'd like - not- to]
(non) dovrò
[I will -not- have to]
(non) potrò
[I will -not- be able to]</td><td>aiutare a casa [help at home]
andare al cinema [go to the cinema]
fare i compiti [do my homework]
mettere in ordine camera mia [tidy my room]
suonare l'ukulele [play the ukulele]
trovarmi con i miei amici [meet up with my friends]</td></tr>
</table>

***This is a more formal, less common way of saying "I usually…" and it is followed by the infinitive.**

1. Match: time markers

Ieri	At the weekend
Sabato prossimo	Tomorrow
Domani	Last weekend
Sabato scorso	The day before yesterday
Tra due giorni	Within two days
La settimana scorsa	A few days ago
Il fine settimana	Yesterday
L'altro ieri	Last week
Qualche giorno fa	Last Saturday
Lo scorso fine settimana	Next Saturday

2. Complete the table

Italian	English
Faccio	
Vado	
	I have to
	I want
Esco	
Mi alzo	
Vedo	
	I read
	I write

3. Match: activities

Mi alzerò presto	I will ride a bike
Leggerò un libro	I will study
Studierò	I will have fun
Uscirò	I will get up early
Mi divertirò	I will help my brother
Andrò per negozi	I will go out
Aiuterò mio fratello	I will read a book
Farò sport	I will go shopping
Andrò in bici	I will do sport

4. Choose the correct translations

	1	2	3
I went	sono andato	ho andato	sona andata
I did	ha fatto	ho fatto	è fatto
I helped	hai aiutato	ho aiutato	ha aiutato
I ate	ho mangiuto	ha mangiato	ho mangiato
I played	giocare	ho giocato	è giocato
I wanted	ho voluto	voglio	vorrei
I drank	ho bevito	ho bevato	ho bevuto
I read	ho leto	ho letto	è letto
I saw	ho visto	ha veduto	è visto
I rode	ho montato	monta	monto
I swam	è nuotata	ha nuotata	ho nuotato

5. Break the flow

a. Ierisonoandatoalcinemaconlamiaragazza
b. Domaniandròpernegoziconmiopadre
c. Lasettimanascorsasonoandatoapescaconmia madre
d. Lamiaragazzaeioabbiamovistounbelfilm
e. Dipomeriggiosonosolitoaiutaremiofratelloc onlefaccendedomestiche
f. Laltroierihostudiatomoltoperlaverificadiitaliano
g. Questopomeriggioandròinbiciconimieiamici
h. Ilfinesettimanafacciomoltosport
i. Loscorsofinesettimanahofattopesiconmiocu gino

6. Complete the table with the options provided below

Ieri	Oggi	Domani
		Andrò in bici
	Mi alzo	
		Uscirò con la mia ragazza
	Prendo un caffè	
		Farò boxe
	Vado al cinema	
		Suonerò la chitarra
	Mangio molto	

Mangerò molto	Prenderò un caffè	Mi alzerò	Esco con la mia ragazza
Ho mangiato molto	Sono andato al cinema	Sono andato in bici	Ho fatto boxe
Andrò al cinema	Ho suonato la chitarra	Ho preso un caffè	Mi sono alzato
Suono la chitarra	Vado in bici	Faccio boxe	Sono uscito con la mia ragazza

7. Translate into English

a. Sono andato per negozi
b. Giocherò a scacchi
c. Ho letto dei fumetti
d. Ho mangiato frutti di mare
e. Rifaccio il letto
f. Ho visto un film
g. Mi alzerò
h. Ho giocato a scacchi
i. Aiuto i miei genitori
j. Mi sono rilassato
k. Devo studiare
l. Sono solita andare a letto tardi
m. Voglio uscire con la mia ragazza
n. Oggi non posso giocare
o. Mi diverto molto

8. Sentence puzzle: rewrite the sentences in the correct order

a. speciale nulla fatto Ieri non ho di — *Yesterday I didn't do anything special*

b. un ho film ieri visto L'altro — *The day before yesterday I watched a film*

c. faccio Il le fine domestiche settimana faccende — *At the weekend I do the house chores*

d. la con mia sono uscito scorso ragazza Sabato — *Last Saturday I went out with my girlfriend*

e. alzarmi devo giorni i presto Tutti — *Every day I have to get up early*

f. Due scacchi padre giorni ho mio giocato a fa con — *Two days ago I played chess with my dad*

g. Questo spiaggia andrò pomeriggio in — *This afternoon I am going to go to the beach*

h. sono mi ascoltando rilassato Ieri musica — *Yesterday I relaxed listening to music*

i. parco bici andrò in al Domani — *Tomorrow I will ride my bike at the park*

9. Find the Italian for the verb phrases in the wordsearch

```
W O R F O H I T O F R Y T S T E U H S N
X C T R A M H T O B M O R B O S O B Z O
X O B N Y C A D Q B R T J L C M X V T O
V I V J O C C K X Z U R M G A H B T R P
N G T E O M G I S G W E B N Z V A M S L
S X U I D B E M O J X V G R D F E T F O
Q K G M B J V B T D Z I W U O C B D R T
N O A I W G D Y H J A D J H V P L I O U
H U W A E J B J S T A I W Z W L U R E I
G L P L I R N L O D L M F I H V A D O A
E K T Z S O T A D N A O N O S M G Y O A
C W C E O T A S S A L I R O N O S I M T
S J T R O B V O Q X X M V U S S V P Q Y
H L P Ò Z U B F P V X O A N D R Ò E S A
```

a. I played
b. I am going to go
c. I see/watch
d. I am going to get up
e. I ate
f. I went
g. I have to
h. I play
i. I did
j. I go
k. I do
l. I relaxed
m. I ride
n. I help
o. I have fun

10. Complete with the correct option

a. In generale, il fine settimana ____________ mio padre in giardino.

b. Lo scorso fine settimana _________ la sua macchina e poi _________ alla Play.

c. Domani _______________ presto perché __________________ footing al parco.

d. L'altro ieri __________ al cinema con la mia ragazza. _________ l'ultimo film degli Avengers.

e. In settimana ____________ *[I usually]* alzarmi alle sette.

f. Questo pomeriggio _________ andare per negozi con mia madre. Lo ________ *[I hate]*!

g. Tre giorni fa _________ le vetrine con le mie amiche. _________ carino!

h. Oggi non _________ uscire con la mia ragazza perché _________ studiare per la verifica.

i. Ieri non _______ niente di speciale. _____________ ascoltando musica e ________ un po'.

j. Normalmente ________ i compiti in biblioteca prima di tornare a casa.

posso	mi alzerò	abbiamo visto	mi sono rilassato	odio	devo
ho fatto	sono andata	faccio	devo	voglio fare	leggendo
è stato	aiuto	sono solita	ho lavato	ho giocato	ho guardato

11. Guided translation (verbs only)

a. *I played* H _ g _ _ _ _ _ _

b. *I am going to go* A _ _ _ _

c. *I see/watch* V _ _ _

d. *I did* H _ f _ _ _ _

e. *I have to* D _ _ _

f. *I don't want* N _ _ v _ _ _ _ _ _

g. *I will eat* M _ _ _ _ _ _ _

h. *I can't* N _ _ p _ _ _ _

i. *I went (f)* S _ _ _ a _ _ _ _ _ _

j. *I am going to do* F _ _ _

k. *I helped* H _ a _ _ _ _ _ _ _

l. *I tidied up* H _ m _ _ _ _ _ i _ o _ _ _ _ _

12. Complete with the correct verb in the appropriate tense (past, present and future)

a. Ieri __________ al cinema con la mia amica.	*Yesterday I went to the cinema with my friend.*
b. Due giorni fa _________ un libro molto bello.	*Two days ago I read a very good book.*
c. Sabato prossimo _____________ allo stadio.	*Next Saturday I am going to go to the stadium.*
d. Oggi _______________ per la verifica.	*Today I have to study for the test.*
e. Domenica ______________fare footing.	*On Sundays I usually go jogging.*
f. Domani ___________ presto.	*Tomorrow I am going to get up early.*
g. Venerdì scorso ___________ con la mia ragazza.	*Last Friday I went out with my girlfriend.*
h. L'altro ieri ___________ al parco.	*The day before yesterday I went to the park.*
i. Oggi non _____________ uscire con loro.	*Today I don't want to go out with them.*
j. Di solito non ____________ molto sport.	*I don't usually do a lot of sport.*
k. Domani _________________ un giro in bici.	*Tomorrow I am going to ride my bike.*
l. La settimana scorsa _____________ molti vestiti.	*Last week I bought a lot of clothes.*

Lo scorso fine settimana

Che cosa hai fatto lo scorso fine settimana?

Marina: Non ho fatto nulla. Ho solo riposato.

Silvia: Ho mangiato moltissimo e mi sono rilassata giocando a carte con i miei fratelli e i miei cugini.

Fernando: Sono stato malissimo. Ero malato.

Roberta: Sono andata per negozi con mia madre e sono andata al cinema con i miei genitori. È stato noiosissimo.

Beatrice: Ho aiutato i miei genitori. Ho tagliato il prato, ho messo in ordine la mia stanza e ho lavato il pavimento del salotto.

Francesco: In generale sono solito uscire con la mia ragazza. Tuttavia, sabato scorso lei non ha potuto perché ha dovuto studiare per una verifica di chimica.

Ale: Ho letto un libro molto interessante. Ho anche fatto arrampicata nella palestra vicino a casa mia.

Emiliana: Sono andata a Treviso con la mia famiglia. Abbiamo fatto un giro turistico e abbiamo scattato molte foto.

Raul: Ho fatto tanto sport. Ho fatto footing, pesi e ho fatto delle immersioni. È stato molto divertente. Però, non ho studiato per la verifica d'italiano del giorno dopo…

Susanna: Mi sono presa cura della figlia del vicino.

13. Answer the questions about the text on the left

a. Who did a lot of sport?

b. Who had a very boring time?

c. Who was ill?

d. Who went sight-seeing?

e. Who couldn't go out with his girlfriend?

f. Who had an Italian test?

g. Who mopped the living-room floor?

h. Who had to study for a chemistry test?

i. Who went to the cinema?

j. Who relaxed by playing cards?

k. Who took a lot of pictures?

l. Who didn't do anything?

m. Who went rock climbing?

n. Who went shopping?

o. Who looked after their neighbour's daughter?

Quello che faccio il fine settimana

Il fine settimana sono solito fare molte cose.

Il sabato è il giorno dello sport. Di mattina di solito faccio footing al parco con il mio miglior amico, Elio. Ci alziamo molto presto e corriamo per due ore. Sabato scorso abbiamo corso fino alle otto e mezzo. Amo correre. Poi vado al centro sportivo con Elio e altri due amici, Alessandro e Luciano. Giochiamo a volano, a ping-pong o a tennis. Ci divertiamo molto, però io non vinco mai. Di pomeriggio faccio arrampicata con mio padre e mio fratello minore.

Anche domenica di mattina faccio footing, però solo per mezz'ora. Poi torno a casa in macchina con i miei genitori, faccio i compiti e passo il pomeriggio giocando al computer e guardando la televisione con la mia famiglia. Niente di speciale. In generale, ceniamo a casa dei miei nonni paterni. Amo i miei nonni, perché sono molto simpatici e gentili.

Il prossimo fine settimana sarà diverso, perché andrò in gita a Venezia con la scuola. Visiteremo San Marco e altri monumenti e luoghi storici della città. Ci sono molti negozi curiosi a Venezia e quindi comprerò molti vestiti.

L'anno scorso siamo andati a Roma ed è stato fenomenale. Abbiamo fatto un giro turistico di mattina e di pomeriggio abbiamo fatto un giro per il centro della città. C'era molto da vedere e da fare. Il mio amico Alessandro e io abbiamo conosciuto due ragazze romane molto belle e simpatiche. Siamo ancora in contatto con loro.

(Camillo, 15 anni. Modena)

14. Find in the text the Italian equivalent for:

a. I usually do many things
b. We ran until 8:30
c. My best friend
d. We have lots of fun
e. I never win
f. I love running
g. Only for half an hour
h. I spend the afternoon playing
i. Nothing special
j. I am going to go on a trip
k. I am going to buy
l. We went sightseeing
m. We went for a walk in the centre
n. There was a lot to see and do

15. Correct the statements

a. At the weekend Camillo doesn't do much.
b. On Saturdays he gets up late.
c. He always wins at racket sports.
d. In the afternoon he goes cycling with his father and older brother.
e. On Sundays he does more running than on Saturdays.
f. On Sunday mornings he spends time studying on his computer.
g. They usually have dinner at his grandparents, who are very strict.
h. Next weekend he is going to visit his family in Venezia.
i. He is going to buy souvenirs.
j. He went clubbing in the centre of the city.
k. Camillo and Alessandro met two girls from Roma but didn't get their contact details.

16. Correct the mistakes in the translation of the last two paragraphs of Camillo's text

Next week will be different because I am going to go on a trip to Venezia with my family. We are going to visit San Marco and other monuments and historic buildings of the city. There are many beautiful places in Venezia, therefore I am going to do a lot of sightseeing. Last month we went to Roma and we had a boring time. We went hiking in the morning and in the afternoon we went for a walk around the beach. There was a lot to eat and drink. My friend Alessandro and I met two very boring and mean girls from Genova. We are no longer in touch with them.

Quello che mi piace del mio quartiere è che ci sono molte cose da fare per i giovani. Il fine settimana, quando ho tempo libero, faccio molte cose con i miei migliori amici. Per prima cosa, facciamo molto sport. Per esempio, sabato scorso siamo andati in bici nel bosco vicino a casa mia. È stato molto divertente. Siamo caduti un po' di volte, però fortunatamente nessuno s'è fatto male. Poi abbiamo fatto pesi nella palestra del centro sportivo vicino alla nostra scuola.

Alla fine, abbiamo fatto arrampicata in palestra. C'è un parete da arrampicata abbastanza alta lì. Fortunatamente non c'era molta gente e quindi abbiamo potuto arrampicare molte volte senza dover aspettare molto. È stato molto stancante, però ci siamo divertiti molto.

Nel mio quartiere ci sono anche due centri commerciali molto grandi. Hanno molti negozi di vestiti, videogiochi, informatica e musica e fast food. So che il cibo del fast food non fa bene alla salute, ma mi piace.

Domenica scorsa sono andato con il mio miglior amico a guardare le vetrine al centro commerciale più vicino a casa mia. Il mio amico Bobo è molto bello, simpatico e forte come un toro. Abbiamo conosciuto un paio di ragazze molto simpatiche e abbiamo passato tutto il giorno passeggiando con loro. Una delle ragazze, Leonilde, era molto divertente e io ho passato molto tempo parlando con lei.

Il prossimo fine settimana uscirò con lei. Andremo al cinema per vedere l'ultimo film degli X-Men. Poi andremo al parco. Sarà bello.

(Gianluigi, 13 anni. Monza)

17. Find in the text the Italian equivalent for the following sentences

a. What I like about

b. I do many things

c. In the forest near my house

d. We fell a few times

e. Nobody got hurt

f. There weren't many people

g. It was very tiring

h. I know that junk food is bad

i. We went window-shopping

j. We met a couple of very nice girls

k. We spent the whole day

l. I spent a lot of time

m. Chatting with her

18. Gapped sentences

a. At the weekend, when he has ___________, Gianluigi and his friends do a lot of things.

b. First of all, they do __________________.

c. Last weekend they ________________ in the ___________________ his house.

d. They ____________ a few times, but no one ___________________.

e. They also __________________ in the gym near Gianluigi's house.

f. Finally, they ____________________ in the gym.

g. It was ___________ but they had lots of fun.

h. Last Sunday, Gianluigi and his friends went _______________ in the shopping centre.

i. He got to know a few nice girls and they spent the whole day ________________.

j. He spend a lot of time _________________ with Leonilde.

k. Next weekend he is going to ____________.

19. Answer the questions below in Italian

a. Che cosa hanno fatto Gianluigi e i suoi amici nel bosco?

b. Com'è stata la sessione di arrampicata?

c. Quanti centri commerciali ci sono nel quartiere di Gianluigi?

d. Com'è Bobo físicamente?

e. Che cosa hanno fatto con le ragazze?

f. Che cosa farà Gianluigi con Leonilde il prossimo fine settimana?

20. Complete with the correct option

Sabato scorso Roberto ha fatto molte cose. Per prima cosa, _____________ in bici nel bosco. ___________ divertente. Poi, Roberto e i suoi amici ____________ alla palestra vicino a casa sua. Hanno fatto pesi. Dopo, ___________ arrampicata al parco. Domenica scorsa, Roberto ___________ con i suoi amici. Per prima cosa, ____________ un giro in centro e poi ____________ le vetrine in un centro commerciale. Francesco __________ a due ragazze molto divertenti e Roberto e lui ______________ tutta la giornata passeggiando con loro. Roberto __________ ore parlando con Maria Rosa. Il fine settimana seguente Roberto e Anna _____________ insieme. ___________ un film nel cinema e poi _____________ in un ristorante. Dopo il ristorante, ____________ insieme al parco del quartiere. Si ______________ molto.

hanno passeggiato	è andato	hanno mangiato	hanno fatto	sono divertiti
hanno guardato	hanno fatto	è stato	ha passato	è uscito
hanno visto	hanno passato	ha conosciuto	sono andati	sono usciti

21. Complete the table using the past

Io	Lui / mio fratello	Loro / i miei amici
Sono andato al cinema	1.	2.
3.	Ha visto un film	4.
5.	6.	Sono usciti
Ho aiutato mia madre	7.	8.
9.	Ha giocato a calcio	10.
Non ho fatto nulla	11.	12.
13.	14.	Hanno letto un libro
Ho fatto un giro	15.	16.
17.	18.	Hanno guardato le vetrine
Ho conosciuto un ragazzo	19.	20.
21.	No ha studiato	22.

22. Guided translation

a. *Yesterday I went out with my friends.* I______ s______ u__________ c____ m______ a________

b. *It was tiring but fun*. È s________ s________________ m__ d__________________

c. *Yesterday I went to a party.* I______ s______ a__________ a u____ f________

d. *Two days ago I washed the car.* D____ g__________ f__ h__ l__________ l__ m______________

e. *I get up at six thirty.* M__ a______ a______ s____ e m________

f. *Today I have to help at home.* O______ d______ a____________ a c______

g. *Last Saturday I went swimming.* S__________ s__________ h__ f________ n________

h. *Today he has to study English.* O______ d______ s______________ i____________

i. *Yesterday I played the ukulele.* I______ h__ s____________ l'u____________

23. Translate into Italian

a. Yesterday I watched a film.

b. Two days ago I didn't do my homework.

c. This morning I didn't tidy up my room.

d. Last Sunday I went to the park with my friends.

e. I have to make my bed and wash the car.

f. Tomorrow I am going to ride my bike.

g. Next week I am going to go to Roma.

h. This evening I am not going to do anything.

24. Translate into Italian

a. Two days ago we went jogging.

b. Last week my friends and I played golf.

c. Last Sunday I visited my grandparents.

d. Every day we must lay and clear the table.

e. Today I can't go out with my girlfriend.

f. Next week we are going shopping.

g. The day before yesterday I studied a lot.

h. Once a week we have to take out the rubbish.

25. Translate into Italian

Usually, my family and I do a lot of things at the weekend. However, last weekend, we didn't do much.

I relaxed reading a book, did my homework and watched a film on TV. My parents went jogging, then did some house chores and played cards. My older brother did his homework and then played the guitar all day. My younger brother spent the whole day on the computer and playing on the PlayStation.

It was a boring weekend, but I relaxed a lot. Next weekend I want to go out with my friends and go to the cinema. I am going to play ukulele with my friend Pietro. Pietro is 15 years old and very funny. He is my best friend.

26. Translate into Italian

In my family everyone has to help at home. For example, my mother has to look after the garden. My father cooks. My brother and I have to make our beds and tidy up our rooms. My sister looks after the dog.

We do other things, but we also like to help our parents. For example, last weekend I washed my father's car and helped him in the garden. My brother cleaned the living room and did the laundry. My sister mowed the lawn and took the dog out. My parents were very happy.

27. Complete with a suitable word

a. Mi piace la mia città perché è molto ___________.

b. Nella mia città ci sono molte ________________.

c. Il mio quartiere si trova in ________________.

d. Io vivo in un appartamento molto

_________________.

e. Quello che mi piace del mio quartiere è la

____________.

f. Quello che non mi piace del mio quartiere è il

__________.

g. Nella mia strada ci sono molti negozi

_____________.

h. Di fianco a casa mia c'è un ______________.

i. Io e miei fratelli aiutiamo sempre i nostri

_______________.

j. Per esempio, ieri io ho messo in ordine

______________.

k. Mio fratello ha apparecchiato e sparecchiato la

______________.

l. Il prossimo fine settimana andremo a _________.

m. Sarà ________________.

28. Complete the sentences below

a. La mia città si chiama…

b. Si trova …

c. (Non) Mi piace la mia città perché…

d. Il mio quartiere si trova…

e. Nel mio quartiere (non) ci sono…

f. I negozi del mio quartiere sono…

g. Nella mia strada c'è…

h. Di fianco a casa mia c'è…

i. In settimana mi alzo alle…

j. Faccio molto sport tutti i giorni, per esempio...

k. Sono solito/a fare colazione…

l. Sono solito/a pranzare…

m. Sono solito/a cenare…

n. Lo scorso fine settimana ho fatto tanto sport. Per esempio…

o. Il prossimo fine settimana …

29. Answer the questions below in Italian and in full sentences

a. Come ti chiami?

b. Quante persone ci sono nella tua famiglia?

c. Com'è tuo fratello?

d. Com'è il tuo migliore amico/la tua migliore amica?

e. Che cosa fai per aiutare a casa?

f. Qual è la cosa migliore del tuo quartiere?

g. Che cosa c'è nel tuo quartiere per i giovani?

h. Com'è una giornata tipo a scuola?

i. Che cosa hai fatto ieri durante il pranzo?

j. Che cosa hai fatto ieri di pomeriggio?

k. Che cosa farai oggi dopo scuola?

30. Write a text including the points below (200 words minimum)

- Describe your neighbourhood saying what is there to see and do.
- Describe your house and bedroom and say what you like and dislike about it.
- Describe a typical day of yours saying what you normally do to help at home.
- Say what you did last weekend to help at home.
- Say what you did last weekend with your friends and family.
- Say what you are going to do next weekend with your friends and with your family.

Question Skills Unit 10

English	Italiano
Where do you live?	**Dove vivi?**
Do you live in a house or in a flat?	**Vivi in una casa o in un appartamento?**
What is there in your neighbourhood?	**Che cosa c'è nel tuo quartiere?**
What shops are there in your neighbourhood?	**Che negozi ci sono nel tuo quartiere?**
What can you do in your city?	**Che cosa si può fare nella tua città?**
What can you see in your city?	**Che cosa si può vedere nella tua città?**
What is your house like?	**Com'è casa tua?**
Since when have you lived there?	**Da quando vivi lì?**
What is there in your bedroom?	**Che cosa c'è nella tua stanza?**
What time do you wake up?	**A che ora ti svegli?**
How do you go to school?	**Come vai a scuola?**
What do you do to help your parents at home?	**Che cosa fai per aiutare i tuoi genitori in casa?**
Who helps more, your brother or you?	**Chi aiuta di più, tu o tuo fratello?**
What did you do yesterday to help at home?	**Che cosa hai fatto ieri per aiutare a casa?**
How are you going to help at home this weekend?	**Come aiuterai a casa questo fine settimana?**
Where are you going to go next weekend?	**Dove andrai il prossimo fine settimana?**
Where would you like to live in the future?	**Dove ti piacerebbe vivere in futuro?**

1. Complete with the missing words

a. ____________ vivi?

b. Che cosa ___________ nel tuo quartiere?

c. ____________ in una casa o in un appartamento?

d. _________ si può fare nel tuo quartiere?

e. Che cosa __________ per aiutare a casa?

f. _________ aiuta di più, tu o tuo fratello?

g. Che cosa ___________ ieri per aiutare?

h. _________ vai a scuola?

i. A che _________ ti svegli?

j. Come _________ casa tua?

k. Da ___________ vivi lì?

l. Dove ti _____________ vivere in futuro?

Vivi	ora	Che cosa	Chi	c'è	Come
fai	quando	Dove	hai fatto	è	piacerebbe

2. Match questions and answers

A che ora ti svegli?	Sì, amo casa mia!
Vivi in una casa o in un appartamento?	Casa mia è piccola però molto accogliente.
Com'è casa tua?	In settimana, mi sveglio alle sette.
Ti piace casa tua?	Vivo lì da quando sono nato.
Da quando vivi lì?	Vivo in una casa in centro città.
Come vai a scuola?	Mio fratello non fa nulla: è molto pigro.
Che cosa c'è nel tuo quartiere?	Quando sarò più grande, mi piacerebbe vivere in Australia.
Che cosa si può fare nella tua città?	Normalmente vado a scuola a cavallo.
Che cosa fai per aiutare a casa?	Ci sono un parco, un ristorante e un museo.
Che cosa fa tuo fratello per aiutare?	Si può andare al cinema, si può fare sport e molto di più.
Chi aiuta di più, tuo fratello o tu?	Metto in ordine la mia stanza e preparo la cena.
Dove ti piacerebbe vivere nel futuro?	Io aiuto molto di più. Mio fratello è davvero pigro.

3. Faulty translation: correct the English

a. Che cosa fai per aiutare i tuoi genitori in casa?	*What do you do to help your mum at home?*
b. Che cosa si può vedere nella tua città?	*What can you see in your neighbourhood?*
c. Qual è il tuo posto preferito nel tuo quartiere?	*Which is your favourite place in your house?*
d. Com'è casa tua?	*What is your flat like?*
e. Perché ti piace casa tua?	*Why do you hate your house?*
f. Da quanto tempo vivi lì?	*How long are you planning to live there?*
g. Che cosa hai fatto ieri per aiutare a casa?	*What did she do yesterday to help at home?*
h. Chi aiuta di più, tuo fratello o tu?	*Who helps more, your sister or yourself?*
i. Alla mattina a che ora ti svegli?	*What time do you get up in the morning?*

4. Translate into Italian

a. Where do you live?

b. Do you like your house?

c. Since when have you lived there?

d. What is there in your neighbourhood?

e. What can you do in your city?

f. What do you do to help at home?

g. Who helps more, your sister or you?

h. What did you do yesterday to help at home?

Vocab Revision Workout 5

1. Match

Molto da fare	In my street
In casa mia	Old buildings
Nella mia città	Many things
Edifici antichi	My ... hurt
Nel nord	For young people
La gente	In my house
Per i giovani	Green spaces
Mi faceva male il/la	The people
Aree verdi	In my town
Nella mia strada	A lot to do
Molte cose	In the north

2. Complete with suitable words

a. Vivo in una __________ del sud _________.

b. Il mio quartiere si trova nella ____________ della città.

c. Non mi piace il mio quartiere perché è_____________.

d. Non ________ molti negozi né ___________ verdi.

e. C'è anche molta ___________ e quindi non è un _______________ sicuro.

f. Ieri sera non ho fatto i compiti perché mi faceva molto male ___ __________.

g. Nella mia strada c'è solo un ________________.

h. Vivo in un edificio _____________ e antico. Non mi ______________.

3. Translate into Italian

I live in a town in the south of Italy. My neighbourhood is on the outskirts of the town. My neighbourhood is big and beautiful. There are many green spaces and sports facilities. Also there is a huge shopping centre near my house with many good shops. In my street there is a gym, a small supermarket, a Chinese restaurant and a bar. Near my house there is a big park where I ride my bike, play with my friends and walk my dog. The best thing about my neighbourhood is that the people are friendly and polite. The worst thing is that there is not much to do for young people.

4. Sentence puzzle: write the sentences in the correct order

a. mia Ieri andato film la cinema con al per ragazza sono vedere un

b. L'altro amici sono in andato bici ieri con i miei

c. si può nel mio fare sport molto quartiere Fortunatamente,

d. al andato centro commerciale fa giorni negozi per sono Tre

e. Nel mio negozi ci molti di vestiti buoni sono quartiere

f. mio possono si Nel molte quartiere cose fare

g. pattinaggio Si parco fare arrampicata e può al

h. centro scorsa La tennis andato al giocare sono sportivo settimana per a

i. vedere una stadio sono per partita mio Ieri fratello di con calcio andato allo

j. Mio all'opera e io siamo fratello andati

5. Complete with *fare*, *giocare*, *andare*, *vedere* or *visitare* as appropriate

a. Si può __________ nuoto.

b. Si possono _________ partite di calcio.

c. Si può __________ per negozi.

d. Non si possono __________ concerti.

e. Si possono _________ palazzi storici.

f. Si può __________ a golf.

g. Si possono __________ film.

h. Si può __________ per locali.

i. Si può _________ footing al parco.

6. Spot and correct the spelling errors

a. Edimburgo si trovo in Scozia

b. Vicino a casa mia ce una strada pedonale

c. In mi quartiere c'è un grande parco

d. Me piace il mio quartiere perché è siculo

e. Il mio quartere e pulito e ben curato

f. Nil mio quartiere c'è molto trafico

g. In me quartiere si può fare footing nel parko

h. Ieri o giocato al tennis nel club vigino a casa

i. L altro ieri ò fato nuoto in la piscina municipala

7. Faulty translation: spot the mistakes in the English translations and correct them

a. Nella mia strada ci sono tanti buoni negozi.	*In my street there aren't many clothes shops.*
b. Il tennis club si trova davanti alla scuola.	*The tennis club is behind the cinema.*
c. Non ci sono negozi di sport nella mia strada.	*There are no clothes shops in my neighbourhood.*
d. C'è qualche biblioteca lì?	*Is there a bakery over here?*
e. Il parco è di fronte alla stazione ferroviaria.	*The park is located behind the bus station.*
f. C'è un supermercato vicino al centro sportivo.	*There's a supermarket next to the sports centre.*
g. Il ristorante si trova a dieci minuti in macchina.	*The restaurant is ten minutes' walk from here.*
h. Di fianco a casa mia c'è una panetteria.	*Near my house there is a butcher's.*

8. Translate into English

a. Sono andato in piscina.

b. Andrò per negozi.

c. Siamo andati in campagna.

d. Abbiamo fatto sport.

e. Andremo in bici.

f. Ho fatto nuoto.

g. Andrò allo stadio.

h. Abbiamo giocato a pallacanestro.

i. Abbiamo fatto un giro turistico.

j. Abbiamo mangiato pesce.

k. Ho letto un romanzo.

l. Abbiamo visto i cartoni animati.

9. Translate into Italian

a. I had a great time with my best friend.

b. I went to the cinema with my girlfriend.

c. We went sightseeing in the old town.

d. I am going to play basketball tomorrow.

e. I didn't do anything last Saturday.

f. We went shopping in the mall near my house.

g. We are going to go to a party.

h. I went swimming and rode the bike.

i. I didn't do my homework because my head hurt.

j. I didn't wash the car because I had to study.

k. I didn't wash the dishes yesterday.

Unit 11

Talking about a past holiday – where we went & where we stayed

In this unit you will learn:

- To describe a past holiday
- To say what you "had" to do and what you "wanted" to do

Key sentence patterns:

- Time marker + verb in the present + noun or prepositional phrase
- Time marker + modal verb in the present/past + infinitive
- Time marker + verb in the past + noun or prepositional phrase

Grammar:

- Use of modal verbs across tenses
- First person singular of key verbs in present & past

UNIT 11: Talking about a past holiday – where we went & where we stayed

Sono andato/a *[I went]* **Siamo andati/e** *[We went]*	**in vacanza** *[on holiday]*	**due settimane fa** *[two weeks ago]* **l'anno scorso** *[last year]* **l'estate scorsa** *[last summer]* **un mese fa** *[one month ago]*

Sono andato/a *[I went]* **Siamo andati/e** *[We went]*	**in*** *[to]*	**Cina** *[China]* **Francia** *[France]* **Germania** *[Germany]*	**Giappone** *[Japan]* **Giordania** *[Jordan]* **Grecia** *[Greece]*	**Irlanda** *[Ireland]* **Italia** *[Italy]* **Spagna** *[Spain]*

Ho viaggiato *[I travelled]* **Abbiamo viaggiato** *[We travelled]*	**in** *[by]*	**aereo** *[plane]* **autobus***[coach]* **macchina** *[car]* **nave** *[ship]* **treno** *[train]*	***e il viaggio*** *[and the trip]*	**è stato** *[was]*	**comodo** *[comfy]* **divertente** *[fun]* **lungo** *[long]* **veloce** *[quick]*
				è durato *[took/lasted]*	**un'ora** **due ore**

Sono stato/a *[I stayed]* **Siamo stati/e** *[We stayed]*	**in** *[in]*	**un agriturismo** *[a farm**]* **un appartamento** *[a flat]* **un campeggio** *[a camping]*	**un hotel di lusso** *[a luxury hotel]* **un hotel economico** *[a cheap hotel]* **un ostello** *[a youth hostel]*
	a *[at]*	**casa dei miei nonni** *[my grandparents' house]*	

Mi è piaciuto perché *[I liked it because]* **È andata alla grande perché** *[I had a great time because]*	**l'hotel era fantastico** *[the hotel was fantastic]* **la gente era simpatica** *[the people were nice]*	**c'era molto da fare** *[there was a lot to do]* **c'erano spiagge magnifiche** *[there were superb beaches]*

Nell'hotel	**c'era** *[there was]* **c'erano** *[there were]*	**una palestra** *[a gym]* **un parco acquatico** *[an aqua park]* **un ristorante** *[a restaurant]*	**un campo da tennis** *[a tennis court]* **un'area giochi per i bambini** *[a playroom for kids]* **una spa per i miei genitori** *[a spa for my parents]*

Author's note: remember that in Italian we say *nel Regno* Unito and *negli Stati Uniti.

****An *agriturismo* is a farm designed to also receive guests, whether for food, accommodation or both.**

1. Match

La nave/barca	The people
La macchina	My grandparents' house
Il viaggio	The car
L'hotel economico	The luxury hotel
L'hotel di lusso	The farm
L'agriturismo	The journey
La casa dei miei nonni	The plane
L'aereo	Last week
Il campo da tennis	The cheap hotel
La settimana scorsa	The ship/boat
La gente	The tennis court

2. Complete with the missing letter

a. Sono andato in Franc__a

b. Sono andato in __ermania

c. Sono and__to in G__appone

d. Sono andato in Spag__a

e. Sono a__dato in Ita__ia

f. Sono an__ato i__ Vietnam

g. S__no andato in Sc__zia

h. Son__ andato in Irlan__a

3. Break the flow

a. LannoscorsosonoandatoinGermania

b. Sonoandataconlamiafamiglia

c. Abbiamoviaggiatoinmacchina

d. Ilviaggioèstatolungoenoioso

e. Sonostatainunhoteldilussovicinoallaspiaggia

f. Lhoteleragrandeemoderno

g. Èstatofenomenaleperchélhotelerafantastico

h. Inoltreceramoltodafare

4. Complete with a suitable word

a. L'anno scorso sono andato in Italia in __________.

b. Il viaggio è stato molto ___________.

c. L'hotel era _________________.

d. Sono andato con ___________.

e. È stato ______________.

f. La gente era ________________.

g. Nell'hotel c'era una _____________.

5. Faulty translation: correct the English

a. Due settimane fa siamo andati in Spagna.
Two months ago I went to Spain.

b. Il viaggio in nave è stato molto lento.
The car journey was very fast.

c. La settimana scorsa.
Last weekend.

d. È stato fenomenale.
I had a horrible time.

e. C'erano spiagge magnifiche.
There were fantastic facilities.

f. Siamo stati in un ostello.
We stayed in a luxury hotel.

g. C'era molto da fare.
There were a lot of people.

h. C'era un campo da tennis.
We played tennis.

i. La mia stanza era molto spaziosa.
My room was very small.

6. Sentence puzzle: rewrite the sentences

a. scorso Il mese Italia siamo andati in
Last month we went to Italy.

b. migliore andato lì con Sono mio il amico
I went there with my best friend.

c. e poi una Abbiamo macchina viaggiato in affittato treno abbiamo
We travelled by train and later we rented a car.

d. Il divertente lungo viaggio è molto stato però
The journey was long but a lot of fun.

e. Sono economico in stato un spiaggia hotel vicino alla
I stayed in a cheap hotel by the beach.

f. stato perché giorni le erano tutti magnifiche e È ha spiagge fatto bello fenomenale i
I had a great time because the beaches were fantastic and the weather was good every day.

7. Complete with *andare* in the past:

sono/sei/è andato/a, siamo/siete/sono andati/e

a. L'anno scorso io _______ in Italia.

b. Mio fratello _______ in Scozia.

c. I miei genitori ___________ in Spagna.

d. Due anni fa la mia ragazza e io ___________ in Inghilterra.

e. E tu, dove ____________?

f. E tua sorella, dove ________?

g. Il mio amico non _______ da nessuna parte.

h. Le mie vicine ___________ in Galles.

i. E voi, dove _____________ in vacanza?

j. I miei genitori e io ___________ in Grecia.

k. L'anno scorso la mia famiglia _________ a Roma.

8. Verb anagrams

a. **È tasto** fantastico. *It was fantastic.*

b. **Ah tafto** bel tempo il primo giorno. *The weather was good on the first day.*

c. **Moisa itanda** alla spiaggia. *We went to the beach.*

d. **Aismo tasti** in un hotel di lusso. *We stayed in a luxury hotel.*

e. Nell'hotel **erac** una piscina magnifica *In the hotel there was a great swimming pool.*

f. I miei genitori **nonha aagimnot** molto. *My parents ate a lot.*

g. Mio fratello **ha togiaco** a tennis tutti i giorni. *My brother played tennis every day.*

h. **Mobiaba tisvatio** un museo interessante. *We visited an interesting museum.*

9. Gapped translation

a.	Il mese scorso siamo andati in Costa Rica.	*Last __________ we went to Costa Rica.*
b.	Abbiamo viaggiato in aereo e abbiamo affittato una macchina.	*We travelled by plane and ___________ a car.*
c.	Ha fatto bel tempo tutti i giorni.	*The weather was _________ every day.*
d.	Siamo stati in un hotel economico.	*We stayed in a ___________ hotel.*
e.	L'hotel era molto lontano dalla spiaggia.	*The hotel was very _____________ the beach.*
f.	Mi è piaciuto molto l'hotel.	*I ____________ the hotel a lot.*
g.	C'era molto da fare per i giovani.	*There was a lot to do for _______________.*
h.	Un giorno abbiamo fatto una gita in barca.	*One day we did a __________ trip.*
i.	È stato fantastico.	*It ________________.*
j.	C'era una spa per i miei genitori.	*There was a spa area for my ______________.*

10. Translate into English

a. Abbiamo viaggiato in nave.

b. Siamo andati in Grecia.

c. Non sono andato da nessuna parte.

d. C'erano spiagge stupende.

e. I miei genitori si sono divertiti molto.

f. Abbiamo visitato dei musei.

g. Siamo stati in un ostello.

h. C'era molto da fare per i giovani.

i. Siamo andati in spiaggia tutti i giorni.

j. Abbiamo fatto una gita quasi tutti i giorni.

k. La gente era molto simpatica.

l. Abbiamo visto molti luoghi magnifici.

11. Wordsearch: find the Italian translation of the sentences below and write them as shown in the example

C C P H E P J I V Y F M T M O V U I D V N P
È Y J J H I T J Y O S L D Ì W W R N X R P S
S L L N F H H A R U J N L A P X B U R F W U
T B F R Q P I S U F V O D M P L I N S D A W
A P A H F J D L I J T I B R J F A H G F I C
T N O R T P T E T A L V R I E H S O Y P B J
O H W P P A G G D R M H O U H K I T I M S P
I X N F S G H N W H A O R J B A W E L W B H
L O I L V I A G G I O È S T A T O L E N T O
S N J Z Q O W X C Z X M J T J U F I B X C D
O Y P D N C O N L A M I A F A M I G L I A E
L P U O W T È S T A T O F A N T A S T I C O
E Z S E T O T A S O P I R O M A I B B A E B
E V A N N I O T A I G G A I V O H S U Z U C
A C I T A P M I S A R E E T N E G A L S I S
H A F A T T O B E L T E M P O L J D F M H A

a. I went there

b. With my family

c. I travelled by boat

d. The journey was slow

e. We stayed

f. In a hotel

g. We rested

h. It was fantastic

i. The people were nice

j. The weather was good

k. It was sunny

12. Categorise the sentences below with a T for "means of transport", an A for "accommodation" or a W for weather

a. L'hotel era molto bello.
b. Abbiamo viaggiato in nave.
c. Siamo stati in un ostello.
d. Ha fatto bel tempo.
e. Abbiamo fatto una gita in bici.
f. L'autobus era sporco e puzzava.
g. Il primo giorno c'era vento.
h. Siamo stati in un campeggio.
i. Mio fratello è andato in Giappone in aereo.
j. Mi è piaciuta molto la mia stanza.
k. I miei genitori sono stati a casa dei miei zii.
l. Un giorno ha piovuto di mattina.
m. Siamo stati in un agriturismo in campagna.
n. Ha fatto una gran tormenta.

13. Slalom writing

e.g. We travelled by plane, and then by car.
a. The journey was long, boring and tiring.
b. Our hotel was near the city centre.
c. In the hotel there was a playroom for kids.
d. My parents went shopping.
e. My sister took many pictures with her boyfriend.
f. My brother and I went to the beach.
g. We had a lot of fun. I want to go back there.

Abbiamo viaggiato	divertiti molto.	sono andati	siamo andati	negozi.
Il viaggio	**in**	molte foto	**e poi**	lì.
Il nostro	genitori	**aereo,**	per	**in macchina.**
Nell'hotel	hotel	io	giochi	al centro città.
I miei	ha fatto	lungo,	vicino	il suo ragazzo.
Mia sorella	e	era	tornare	stancante.
Mio fratello	è stato	Un'area	noioso e	per i bambini.
Ci siamo	c'era	Voglio	con	in spiaggia.

L'anno scorso sono andata in Italia. Abbiamo viaggiato in treno e poi abbiamo affittato una macchina. Il viaggio è stato abbastanza lungo e noioso. Siamo stati in un hotel molto bello a Napoli. L'hotel ero molto vicino alla spiaggia. Mi è piaciuto molto. C'era una piscina fantastica, un'area giochi per i bambini e anche una spa per i miei genitori. Il cibo del ristorante era delizioso e quindi abbiamo mangiato molto. Ha fatto bel tempo tutti i giorni e quindi abbiamo sempre potuto andare in spiaggia. Di sera sono rimasta in hotel, però mio fratello maggiore è andato per locali tutti i giorni.
(Orla, 13 anni. Tullamore)

L'anno scorso sono andata in Spagna. Abbiamo viaggiato in aereo e poi abbiamo affittato una macchina. Il volo è stato corto, però abbastanza noioso. Siamo stati in un hotel economico vicino a Benidorm. L'hotel era molto lontano dal mare (a un chilometro), quindi abbiamo dovuto camminare molto per andare in spiaggia. Non mi è piaciuto molto l'hotel. C'era una piscina piccola e senza acqua e non c'era una palestra. Il ristorante serviva cibo fritto e unto e quindi non ho mangiato molto.
Fortunatamente, ha fatto bel tempo quasi tutti i giorni e quindi abbiamo potuto andare in spiaggia molto spesso. C'erano tanti bei negozi e ho comprato molti vestiti e orecchini. I miei genitori sono andati a mangiare in ristoranti locali tutte le sere mentre io sono rimasta in hotel con mia sorella maggiore. Per me la cosa migliore è stata che c'erano molti ragazzi simpatici nell'hotel.
(Aoife, 14 anni. Kilkenny)

L'anno scorso sono andata a Cancún, in Messico. Sono andata con i miei genitori, i miei zii e i miei cugini. Abbiamo viaggiato in nave da crociera e poi abbiamo affittato una macchina. Il viaggio è stato molto lungo, però anche molto divertente. Durante la crociera c'era molto da fare per i giovani. È stato fenomenale. A Cancún siamo stati in un hotel a quattro stelle in riva al mare. Mi è piaciuto tantissimo l'hotel. C'erano due aree gioco per i bambini, tre campi da tennis, una palestra enorme e cinque ristoranti che servivano cibo di ogni parte del mondo. Era delizioso e quindi abbiamo mangiato un sacco. C'è stato sole e caldo, quindi siamo andati in spiaggia tutti i giorni. Di sera sono rimasta in hotel riposando e leggendo, però mio fratello maggiore e mio cugino sono andati per locali tutti i giorni.
(Ciara, 12 anni. Armagh)

14. Find in Orla's text the Italian for

a. We rented	j. Therefore
b. The journey	k. Good weather
c. Quite long	l. We were able to go
d. We stayed	m. Every day
e. It was very near	n. In the evening
f. There was	o. I remained
g. A game room	p. But
h. A spa area	q. My older brother
i. The food	r. Went clubbing

15. Answer the following questions about Aoife

a. How did she travel to Spain?

b. What was the flight like? (2 details)

c. Where did they stay?

d. How far was the hotel from the beach?

e. How often did Aoife go to the beach?

f. What did her parents do in the evening?

g. What did Aoife buy there?

h. What was wrong with the swimming pool?

i. What was the best thing about the hotel?

16. Find someone who...

a. stayed in a cheap hotel

b. stayed in a four-star hotel

c. went on holiday with their cousins

d. rented a car

e. stayed in a hotel without a gym

f. went to the beach every day

g. bought lots of earrings

h. loved the hotel

i. had a nice pool in their hotel

j. travelled on a cruise ship

k. didn't like their hotel much

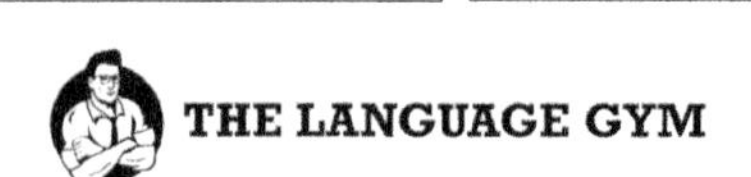

17. Complete with the options provided in the box below

L'anno scorso sono andata in __________. Abbiamo viaggiato in _________ e poi abbiamo affittato una macchina. Il viaggio è stato abbastanza __________ e noioso. Siamo stati in un hotel molto ____________ (però bello) a Napoli. L'hotel era molto vicino al __________ città. Mi è piaciuto ____________. C'era una piscina molto ________, un'area giochi per i bambini e una spa per i miei genitori. Il ristorante serviva cibo ___________ e quindi abbiamo mangiato molto. Ha fatto ____________ tutti i giorni, quindi siamo andati spesso in spiaggia. Sono ____________ tutte le sere e sono andata per locali con un'amica. **(Joanne, 16. Reading)**

uscita	lungo	moltissimo	grande	aereo
economico	caldo	Italia	centro	delizioso

18. Jigsaw reading: arrange in the correct order

L'anno scorso sono andato in Italia, in Sardegna. Abbiamo viaggiato in aereo e poi	1
attrezzata. Fortunatamente, ha fatto bel tempo quasi	
abbiamo affittato una macchina. Il viaggio è stato	
Porto Cervo, un villaggio sulla costa. L'hotel	
molto grande e pulita e la palestra era ben	
era molto vicino alla spiaggia e quindi non abbiamo	
Mi è piaciuto molto l'hotel. C'era una piscina	
abbastanza noioso. Siamo stati in un hotel di lusso a	
dovuto camminare molto per andare al mare.	
tutti i giorni. È stato fenomenale.	

19. Correct the following sentences from Aoife's text

a. L'anno scorso sono andata in Italia.

b. Il volo ho stato corto, però abbastanza noioso.

c. Siamo stati in un hotel di lusso vicino Benidorm.

d. L'hotel ero molto lontano dal mare e quindi abbiamo potuto camminare molto per andare in spiaggia.

e. Non me è piaciuto molto l'hotel.

f. Il ristorante serviva fritto e unto cibo e quindi non ha nuotato molto.

g. Fortunatamente, ho fatto bel tempo quasi tutti i giorni.

20. Complete the sentences below with any suitable word

a. L'anno scorso sono andato in ____________.

b. Ho viaggiato in __________.

c. Il viaggio è stato _________ e __________.

d. Siamo stati in un hotel ____________.

e. L'hotel era vicino alla ____________.

f. L'hotel mi è piaciuto perché era ___________.

g. Nell'hotel c'era _______________.

h. Fortunatamente, ha fatto bel _________.

i. Di mattina siamo andati in ___________.

j. Di pomeriggio io ____________ però mio fratello maggiore _______________.

k. In città c'erano molti negozi e quindi io _____________.

l. Il cibo era_____________.

m. È stato_______________.

n. L'anno prossimo andremo in ___________.

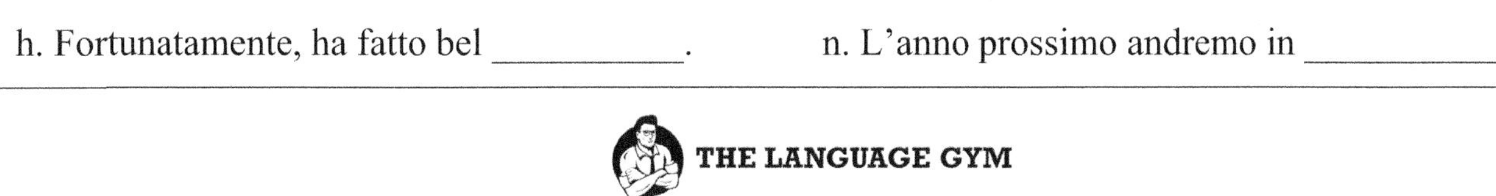

<table>
<tr><th colspan="6">Nell'hotel</th></tr>
<tr><td rowspan="2">Mi è piaciuta
[I liked]

Non mi è piaciuta per niente
[I didn't like at all]</td><td rowspan="2">la mia camera
la mia stanza</td><td rowspan="2">perché</td><td>era</td><td colspan="2">ben ammobiliata [well furnished]
mal ammobiliata [badly furnished]
pulita [clean]
sporca [dirty]
vista mare [sea view]</td></tr>
<tr><td>c'era
c'erano</td><td colspan="2">cuscini puliti [clean pillows]
mobili vecchi [old furniture]
un letto comodo [a comfortable bed]
un televisore nuovo [a new TV]</td></tr>
<tr><td rowspan="2">(Non) C'era/c'erano</td><td colspan="3">asciugamani puliti [clean towels]
lenzuola pulite [clean sheets]
un cuscino sporco [a dirty pillow]</td><td>nella stanza/camera
[in the room]</td><td rowspan="2">dell'hotel</td></tr>
<tr><td colspan="3">sapone [soap]
scarafaggi [cockroaches]</td><td>nel bagno</td></tr>
<tr><td colspan="4">Il frigo / Il WI-FI
L'aria condizionata / L'ascensore [the lift]
La doccia / La televisione</td><td colspan="2">funzionava bene [worked well]
non funzionava bene [did not work well]</td></tr>
</table>

21. Gapped translation

a. Asciugamani puliti — *Clean* _______________

b. Ben ammobiliata — *Well*________________

c. Non c'era sapone — *There was no* ________

d. Era sporca — *It was* ______________

e. Era vista mare — *It was* _________

f. Non funzionava nulla — *Nothing* ____________

g. C'erano scarafaggi — *There were* __________

h. Mobili vecchi — *Old* _______________

i. Un cuscino sporco — *A dirty* _____________

j. Lenzuola pulite — *Clean* ______________

k. Era pulita — *It was* ______________

l. Una doccia nuova — *A* ____________ *shower.*

m. C'era un frigo — *There was a* ________

n. Un letto comodo — *A* _____________ *bed*

22. Match

Pulita	Sea views
Sporca	Fridge
Funzionava	Furniture
Frigo	New
Ben ammobiliata	Towels
Mobili	It worked
Vista mare	Sheets
Nuova	Well-furnished
Asciugamani	Dirty
Lenzuola	Cockroaches
Scarafaggi	Pillows
Cuscini	Clean
Sapone	Soap

23. Complete with the missing letters

a. La mia s _ _ _ _ _ — *My room*

b. M _ _ _ _ _ vecchi — *Old furniture*

c. Un letto c _ _ _ _ _ — *A comfy bed*

d. Non f _ _ _ _ _ _ _ _ _ _ niente — *Nothing worked*

e. C _ _ _ _ _ _ _ puliti — *Clean pillows*

f. C'erano s _ _ _ _ _ _ _ _ _ _ — *There were roaches*

g. Mal a _ _ _ _ _ _ _ _ _ _ _ _ — *Badly-furnished*

h. Non c'era s _ _ _ _ _ — *There was no soap*

i. L _ _ _ _ _ _ _ _ _ pulite — *Clean sheets*

j. Era s _ _ _ _ _ — *It was dirty (masc)*

k. Era p _ _ _ _ _ — *It was clean (fem)*

24. Match questions and answers

Dove sei stato in vacanza?	C'erano un letto grande, una scrivania e un televisore.
Quando sei andato?	Siamo stati in un hotel.
Come hai viaggiato?	In aereo, ovvio.
Con chi sei andato?	Una piscina molto grande, una palestra e tre ristoranti.
Dove sei stato?	Due settimane.
Dov'era l'hotel?	Molto pulita e accogliente.
Com'era l'hotel?	Sono andato l'estate scorsa.
Che cosa c'era nell'hotel?	A Cancún, in Messico.
Quanto tempo sei rimasto lì?	Era vicino alla spiaggia.
Come era la tua stanza?	Con la mia famiglia.
Che cosa c'era nella tua stanza?	Era un hotel di lusso, molto grande e moderno.

25. Complete with the missing letters

a. Due anni _ _	*Two years ago*
b. _ _ _ _ _ _ andati in Germania	*We went to Germany*
c. Ho _ _ _ _ _ _ _ _ _ _ _ in aereo	*I travelled by plane*
d. _ stato fenomenale	*We had a great time*
e. È _ _ _ _ _ _ molto rilassante	*It was very relaxing*
f. Sono stato _ _ un campeggio	*I stayed on a campsite*
g. _ _ visto molti monumenti	*I saw many monuments*
h. _ '_ _ _ _ _ _ scarafaggi	*There were cockroaches*
i. _ _ _ _ _ _ tutti i giorni	*Almost every day*
j. La _ _ _ _ _ _ _ non funzionava	*The shower didn't work*

26. Translate into Italian

a. Last year
b. I travelled by car
c. I stayed
d. In a cheap hotel
e. Near the beach
f. There was
g. A big swimming pool
h. Delicious food
i. The weather was nice
j. Nearly every day
k. Fortunately
l. I had fun

27. Complete

a. S______ a__________ i__ v____________ i__ I__________	*I went on holiday to Italy.*
b. H__ v________________ i__ m______________	*I travelled by car.*
c. S______ a__________ l__ c____ l__ m____ f______________	*I went there with my family.*
d. I__ v____________ è s________ l________	*The journey was long.*
e. S________ s________ i__ u__ o____________	*We stayed in a hostel.*
f. M__ è p______________ m________ l'__________	*I liked the hotel a lot.*
g. È s________ f__________________	*It was great.*
h. N______'h ________ c'e____ m________ d__ f______	*In the hotel there was a lot to do.*
i. C'e________ u____ p____________, u____ p______________ e m________ a________ c______	*There was a swimming pool, a gym and many other things.*

L'anno scorso sono andato in Italia con il mio migliore amico, Leonardo. Abbiamo viaggiato in aereo e poi abbiamo affittato una macchina. Il viaggio è stato abbastanza lungo e noioso. Siamo stati in un hotel molto bello a Sorrento, un paese molto turistico del sud. L'hotel era molto vicino alla spiaggia. Mi è piaciuto molto perché era moderno e comodo. C'erano una piscina, un'area giochi per i bambini e anche una spa. Il cibo del ristorante era buonissimo, quindi abbiamo mangiato molto. Ha fatto bel tempo tutti i giorni e quindi abbiamo potuto andare in spiaggia spesso. Di sera sono rimasto in hotel, però Leonardo è andato per locali tutti i giorni.

(Giorgio, 18 anni. Fiuggi)

28a. Answer the questions as if you were Giorgio (using answers from the text where possible)

a. Dove sei stato in vacanza?

b. Quando sei andato?

c. Come hai viaggiato?

d. Con chi sei andato?

e. Dove sei stato?

f. Dov'era l'hotel?

g. Com'era l'hotel?

h. Che cosa c'era nell'hotel?

i. Quanto tempo sei rimasto lì?

j. Come era la tua stanza?

k. Che cosa c'era nella tua stanza?

l. Come era il cibo?

m. Com'era il tempo?

28b. Cast your mind back to a recent holiday of yours and answer the questions in 28a
Please answer with full sentences

29. Translate into Italian

a. Last year I went on holiday to Italy. I travelled by plane. We stayed in a luxury hotel on the coasts of Sardinia. The hotel was very beautiful and modern. There were a lot of sports facilities. Moreover, there was a nightclub and some very nice clothes shops.

b. Fortunately, the weather was good, therefore we were able to go to the beach every day. The beach was only 100 meters on foot from the hotel. We sunbathed, swam, played volleyball and went for long walks along the shore.* We really liked the beach and the people there were very kind and friendly.

c. I really liked the hotel. There were many things for young people like me, and also a spa for my parents. The swimming pool and the gym were phenomenal. In the evening there were live concerts *[concerti dal vivo]* and other shows. My room was big and well furnished. There was a big tv and a big balcony with sea view. Everything worked perfectly.

d. My friend Francesco went on holiday to Italy too, but he stayed in Jesolo, near Venezia on the Adriatic coast. He went there with his mother and his sister. He said the weather wasn't good, so he couldn't go to the beach every day. He loves the beach, so he was very disappointed. Fortunately, there were many good shops, so he bought a lot of things for himself and his girlfriend.

*** When you have various verbs in the past with the same auxiliary, you don't have to repeat it. ie. ho visto monumenti, visitato musei, mangiato e cantato**

Question Skills Unit 11

English	Italiano
Where did you go on holidays last year?	**Dove sei andato/a in vacanza l'anno scorso?**
When did you go?	**Quando sei andato/a?**
How did you travel? How was the trip?	**Come hai viaggiato? Com'è stato il viaggio?**
How long did the trip take?	**Quanto è durato il viaggio?**
Who did you go with?	**Con chi sei andato/a?**
Where did you stay? What was it like?	**Dove sei stato/a? Come era?**
Did you like the hotel? Why? Why not?	**Ti è piaciuto l'hotel? Perché? Perché no?**
What did you do during the holidays?	**Che cosa hai fatto durante le vacanze?**
What shops were there? What did you buy?	**Che negozi c'erano? Che cosa hai comprato?**
What was the food like?	**Com'era il cibo?**
Did you try any typical dish?	**Hai provato qualche piatto tipico?**
What was the weather like?	**Com'era il tempo?**
What/Which places did you visit?	**Che posti hai visitato?**
What/Which tourist attractions were there?	**Che attrazioni turistiche c'erano?**
What was the best/worst thing about your holidays?	**Qual è stata la cosa migliore/peggiore delle tue vacanze?**
Did you have any problem with the hotel?	**Hai avuto qualche problema con l'hotel?**
Would you like to go back next year?	**Ti piacerebbe tornare l'anno prossimo?**

1. Complete the sentences using the words provided

a. Dove _______________ in vacanza l'anno scorso?

b. Come _______________ e _________ è stato il viaggio?

c. Con _______________ sei andato?

d. _______________ sei stato? Ti_______________?

e. Che cosa _______________ durante le vacanze?

f. _______________ qualche piatto tipico?

g. _______________ attrazioni turistiche c'erano?

h. _______________ qualche problema con l'hotel?

Chi
Come
Che
Dove
Hai avuto
Sei andato
È piaciuto
Hai viaggiato
Hai fatto
Hai provato

2. Write a question for each of the answers

	Question	Answer
a.	______________________?	Sono andato a Palermo, in Sicilia.
b.	______________________?	Ho viaggiato in autobus e poi ho affittato una macchina.
c.	______________________?	Sono andato con mio cugino Francesco.
d.	______________________?	Sono stato in un hotel economico.
e.	______________________?	Mi è piaciuto molto l'hotel perché era comodo.
f.	______________________?	C'è stato sole tutti i giorni.
g.	______________________?	Sono andato in spiaggia e mi sono rilassato.
h.	______________________?	La cosa migliore è stata il cibo.
i.	______________________?	C'erano scarafaggi nella mia stanza!
j.	______________________?	Sì, mi piacerebbe tornare l'anno prossimo.

3. Rewrite the questions in correct Italian

a. Dove sey andato l'anyo skorzoh?	*Where did you go last year?*
b. Komo ài viagyato?	*How did you travel?*
c. Komo e zthato il viajio? Ti è piachuto?	*What was the trip like? Did you like it?*
d. Doveh say stehto?	*Where did you stay?*
e. Kom ara eel tempo?	*What was the weather like?*
f. Ke koza hay fado durante il viajyo?	*What did you do during the trip?*
g. Tea piacherebe tornare l'hanno proximo?	*Would you like to return next year?*

4. Translate into Italian

a. Where did you go last year?

b. Who did you go with?

c. What is he/she like?

d. How did you travel?

e. Where did you stay?

f. How was the hotel?

g. Did you have any problem in the hotel?

h. What did you do during the holidays?

i. Did you try any typical dish?

j. What was the best thing about the holidays?

k. Would you like to go back next year?

Unit 12

Talking about a past holiday – what we did and our opinion of it

In this unit you will learn:

- To talk about what my family, friends and I did during a holiday
- To give your opinion about what you liked & disliked

Key sentence patterns:

- Time marker + past + noun phrase
- Time marker + past of *ANDARE* + noun phrase + per + infinitive
- *La cosa migliore è stata quando* + past + prepositional phrase
- *Secondo me* + *sono state delle vacanze* + adjective + adversative clause
- *Tuttavia* + *mi piacerebbe* + infinitive + time marker

Grammar:

- First person past, including some reflexives
- Use of "per" to indicate "to" or "in order to"

Unit 12: Talking about a past holiday – what we did and our opinion of it

<table>
<tr><td>Durante le vacanze
[During the holidays]
Il primo giorno
[On the first day]</td><td>ho fatto molte cose [I did many things]
ho passato abbastanza tempo da solo/a [I spent quite a bit of time alone]
ho passato del tempo con la mia famiglia [I spent some time with my family]
non ho fatto quasi nulla [I did hardly anything]</td></tr>
</table>

<table>
<tr><td rowspan="5">Di mattina
[In the morning]
Di notte
[At night]
Di pomeriggio
[In the afternoon]
Di sera
[In the evening]
Il primo giorno
[On the first day]
Il secondo giorno
[On the second day]</td><td colspan="4">ho affittato una bici [I rented a bike]
ho comprato dei souvenir [I bought souvenirs]
ho conosciuto un ragazzo simpatico/una ragazza simpatica
[I met a nice boy/girl]
ho fatto un giro [I went for a walk]
ho giocato con i miei cugini [I played with my cousins]
ho mangiato cibo delizioso[I ate delicious food]
ho nuotato in mare [I swam in the sea]
ho preso il sole [I sunbathed]
ho provato piatti tipici [I tasted typical dishes]
ho riposato in spiaggia [I rested on the beach]
ho scattato delle foto [I took photos]
ho visitato luoghi storici [I visited historic places]</td></tr>
<tr><td colspan="4">mi sono alzato/a presto/tardi [I got up early/late]
sono andato/a a letto presto/tardi [I went to bed early/late]</td></tr>
<tr><td rowspan="2">sono andato/a
[I went]
siamo andati/e
[we went]</td><td>al centro commerciale
al parco
in centro
in montagna
in spiaggia</td><td>a/per
[to]</td><td>andare per negozi
[go shopping]
comprare delle cose
[buy some things]
nuotare in mare
[swim in the sea]
prendere il sole [sunbathe]</td></tr>
<tr><td colspan="3">in gita [on a trip]
per locali [clubbing]</td></tr>
<tr><td>*ho fatto [I did]
abbiamo fatto
[we did]</td><td>escursionismo
[hiking]
nuoto [swimming]</td><td colspan="2">immersioni [diving]
un giro turistico [sightseeing]</td></tr>
</table>

<table>
<tr><td>La cosa migliore è stata quando
[The best thing was when]</td><td>ho cenato in un ristorante
[I had dinner in a restaurant]
ho passato del tempo [I spent some time]
ho visto una partita di calcio
[I saw a football match]</td><td>con
[with]</td><td>i miei nonni
il mio migliore amico
la mia famiglia</td></tr>
</table>

<table>
<tr><td>Secondo me
[In my opinion]</td><td>sono state delle vacanze
[they were ... holidays]</td><td colspan="2">indimenticabili [unforgettable]
splendide/pessime [really really good/bad]</td></tr>
<tr><td>e [and]
però [but]</td><td>(non) mi piacerebbe
[I would -not- like]</td><td>tornare [to go back]</td><td>l'anno prossimo
[next year]</td></tr>
</table>

*** In Italian "fare" means *"to do"* and is often used in combination with actions and activities. However, watch out, because sentences such as "Ho fatto nuoto" are translated back into natural English as *"I swam"* or *"I WENT swimming"*.**

1. Match

Ho affittato una bici	I went hiking
Ho provato piatti tipici	I sunbathed
Sono andato per locali	I went to bed late
Ho fatto escursionismo	I went scuba diving
Ho comprato dei souvenir	I rented a bike
Ho preso il sole	I went on a trip
Ho fatto immersioni	I rested
Ho riposato	I went for a walk
Ho fatto un giro	I bought souvenirs
Ho conosciuto un ragazzo	I tried typical dishes
Ho fatto una gita	I met a boy
Sono andata a letto tardi	I went clubbing

2. Missing letters

a. Ho a_fittato una bici.
b. Ho comprato dei s_uvenir.
c. Ho preso il sol__.
d. Ho fatto immers__oni.
e. Ho cono__ciuto un ragazzo simpatico.
f. Ho fatto un __iro per il centro città.
g. Ho pro__ato piatti tipici.
h. Ho nuotato in m__re.
i. Ho fatto esc__rsionismo in campagna.
j. Ho fatt__ molte foto.
k. Sono and__to a letto tardi.
l. Sono andata per loca__i.

3. Faulty translation

a.	Il primo giorno	*On the second day*
b.	Ho fatto escursionismo	*I went diving*
c.	Ho fatto un giro	*I went for a run*
d.	Ho riposato	*I danced*
e.	Ho conosciuto un ragazzo	*I met a girl*
f.	Ho provato piatti tipici	*I probed typical dishes*
g.	Non ho fatto quasi nulla	*I did a lot*
h.	La cosa peggiore è stata	*The best thing was*
i.	Ho fatto immersioni	*I went sailing*
j.	Ho nuotato in mare	*I swam in the pool*
k.	Ho affittato una bici	*I rented a horse*
l.	Sono andata a letto tardi	*I went to bed early*

4. Spot and add the missing word

a. Pomeriggio	*In the afternoon*
b. Ho un ragazzo	*I met a boy*
c. Ho preso sole	*I sunbathed*
d. Ho affittato bici	*I rented a bike*
e. Ho fatto gita	*I went on a trip*
f. Fatto un giro	*I went for a walk*
g. Ho giocato calcio	*I played football*
h. Ho nuotato mare	*I swam in the sea*
i. Non ho fatto nulla	*I did almost nothing*
j. Andata per locali	*I went clubbing*
k. Piacerebbe tornare	*I would like to return*

5. Sentence puzzle: rewrite the sentences in the correct order

a.	Il non giorno ho primo quasi fatto nulla	*On the first day I did nearly nothing*
b.	in Di piscina andato mattina sono	*In the morning I went to the pool*
c.	Ho musica ascoltando il sole preso	*I sunbathed listening to music*
d.	I si miei sono tardi molto genitori alzati	*My parents got up very late*
e.	tempo Mio giocando passato tutto ha il piccolo fratello con il cellulare più	*My younger brother spent all the time playing on the mobile phone*
f.	ristorante Verso abbiamo le mezzo e pranzato al dodici dell'hotel	*At around 12:30 we had lunch in the hotel restaurant*
g.	Dopo vicino spiaggia sono all'hotel la c'era pennichella andato in, però nessuno non *near*	*After my siesta, I went to the beach the hotel, but there wasn't anyone*

6. Wordsearch: find the Italian translation of the sentences below and write them as shown in the example

```
O I O E E Q Q S B K N V D C W T Q F P J H G
M H N T V Q T W B R X S L O J E R C U O T X
S O H O O A U U F B P S C I R G Q O R F C R
I N M O I F N Z B K I Y X L W W S I F A K X
N U B W P S O N P V U D O G N F P T T W Q J
O O G S H R R T I R U W B Q H O O F Z Z Z A
I T B V V M E E T O Z J P W S X V E X I Y F
S A C O E D E S M A T L W A V C I K T I F N
R T V S Z T F Y O M F A T M X I X K M S O L
U O D F W S M X L I I O I X Q Q T O G A S A
C I W J Q W U H Q E L O H G S E I H V T A K
S N E I Y Z B B L E S S T N G Z G A R W J I
E M A L L U N I S A U Q O T T A F O H N O N
O A S Q K G U T Q I E I P L A P I T C Y J X
T R W Y T Y W M S Z F G D J E F O V I U U T
T E I T T E M U F O T T E L O H O Q O F K L
A L N O U U C U P Y H K V D D E X H V H Y W
F S O N O A N D A T O A L E T T O T A R D I
O A I G G A I P S N I O T A D N A O N O S A
H C I L V I A G G I O È S T A T O L E N T O
```

a. I went scuba diving

b. I went hiking

c. I went to bed late

d. I sunbathed

e. I went to the beach

f. I travelled by boat

g. The journey was slow

h. I swam in the sea

i. I rested

j. I read comics

k. I took photos

l. I did hardly anything

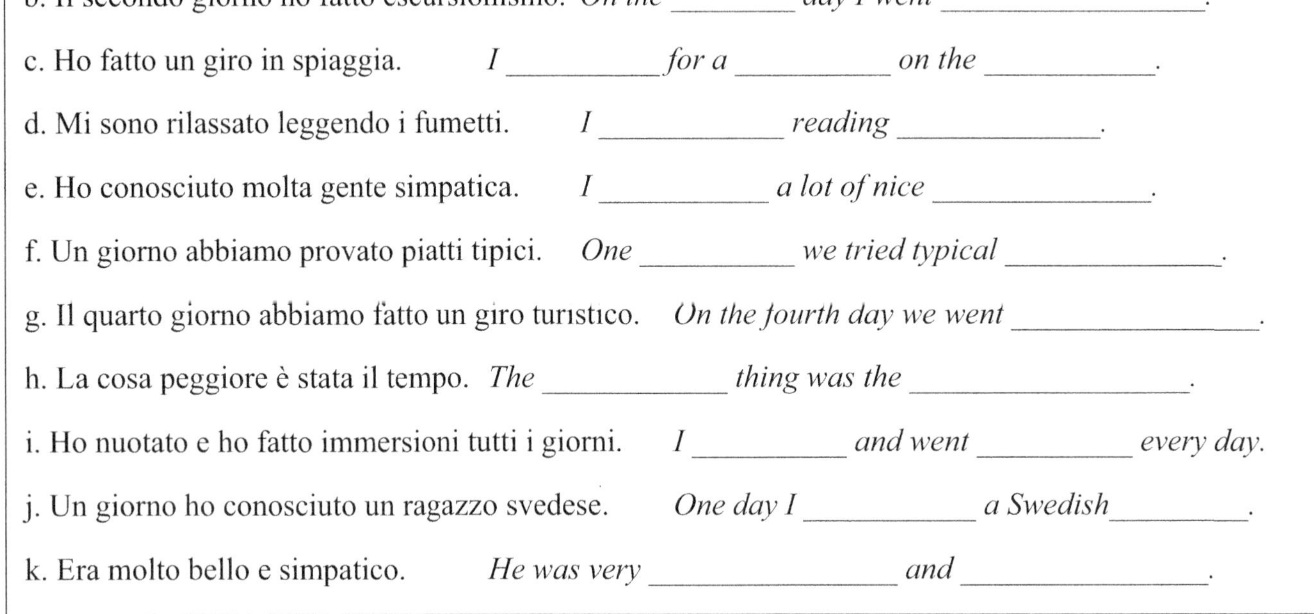

7. Gapped translation

a. Il primo giorno non ho fatto quasi nulla. *On the _________ day, I did hardly _______________.*

b. Il secondo giorno ho fatto escursionismo. *On the ________ day I went __________________.*

c. Ho fatto un giro in spiaggia. *I __________ for a __________ on the ___________.*

d. Mi sono rilassato leggendo i fumetti. *I ____________ reading _____________.*

e. Ho conosciuto molta gente simpatica. *I ___________ a lot of nice ______________.*

f. Un giorno abbiamo provato piatti tipici. *One __________ we tried typical ______________.*

g. Il quarto giorno abbiamo fatto un giro turistico. *On the fourth day we went ________________.*

h. La cosa peggiore è stata il tempo. *The ____________ thing was the _________________.*

i. Ho nuotato e ho fatto immersioni tutti i giorni. *I __________ and went __________ every day.*

j. Un giorno ho conosciuto un ragazzo svedese. *One day I ___________ a Swedish_________.*

k. Era molto bello e simpatico. *He was very ________________ and ________________.*

8. Complete with the correct option

a. Ho affittato ______________.

b. Ho fatto ______________ per il centro città.

c. Non ho fatto ________________.

d. Mi sono rilassato ________________.

e. Ho nuotato __________________.

f. Ho passato ______________ con la mia famiglia.

g. Il _______________ ho fatto molte cose.

h. Ho provato ______________________.

i. Ho visitato la ___________ vecchia.

j. Ho conosciuto _________________ molto bello.

k. Ho comprato vestiti e molti ___________.

l. Ho scattato molte _____________.

foto	piatti tipici	un giro
quasi nulla	una bici	in mare
del tempo	primo giorno	souvenir
un ragazzo	leggendo	città

9. Complete the table

Italiano	Inglese
Ho fatto escursionismo	
Mi sono svegliato/a tardi	
	I took photos
	I tried typical dishes
Il terzo giorno	
Ho passato del tempo	
Ho preso il sole	
	Historic places
	I went clubbing

Paolo: La cosa migliore è stata quando abbiamo fatto una gita a una città storica. C'erano molti edifici antichi e persino un castello. È stato molto interessante.

Eugenia: La cosa migliore è stata quando siamo andati a ballare fino le tre del mattino.

Marta: La cosa migliore è stata quando siamo andati al ristorante vicino all'hotel e abbiamo provato molti piatti locali. Il cibo era così buono!

Carlo: La cosa migliore è stata quando siamo andati a sciare con i miei cugini. È stato molto divertente.

Filippo: La cosa migliore è stata quando siamo andati a vedere uno spettacolo di danza a Catania. È stato fantastico.

Gabriele: La cosa migliore è stata quando mio fratello e io abbiamo conosciuto due ragazze romane in spiaggia. Erano così belle! Ci siamo divertiti molto con loro.

Roberta: La cosa migliore è stata quando abbiamo affittato una moto e fatto un giro per il paese.

Veronica: La cosa migliore è stata quando siamo andati per negozi e ho comprato molti bei vestiti.

10. Find someone who...

a. ...rented a means of transport

b. ...went skiing with relatives

c. ...watched a dance show

d. ...went on a cultural trip

e. ...tried lots of local food

f. ...went shopping and bought clothes

g. ...went dancing until late

h. ...met two pretty girls

11. Find the Italian equivalent

a. The best thing was

b. A motorbike

c. Beautiful clothes

d. We went shopping

e. Near my hotel

f. We tried

g. A dance show

h. I bought

i. We went on a trip

j. It was a lot of fun

k. On the beach

l. So good

m. We met

n. A historic town

o. Even a castle

p. We rented

12. Translate into English

a. Il primo giorno non ho fatto molto.
b. Ho passato del tempo con la mia famiglia.
c. Ho provato piatti tipici.
d. Abbiamo fatto un giro per la città vecchia.
e. Abbiamo visitato luoghi storici.
f. Abbiamo visto spettacoli di danza.
g. Sono andata a letto tardi.
h. Mi sono alzato presto.
i. L'ultimo giorno ho visto una partita di calcio.
j. Ho preso il sole in spiaggia.

13. Anagrams: rewrite the word in bold correctly

e.g. **Oh utanoto** in mare. *e.g.* **Ho nuotato**

a. **Ho otaftifta** una moto. ____________
b. **Mobiaba oftat** un giro in bici. ____________
c. Mio fratello **è danota** in spiaggia. ____________
d. **Ah perso** il sole. ____________
e. **Iabambo tosvi** uno spettacolo. teatrale ____________
f. Non **oh tofta** quasi nulla. ____________
g. **Oh vaoptro** piatti tipici. ____________
h. **Onso danaot** a letto presto ____________
i. I miei genitori **nonah totfa** un giro turistico. ____________

14. Insert *io*, *tu*, *lui/lei*, *noi*, *voi* or *loro* as appropriate.

a. E _______, sei stata per locali?
b. _________ ha visitato luoghi storici.
c. _________ hanno nuotato in mare.
d. _________ hanno fatto un giro per la città vecchia.
e. _________ ha preso il sole in spiaggia.
f. _____________ abbiamo fatto un giro turistico.
g. _____ ho suonato l'ukelele con un mio amico.
h. ____________ è andata a letto tardi.
i. _____________ si sono alzate presto.
j. ___________ hanno visto i Måneskin.

15 Complete the table

Verb	Past – Io	Past – Lei	Past – Loro
Affittare *[To rent]*			Hanno affittato
Passare del tempo *[To spend time]*	Ho passato del tempo		
Prendere il sole *[To sunbathe]*		Ha preso il sole	
Conoscere *[To know/meet]*	Ho conosciuto	Ha conosciuto	
Fare *[To do]*		Ha fatto	Hanno fatto
Andare *[To go]*		È andata	Sono andate
Comprare *[To buy]*		Ha comprato	
Vedere *[To see]*	Ho visto		Abbiamo visto

16. Complete with the correct verb

a.	Il primo giorno a _ _ _ _ _ _ _ f _ _ _ _ una gita	*On the first day we went on a trip.*
b.	I miei genitori h _ _ _ _ f _ _ _ _ escursionismo ogni giorno	*My parents went hiking every day.*
c.	Mio fratello h _ g _ _ _ _ _ _ _ a calcio	*My brother played football*
d.	A _ _ _ _ _ _ _ p _ _ _ _ _ _ _ del tempo con i nostri nonni	*We spent some time with our grandparents.*
e.	Mi s _ _ _ a _ _ _ _ _ _ tardi tutti i giorni	*I got up late every day. (f)*
f.	A _ _ _ _ _ _ _ v _ _ _ _ _ _ _ _ _ luoghi storici	*We visited historic places*
g.	L'ultimo giorno è s _ _ _ _ il migliore	*The last day was the best.*
h.	A _ _ _ _ _ _ _ f _ _ _ _ un giro in centro	*We went for a walk around the centre.*
i.	Mio padre h _ a _ _ _ _ _ _ _ _ _ _ una piccola barca	*My father rented a small boat.*
j.	H _ f _ _ _ _ molte foto di monumenti antichi	*I took many photos of old monuments.*

17. Rock-climbing translation

e.g. On the first day I did hardly anything.

a. One day we rented a bike and went for a ride around the town.

b. In the afternoon I relaxed listening to music and reading.

c. They were unforgettable holidays and I would love to go back.

d. The best thing was when we went clubbing.

e. The day before going back we met two girls from Rome.

tornare.	**nulla.**	locali.	romane.	leggendo.	per il paese.
quasi	e mi piacerebbe	musica e	fatto un giro	per	due ragazze
conosciuto	ascoltando	e abbiamo	indimenticabili	**ho fatto**	siamo andate
rilassato	abbiamo	stata quando	**non**	una bici	vacanze
delle	**giorno**	abbiamo affittato	mi sono	di tornare	migliore è
Il primo	Un giorno	Di pomeriggio	Sono state	La cosa	Il giorno prima
e.g.	a.	b.	c.	d.	e.

18. Guided translation

a. I__ m________________ s______ a__________ i__ s_____________.
In the morning I went to the beach.

b. N____ h__ f________ q________ n________.
I did hardly anything.

c. H__ p____________ m________ t________ c____ i m______ g______________.
I spent a lot of time with my parents.

d. S______ s________ d________ v____________ i_____________________________.
They were unforgettable holidays.

e. M____ f______________ h__ c__________________ u____ r____________.
My brother met a girl.

L'estate scorsa sono andato in Italia con la mia famiglia. Abbiamo viaggiato in aereo e poi abbiamo affittato una macchina. Siamo stati in un hotel molto bello, vicino a Napoli. L'hotel era in riva al mare. Mi è piaciuto molto. Ha fatto bel tempo tutti i giorni e quindi abbiamo potuto andare in spiaggia spesso. Abbiamo passato tutte le mattine in spiaggia prendendo il sole e facendo sport acquatici, immersioni e nuoto. I pomeriggi abbiamo riposato in hotel.
Il giorno prima di tornare in Ecuador siamo andati in gita a Pompei. È stato molto interessante perché è una città storica. Abbiamo visitato le rovine e abbiamo fatto molte foto. La cosa migliore è stata quando mio fratello e io abbiamo conosciuto due ragazze tedesche molto simpatiche e siamo andati a mangiare la pizza con loro. È stato fantastico!
Ogni giorno ci siamo svegliati presto e siamo andati a dormire tardi. Quindi, alla fine delle vacanze eravamo stanchi. Sono state delle vacanze fenomenali e mi piacerebbe tornare in futuro.
(Marcello, 13 anni. Quito)

L'inverno scorso, a dicembre, sono andato a Innsbruck, in Austria. Abbiamo viaggiato in macchina. Siamo stati in un hotel molto bello in montagna. Mi è piaciuto molto perché era molto accogliente e il cibo era delizioso.
Ha nevicato tutti i giorni e quindi abbiamo potuto sciare. Le piste erano magnifiche, però c'era molta gente. Abbiamo passato le mattine sciando e prendendo il sole. I pomeriggi abbiamo riposato in hotel o siamo andati per negozi. I miei genitori hanno comprato molti souvenir e mia sorella e io abbiamo comprato molti bei vestiti.
Due giorni prima di tornare in Scozia abbiamo fatto una gita a Vienna. È stato molto interessante perché è una città molto bella e storica. Abbiamo visitato un palazzo antico, musei e l'opera. Abbiamo fatto molte foto. Inoltre, abbiamo provato i piatti tipici austriaci. Erano deliziosi. Mio fratello e io abbiamo conosciuto molta gente del posto (local people) e abbiamo passato del tempo chiacchierando con loro. È stato molto interessante e divertente.
Sono state delle vacanze indimenticabili e voglio tornare l'anno prossimo.
(Ross, 14 anni. Glasgow)

19. Answer in English

a. How did Marcello travel to Italy?

b. How far was his hotel from Napoli?

c. Where was the hotel?

d. What was the weather like?

e. How did they spend the mornings?

f. What did they do in the afternoons?

g. When did they go on a trip to Pompei?

h. What did they visit?

i. Where were the two girls they met from?

j. Why were they tired by the end of the holidays?

20. Tick the items that you can find (in Italian) in Marcello's text

a. Summer	f. We took many photos
b. Car	g. The best was
c. Near	h. To eat pizza
d. By the shore	i. We went clubbing
e. We were able to	j. First of all

21. Ross' text: find the Italian equivalent

a. Last winter	g. We went shopping
b. We stayed	h. Many souvenirs
c. I liked a lot	i. Nice clothes
d. There was	j. Two days before
e. Many people	k. Typical dishes
f. We rested	l. We met

22. Ross' text: find the Italian

a. A season starting with 'i': ___________

b. A means of transport with 'm': ________

c. An adjective with 'm': ___________

d. A verb with 'r': ________________

e. A verb with 'c': ________________

f. An adjective with 'i': ___________

g. A noun with 's': ________________

h. A verb with 'p': ________________

23. Jigsaw reading: arrange the text in the correct order

L'estate scorsa sono andato in vacanza in	1
vicino al centro. Mi è piaciuto molto l'hotel perché	
spesso in spiaggia. C'era molto da fare	
il cibo del ristorante era delizioso. Ha fatto	
per i giovani e c'erano molti bei	
Germania. Siamo andati in aereo e poi abbiamo	
negozi. Abbiamo comprato molte cose! Io ho	
era molto grande e moderno. C'erano una piscina	
comprato molti vestiti e i miei genitori molti souvenir.	
bel tempo tutti i giorni e quindi siamo andati	
fantastica e una palestra molto ben attrezzata e	
affittato una macchina. Siamo stati in un hotel molto	

25. Tangled translation: rewrite in Italian

a. Un **day** abbiamo fatto **an** gita in **mountain**.

b. Siamo **stayed in** un hotel vicino alla **beach**.

c. Nell'hotel **there were** molte cose da **to do** per i **young people**.

d. Abbiamo mangiato **food** molto **good**.

e. Fortunatamente ha fatto **nice weather** tutti i **days**.

f. Siamo andati **to the beach** spesso.

g. Abbiamo preso **the sun** e **we played** a pallavolo.

h. **We met** gente simpatica. C'erano molti bei **boys**.

i. Di pomeriggio **I went shopping**. Ho comprato **many things**.

26. Translate into Italian

a. *I went hiking*
H _ f _ _ _ _ e _ _ _ _ _ _ _ _ _ _ _ _ _ _

b. *I rented a bike*
H _ a _ _ _ _ _ _ _ _ _ u _ _ b _ _ _

c. *I spent a lot of time*
H _ p _ _ _ _ _ _ _ m _ _ _ _ t _ _ _ _

d. *He played tennis*
H _ g _ _ _ _ _ _ _ a t _ _ _ _ _

e. *He got up late* S _ è a _ _ _ _ _ _ t _ _ _ _

f. *They did nothing*
N _ _ h _ _ _ _ f _ _ _ _ n _ _ _ _

24. Complete with the suitable words

a. Siamo andati in _______________.

b. Il viaggio è stato molto _________.

c. Siamo __________ in un hotel economico.

d. L'hotel era __________ al mare.

e. Ha fatto __________ tutti i giorni.

f. Di mattina _________ in spiaggia.

g. In spiaggia ho___________ e mi sono rilassato ascoltando ________.

h. __________ anche un romanzo.

i. Di pomeriggio abbiamo ____________ per il paese.

j. C'era molto da ____________ per i giovani.

k. C'erano molti __________ negozi e quindi ho comprato ___________.

l. Di notte, mio fratello e io _________ in hotel, ___________ o giocando alla Play.

27. Translate into Italian

a. On the 1st day I visited the old town

b. On the 2nd day I rented a bike

c. On the 3rd day we went sightseeing

d. In the morning I got up late

e. I sunbathed on the beach until noon

f. We went hiking every day

g. Yesterday I went for a walk

h. We swam in the sea

i. We stayed in a cheap hotel

j. At night my parents went clubbing

k. We tried typical dishes

l. The weather was nice every day

28. Complete the following sentences creatively

a. L'estate scorsa sono andato in _______________ con mio ___________________________

b. Abbiamo viaggiato in ________________ e il viaggio è stato_________e ________________

c. Durante il viaggio ____

d. Siamo stati in_______________________ che era______________________________________

e. Il primo giorno ____

f. Il secondo giorno ____

g. Il terzo giorno ____

h. Il quarto giorno abbiamo fatto una gita. Siamo andati a ______________________________

i. Per me, sono state delle vacanze ____

j. L'anno prossimo mi piacerebbe ____

29. Translate the paragraphs into Italian

1. Writing in the first person singular (*io*), include the following points:

Last week I came back from Italy. I spent a week in Rome with my family.

I stayed in a cheap hotel near the train station. My room was small but cozy.

I visited the city centre, many museums, Roman ruins and saw many ancient monuments, churches and palaces.

The best thing was when I met a nice boy from Molise. We had a lot of fun together.

I also went to the beach. The beach was an hour from Rome by car.

2. Writing in the third person singular (*lui*), include the following points:

Two months ago, my older brother went to Italy on his own.

He stayed in a small fishing village *[paese di pescatori]* on the Adriatic coast, an hour away from Venice.

He rented a house by the shore. The house was clean and cozy but there was no [*né*] television nor [*né*] Internet. The beach was great, so he spent every day sunbathing, swimming and going for long walks along the shore.

In the evenings he tried typical dishes and afterwards went clubbing in Jesolo.

3. Writing in the third person plural (*loro*), include the following points:

Last winter your parents went to France.

They spent two weeks in Chamonix on the French Alps.

They stayed in a four-star hotel very near a fantastic ski slope *[pista da sci]*. The view was magnificent. It snowed every day, so there was a lot of snow.

One morning they got up early and skied the whole day.

There were not a lot of people, so it was a lot of fun.

In the evening they ate French food. It was delicious.

Question Skills Unit 12

English	Italiano
Where did you go on holiday last year?	**Dove sei andato in vacanza l'anno scorso?**
How did you travel?	**Come hai viaggiato?**
How long did the trip take? What was it like?	**Quanto è durato il viaggio? Com'è stato il viaggio?**
Where did you stay?	**Dove sei stato?**
Did you like the hotel? Why? Why not?	**Ti è piaciuto l'hotel? Perché? Perché no?**
How many days did you spend there?	**Quanti giorni hai passato lì?**
What did you do on the first day in the morning/afternoon?	**Che cosa hai fatto il primo giorno di mattina/di pomeriggio?**
What was the weather like?	**Com'era il tempo?**
What was the best thing about your holidays?	**Qual è stata la cosa migliore delle tue vacanze?**
Did you like the holidays?	**Ti sono piaciute le vacanze?**
How did the holidays go?	**Come sono andate le vacanze?**
Would you like to go back next year?	**Ti piacerebbe tornare l'anno prossimo?**
How do you prefer to travel, by car or by plane?	**Come preferisci viaggiare, in macchina o in aereo?**
Who do you prefer to travel with, your friends or your parents?	**Con chi preferisci viaggiare, con i tuoi amici o con i tuoi genitori?**

1. Match questions and answers

Questions	Answers
	La cosa migliore è stata quando ho nuotato in mare.
Dove sei andato in vacanza?	Sono stato in un campeggio.
Come hai viaggiato?	Ho viaggiato in aereo perché è molto veloce.
Com'è stato il viaggio?	Preferisco viaggiare in treno perché è comodo.
Dove sei stato?	Mi sono alzato presto e ho fatto colazione con un toast.
Quanti giorni hai passato lì?	Il viaggio è stato breve e rilassante.
Che cosa hai fatto il primo giorno di mattina?	Sono andato in Liguria, vicino a Genova.
Che cosa hai fatto di pomeriggio?	Ho passato una settimana e mezzo lì.
Ti sono piaciute le vacanze?	Dopo mangiato, di pomeriggio, sono andato in spiaggia.
Qual è stata la cosa migliore delle vacanze?	Preferisco viaggiare con i miei amici.
Come preferisci viaggiare?	Sì, mi piacerebbe molto tornare in Liguria.
Con chi preferisci viaggiare?	Sì, molto, sono state delle vacanze meravigliose.
Ti piacerebbe tornare l'anno prossimo?	

2. Write in the missing words

a. Dove _________ in vacanza?	*Where did you go on holiday?*
b. Come hai viaggiato e _________ è stato il viaggio?	*How did you travel and how did the trip go?*
c. __________ preferisci viaggiare?	*How do you prefer to travel?*
d. Dove _________ stato?	*Where did you stay?*
e. _________ hai fatto di mattina?	*What did you do in the morning?*
f. Che __________ ha fatto di pomeriggio?	*What was the weather like in the afternoon/eve?*
g. __________ giorni hai passato lì?	*How many days did you spend there?*
h. Che cosa ___________ di pomeriggio?	*What did you do in the afternoon?*
i. Qual è stata la cosa _________ delle vacanze?	*What was the best thing about the holidays?*
j. Ti ___________ le vacanze?	*Did you like the holidays?*
k. Ti ____________ tornare l'anno prossimo?	*Would you like to go back next year?*

3. Write the questions to the answers below

a.	Sono andato in vacanza in Grecia.
b.	Ho viaggiato in aereo, perché è lontano.
c.	Sono stato in un ostello.
d.	Di mattina ho fatto colazione e sono andato in spiaggia.
e.	Il primo giorno ha fatto molto caldo.
f.	In totale ho passato cinque giorni lì.
g.	Sì, mi è piaciuto molto l'albergo.
h.	La cosa migliore è stata il cibo greco. È delizioso!
i.	Sì, mi piacerebbe tornare un'altra volta.

4. Translate the following questions into Italian

a. Where did you go on holiday last year? ______________________________________?

b. How did you travel? ______________________________________?

c. How do you prefer to travel? ______________________________________?

d. With whom did you travel? ______________________________________?

e. Where did you stay? ______________________________________?

f. How many days did you spend there? ______________________________________?

g. What was the best thing? ______________________________________?

h. Would you like to go back again next year? ______________________________________?

Vocab Revision Workout 6

1. Faulty translation

a.	Non ho sparecchiato la tavola.	*I didn't throw the table.*
b.	Non ho passato l'aspirapolvere in salotto.	*I didn't vacuum the cat.*
c.	Ho messo in ordine camera mia.	*I tidied up my dog's bones.*
d.	Non ho apparecchiato la tavola.	*I didn't clear the table.*
e.	Ho lavato la macchina.	*I washed the coach.*
f.	Non ho fatto nulla.	*I didn't want anything.*

2. Complete with a suitable word
Please ensure no word is repeated

a. Ieri non ho ________ voglia di aiutare.

b. Mi ___________ male la testa.

c. _____________ occupato.

d. _____ ho potuto.

e. _____ faceva male la schiena.

f. _________ molti compiti da fare.

g. Non ____ potuto.

h. Non avevo _____________.

i. Mi faceva male ______ braccio.

j. Non mi _________ ricordato.

3. Translate

a. Non ho potuto fare i compiti. ____________________

b. Non ho aiutato mio padre. ____________________

c. Non avevo voglia. ____________________

d. Ero occupato. ____________________

e. Non ho apparecchiato la tavola. ____________________

f. Non ho fatto nulla. ____________________

g. Mi faceva male il braccio. ____________________

h. Mi faceva male la testa. ____________________

i. Sono solita lavare la macchina. ____________________

j. Non ho portato fuori il cane. ____________________

4. Complete with a suitable word

Marcello: _________ Paolo, come va?

Paolo: Ciao Marcello. Bene, __________?

Marcello: Sto bene. _______ vuoi fare oggi?

Paolo: Oggi mi piacerebbe _______ un giro in bici. E a te?

Marcello: Non so, non mi ______________. Voglio andare al cinema.

Paolo: __________, non c'è problema. Possiamo andare al cinema.

Marcello: Fantastico. A che ________ ci troviamo?

Paolo: __________ alle sette.

Marcello: Molto bene, ____________ ci troviamo?

Paolo: Troviamoci di fronte ________ cinema.

5. Complete with the missing letters

a. D _ _ _?	*Where?*
b. N _ _ posso	*I can't*
c. D _ _ _	*I have to*
d. A d _ _ _	*See you later*
e. Mi _ _ _ _ _ _ _ _ _ _ _	*I would like*
f. Non v _ _ _ _ _	*I don't want*
g. Va b _ _ _	*OK*
h. Non c'è p _ _ _ _ _ _ _	*No problem*

6. Acro-translation: write out the acronym in full

e.g. *I don't fancy it* **NMV: Non mi va**

a. *See you later* **CVD:**

b. *Opposite the cinema* **DFAC:**

c. *I have to do the chores* **DFLFD:**

7. Complete

a. *Where do we meet this evening?*	D______ c__ t______________ s____________?
b. *What do you want to do?*	C____ c______ v______ f______?
c. *OK. No problem.*	V__ b______. N____ c'è p______________.
d. *I have to help my parents.*	D______ a____________ i m______ g______________
e. *Sorry. I don't fancy it.*	M__ d______________. N____ m__ v__.
f. *Let's meet opposite the cinema.*	T__________________ d__ f__________ a__ c__________
g. *I have to tidy the room.*	D______ m____________ i__ o__________ l__ s__________
h. *We can go to the park with them.*	P______________ a__________ a__ p________ c____ l______.
i. *At what time shall we meet?*	A c____ o____ c__ t______________?

8. Sentence puzzle: rewrite the sentences in the correct order

a. non Ieri niente di speciale ho fatto	*Yesterday I didn't do anything special.*
b. un ho L'altro film ieri visto	*The day before yesterday I saw a film.*
c. fine Il le domestiche faccende faccio settimana	*At the weekend I do the chores.*
d. sono scorso uscito mia ragazza Sabato la con	*Last Saturday I went out with my girlfriend.*
e. i devo presto giorni alzarmi Tutti	*Every day I have to get up early.*
f. padre giorni fa scacchi ho giocato con Due mio a	*Two days ago I played chess with my dad.*
g. andrò Stasera spiaggia in	*This evening I am going to go to the beach.*
h. sono ascoltando Ieri musica mi sera rilassato	*Yesterday evening I relaxed listening to music.*

9. Complete with the correct verb in the appropriate tense (past, present or future)

a. Ieri ______ al cinema con la mia amica.	*Yesterday I went to the cinema with my friend.*
b. Due giorni fa ________ un libro molto bello.	*Two days ago I read a very good book.*
c. Venerdì prossimo ______________ allo stadio.	*Next weekend I am going to go to the stadium.*
d. Oggi ________________ studiare inglese.	*Today I have to study English.*
e. Domenica di solito__________________ footing.	*On Sundays I usually go jogging.*
f. Domani mi _____________ presto.	*Tomorrow I am going to wake up early.*
g. Venerdì scorso ____________ con la mia ragazza.	*Last Friday I went out with my girlfriend.*
h. L'altro ieri ____________ al parco.	*The day before yesterday I went to the park.*
i. Oggi non ____________ uscire con loro.	*Today I don't want to go out with them.*
j. Non ____________ fare sport.	*Usually I don't do sport.*
k. Domani _________________a letto tardi.	*Tomorrow I am going to go to bed late.*

Unit 13

Talking about a recent day trip

In this unit you will learn:

- To say what you did from the morning until you went to bed
- To talk about travel routines
- To say what activities you did in the past

Key sentence patterns:

- Time marker + *sono andato* + locative adverbial + prepositional phrase
- *Sono uscito da/di* + noun
- *Sono tornato a* + noun
- Past + noun phrase
- Time marker + *ha fatto* + weather
- *Prima di* + infinitive + past + prepositional phrase

Grammar:

- All persons of the past
- *Prima di* + infinitive of reflexive verbs
- *Per* + noun phrase

UNIT 13: Talking about a recent day trip

Ieri mattina *[Yesterday morning]*	**sono andato/a** *[I went]* **siamo andati/e** *[we went]*	**al lago** **in campagna**	**in piscina** **in spiaggia**	**con i miei**	**amici** **genitori**

Mi sono alzato/a *[I got up]* **Mi sono svegliato/a** *[I woke up]* **Mia madre si è alzata** *[My mother got up]*	**alle otto** **presto** **tardi**	**Ho** *[I had]* **Abbiamo** *[We had]* **Hanno** *[They had]*	**fatto colazione** *[breakfast]*	**in cucina** *[in the kitchen]* **insieme** *[together]*	
I miei genitori hanno dormito fino a tardi *[My parents slept until late]*				**con**	**latte e cereali** **un caffè** **un toast**

Sono uscito *[I left]* **Siamo usciti** *[We left]*	**da/di casa** *[home]*	**alle nove** *[at 9]* **dopo colazione** *[after breakfast]*	**e**	**ho** **abbiamo**	**iniziato il viaggio** *[started the trip]*

Ho viaggiato *[I travelled]* **Abbiamo viaggiato** *[We travelled]*	**in aereo** **in macchina** **in nave** **in treno**	**Il viaggio è durato** *[The trip lasted]*	**un'ora** *[one hour]* **due ore** *[two hours]*	**ed è stato** *[and was]*	**breve** **lungo** **noioso** **piacevole** *[pleasant]*

Di mattina *[In the morning]* **Di pomeriggio** *[In the afternoon]*	**ha fatto** *[it was]*	**bel tempo** *['good weather']* **brutto tempo** *['bad weather']* **freddo/caldo** *[cold/hot]*	**e poi** *[and later]*	**c'è stato un po' di** *[it was a bit]*	**sole** *[sunny]* **vento** *[windy]*
				ha/è piovuto *[it rained]* **ha/è nevicato** *[it snowed]*	

Ho fatto *[I did]* **Abbiamo fatto** *[We did]*	**molte cose,** *[many things]*	**per esempio**	**ho fatto un giro** *[I went for a walk]* **siamo andati a passeggio** *[we went for a walk]*	**in campagna** *[along the countryside]* **in riva al mare** *[along the sea shore]*

dopo *[then]*	**ho ascoltato** **abbiamo ascoltato**	**musica**	**e**	**ho fatto il bagno** *[I swam]* **abbiamo fatto il bagno** *[we swam]*	**ho preso il sole** **abbiamo preso il sole**

Sono tornato *[I returned]* **Siamo tornati** *[We returned]*	a casa	**in macchina**	**e**	**durante il ritorno** *[during the return trip]*	**ho giocato con il cellulare** *[I played on the phone]* **ho letto una rivista** *[I read a magazine]*

Prima di andare a letto *[Before going to bed]*	**ho cenato con la mia famiglia** *[I had dinner with my family]* **ho fatto la doccia** *[I showered]*	**È stato un giorno**	**fantastico/a** **indimenticabile** *[unforgettable]* **noioso/a**
		È stata una gita	

1. Match

Ieri mattina	I got up late
Sono andato in campagna	With my parents
Con i miei genitori	Yesterday morning
Mi sono svegliata presto	I had a piece of toast
Mi sono alzato tardi	I went to the countryside
Ho fatto colazione in cucina	I left the house
Ho mangiato un toast	I woke up early
Sono uscita di casa	The trip was long
Ho viaggiato in macchina	I had breakfast in the kitchen
Il viaggio è stato lungo	The weather was good
Ha fatto bel tempo	I travelled by car

2. Complete

a. Il v _ _ _ _ _ _ è durato tre ore.
b. Mi sono a _ _ _ _ _ alle sei.
c. Abbiamo mangiato i _ _ _ _ _ _
d. Hanno preso il s _ _ _ in spiaggia.
e. Siamo andati in c _ _ _ _ _ _ _ _.
f. Ho camminato in r _ _ _ al mare.
g. Di sera ho c _ _ _ _ _ _.
h. È stata una gita n _ _ _ _ _ _.
i. Ha fatto b _ _ tempo.
j. È stato p _ _ _ _ _ _ _ _ _.
k. Abbiamo nuotato nel l _ _ _.

3. Gapped translation

a. Ieri mattina sono andato in spiaggia.
_____________ *morning I went to the* ___________.

b. I miei genitori hanno dormito fino a tardi tutti i giorni.
My ___________ *slept until* _________ *every* _____.

c. Siamo usciti di casa. *We left* _________________.

d. Siamo andati in piscina. *We went to the* _________.

e. Abbiamo viaggiato in aereo. *We travelled by* ____.

f. Il viaggio è stato lungo. *The journey was* ________.

g. Sono arrivato spiaggia. *I* __________ *at the beach.*

h. Ho fatto molte cose. *I did a lot of* ______________.

i. Ho nuotato, ho preso il sole e ho giocato a calcio.
I ___________, *sunbathed and played* ___________.

4. Arrange in chronological order

Mi sono svegliato alle sei	1
ho fatto colazione con mio fratello.	
siamo arrivati in spiaggia alle nove.	
Per prima cosa abbiamo fatto il bagno.	
otto e abbiamo viaggiato in macchina.	
Siamo tornati alle cinque.	
Poi, alle sei e mezzo	
La spiaggia era magnifica.	
Dopo il bagno, abbiamo preso il sole.	
Il viaggio è durato un'ora e	
Abbiamo fatto un picnic a mezzogiorno.	
Siamo usciti di casa alle	
e mi sono alzato subito.	

5. Break the flow

a. Misonosvegliatapresto
b. Misonoalzatoemisonofattosubitoladoccia
c. Poihofattocolazioneconmiofratello
d. Imieigenitorihannofattocolazionepiùtardi
e. Hoviaggiatoinautobusepoihoaffittatounamacchina
f. Abbiamofattounpicnicinrivaalmare
g. Fortunatamentehafattobeltempo
h. Abbiamonuotatoinmareeabbiamopresoilsole

6. Verb anagrams

a. Mi **onos eglivasto** presto.
b. **Mibaoba gitagivao** in macchina.
c. **Moisa varatiri** in spiaggia verso le nove.
d. La spiaggia **rae** magnifica.
e. Fortunatamente **ah tofta** bel tempo.
f. **Oh ftota** immersioni.
g. Mio padre **ha serpo** il sole.
h. Loro **nonah macomanit** in riva al mare.
i. Mia sorella **ah catogio** a carte con il suo ragazzo.

7. Likely or unlikely?

a. Mi sono svegliato presto, verso le otto del mattino.
b. Poi mi sono lavato il latte e cereali.
c. Ho fatto la doccia in cucina.
d. Siamo usciti di casa alle nove per andare al lago.
e. Il lago era molto vicino, a circa cento chilometri in macchina.
f. Siamo andati al lago in macchina.
g. Il viaggio è stato molto divertente e molto noioso.
h. Siamo arrivati al lago verso le tre del mattino.
i. Fortunatamente, ha fatto bel tempo. C'è stato il sole e ha fatto molto caldo.
j. Abbiamo nuotato nel lago, fatto sci d'acqua, preso il sole e giocato con la neve.
k. Abbiamo fatto un picnic in riva al mare. Il cibo era delizioso.

8. Multiple choice quiz

	1	2	3
Mi sono svegliato	I got up	I woke up	I went to bed
Di mattina	In the evening	At night	In the morning
Prima di andare a letto	Before going to bed	Before getting up	Before lunch
Siamo tornati tardi	We went out late	We got there late	We came back late
Siamo arrivati presto	We left early	We arrived early	We woke up early
Il viaggio è stato lento	The journey was slow	There were lentils	The journey was fun
Abbiamo fatto escursionismo	We went running	We swam	We went hiking
Abbiamo pescato nel fiume	We fished in Brazil	We fished in the river	We fished in the lake
Il viaggio è stato lungo	The journey was short	The journey was large	The journey was long
Abbiamo affittato una macchina	We rented a car	We rented an airplane	We rented a coach

9. Complete with the options in the box

a. Mi sono svegliato __________, alle sei.
b. ________________ con latte e cereali.
c. I miei genitori si ______________ tardi.
d. _____________ di casa verso le otto.
e. Abbiamo fatto una gita in ___________.
f. _____________ un lago molto grande.
g. C'era molta _______________.
h. C'è stato ________ e ha fatto molto caldo.
i. Io ____________ nel lago.
j. Mio fratello ___________ a pallavolo.
k. Mia sorella ___________ sci d'acqua.
l. I miei genitori _____________ il sole.
m. _____________ a casa verso le sei.

sono alzati
ho fatto colazione
sole
campagna
c'era
siamo usciti
ha giocato
gente
hanno preso
siamo tornati
presto
ha fatto
ho nuotato

10. Write *Io, Lui/Lei, Noi* or *Loro* as appropriate

a. _______ ho nuotato.
b. _______ abbiamo fatto.
c. _______ ha fatto escursionismo.
d. _______ abbiamo affittato una macchina.
e. _______ siamo usciti di casa.
f. _______ hanno camminato.
g. _______ ho fatto la doccia.
h. _______ abbiamo nuotato.
i. _______ hanno preso il sole.
j. _______ ha ascoltato musica.

11. Categories

1. Mi sono alzato	2. Ci siamo alzati	3. Hanno fatto una gita	4. Ho ascoltato musica
5. Abbiamo mangiato	6. Ha nuotato nel lago	7. È andato in campagna	8. Ha fatto caldo
9. Abbiamo dormito	10. Ha dormito	11. Hanno giocato a pallavolo	12. Ho camminato
13. C'è stato il sole	14. È andato a letto tardi	15. Hanno fatto molte cose	16. Ha piovuto

Io	Mio fratello	Noi	I miei genitori	Il tempo
1				

12. Sentence puzzle: rewrite the sentences in the correct order

a. al mare una abbiamo Ieri gita fatto

b. presto Ci molto alzati siamo

c. usciti sette verso Siamo le dall'hotel

d. po' viaggio stato Il lungo e è un noioso

e. e mezzo Siamo arrivati le otto in spiaggia verso

f. gente La moltissima era magnifica, però c'era spiaggia

g. genitori il miei sole I hanno preso

h. pallavolo con miei Io ho a nuotato e ho i giocato fratelli poi

i. dovuto Verso tornare abbiamo le ha piovuto e quindi quattro all'hotel

j. Il è noioso stato molto ritorno

13. Translate into English

a. Mi sono alzato presto.

b. Siamo arrivati al lago verso le nove.

c. C'è stato il sole fino le quattro, poi ha piovuto.

d. Non abbiamo fatto niente di speciale.

e. I miei fratelli hanno fatto molte cose.

f. L'acqua del mare era pulita.

g. I miei genitori hanno fatto sci d'acqua.

h. Ho camminato in riva al mare. È stato bello.

i. Siamo tornati al hotel prima dell'ora di cena.

j. Prima di andare a letto ho fatto la doccia.

14. Tangled translation: rewrite in Italian

a. Ieri **morning** mi sono svegliato **at six**.

b. Sono andato in **pool with** il mio **best** amico.

c. Mi sono svegliata molto **early**.

d. Ho fatto **breakfast** con la mia **family**.

e. **I left** di **house** alle **seven**.

f. Abbiamo viaggiato in **car** con mio **dad**.

g. Il viaggio **was** lungo **but fun**.

h. Ha fatto **nice weather** di **morning**.

i. Siamo arrivati in **beach at the** dieci.

j. **The** spiaggia **was** magnifica.

k. **We did** molte **things** insieme.

l. Io ho preso il **sun** ascoltando **music**.

m. Mio fratello **swam** in **sea**.

n. I miei **parents walked** in **shore** al mare.

15. Collocation challenge: put each item where it fits best (using each number only once)

1. acqua	2. gente simpatica	3. in macchina	4. sport	5. una gita
6. tardi	7. un caffè	8. il sole	9. in autobus	10. a pallavolo
11. pollo	12. bei ragazzi	13. una rivista	14. caldo	15. una bici
16. dei fumetti	17. in campagna	18. bel tempo	19. presto	20. a scacchi
21. alle sei	22. belle ragazze	23. a Roma	24. in bici	25. una macchina

Abbiamo affittato			
Abbiamo mangiato			
Abbiamo conosciuto			
Siamo andati			
Abbiamo fatto			
Ha fatto			
Abbiamo giocato			
Ci siamo alzati			
Abbiamo letto			
Abbiamo preso	1		
Abbiamo viaggiato			

16. Spot and add in the missing words

e.g. Mi ***sono*** alzato molto presto.

a. Abbiamo fatto colazione sette.

b. Abbiamo viaggiato autobus.

c. Il è stato lungo e noioso.

d. Di mattina fatto bel tempo.

e. Di pomeriggio abbiamo nuotato mare.

f. Ho preso sole.

g. Miei genitori hanno camminato in riva al mare.

h. Il mio fratello minore ha fatto nulla.

i. Il mio fratello maggiore ha letto libro.

17. Complete with a suitable word

e.g. Ieri abbiamo fatto una ***gita***.

a. Ci siamo alzati ___________________.

b. Per colazione ho mangiato un ________.

c. I miei genitori hanno mangiato _______.

d. Mio fratello non ___________________.

e. Siamo usciti dall'hotel alle __________.

f. Abbiamo viaggiato in _______________.

g. Il viaggio è durato _________________.

h. Siamo arrivati in spiaggia alle ________.

i. Fortunatamente ha fatto _____________.

j. Io ho nuotato _____________________.

k. Poi mio fratello e io abbiamo ________.

l. I miei genitori hanno _______________.

m. A pranzo non abbiamo mangiato molto, solo _______________________.

n. Verso le quattro ha piovuto e quindi abbiamo dovuto _____________.

o. Siamo arrivati all'hotel alle __________.

p. Abbiamo mangiato e ci _____________.

18. Translate the following sentences into Italian

a. I got up early

b. I had breakfast

c. I ate a toast with jam

d. We left the hotel

e. We travelled by car

f. We arrived at nine

g. The journey was long

h. The weather was nice

i. It was hot

j. We swam in the sea

k. We did scuba diving

l. My brother sunbathed

m. He played volleyball

n. My parents rested

o. They read a book

p. They slept

Ciao, mi chiamo Giancarlo e sono di Lucca. Vivo in una casa di periferia, piccola però moderna. Ieri ho passato una giornata fantastica con la mia famiglia. Siamo andati in spiaggia a Forte dei Marmi, una località costiera che si trova a circa quarantacinque, cinquanta minuti in macchina da Lucca. Ha delle spiagge magnifiche e dei ristoranti molto buoni dove si può mangiare del pesce freschissimo.
Di mattina, tutti ci siamo svegliati molto presto e abbiamo fatto colazione in cucina. Io ho mangiato un toast, però mio fratello Paolo non ha mangiato nulla, ha solo preso un caffè. I miei genitori hanno fatto colazione con latte e cereali e una spremuta d'arancia.
Siamo usciti di casa alle nove, dopo colazione e abbiamo iniziato il viaggio. Abbiamo viaggiato in macchina. Amo viaggiare in macchina perché mio padre mette musica che mi piace, come Jovanotti. A mio fratello, invece, non piace viaggiare in macchina perché gli viene una nausea molto forte. Una volta ha persino vomitato in macchina: che schifo!
C'è stato il sole e ha fatto caldo tutto il giorno. Fa quasi sempre bel tempo nella zona. Quando siamo arrivati in spiaggia, abbiamo fatto una passeggiata e abbiamo nuotato in mare. L'acqua era molto bella, pulita e non molto fredda. Dopo, ho giocato a pallavolo con mio fratello. Lui gioca un po' meglio di me, però non mi importa, è comunque molto divertente. Poi ho ascoltato della musica con il mio cellulare e mi sono rilassato prendendo il sole.
A mezzogiorno abbiamo mangiato nel ristorante "Il Pescatore", in riva al mare. Il cibo era molto saporito. Abbiamo mangiato un risotto ai frutti di mare, del pesce e un'insalata.
Siamo tornati a casa in macchina e mio fratello e io abbiamo dormito durante tutto il viaggio. Poi, quando siamo arrivati a casa, ho fatto la doccia e ho letto un libro prima di andare a dormire. È stata una giornata fantastica e mi piacerebbe tornare presto. **(Giancarlo, 13 anni. Lucca)**

19. Find the Italian equivalent

a. I spent a day

b. A coastal town

c. One can eat

d. Very fresh fish

e. We all woke up

f. I had a piece toast

g. We left the house at nine

h. We travelled by car

i. My dad puts on music

j. He really gets car sick

k. Once, he vomited

20. Gapped translation

a. I live in a _____________ but modern _______________ in the ______________ of the city.

b. My parents had ______________ with __________ and an _____________ _____________.

c. I love ___________________ by ________ because my dad puts on ________________ that I __________.

d. We went for a ____________ and then __________ in the ________.

e. We ___________ risotto with _____________, fish and a _________________.

21. Answer the questions in English

a. Where does Giancarlo live?

b. What did his brother have for breakfast?

c. Why does Giancarlo like travelling by car?

d. Why is his brother not a good traveller?

e. What did they do when they got to the beach?

f. What was the water like?

g. Where did they have lunch?

h. What did he do on the return trip?

(1) Ciao, mi chiamo Paolo e sono di Lucca. Sono il fratello minore di Giancarlo. Ieri ho passato una giornata fantastica con la mia famiglia. Sono andato in spiaggia a Forte dei Marmi con i miei genitori e mio fratello Giancarlo. Forte dei Marmi è una località costiera che si trova a quarantacinque minuti in macchina da Lucca. Ha spiagge molto belle e ristoranti eccellenti dove si può mangiare del pesce fresco.
(2) Di mattina mi sono svegliato molto presto e sono andato in cucina. Non ho mangiato nulla, ho solo bevuto un caffè, però mio fratello Giancarlo ha mangiato un toast. I miei genitori hanno fatto colazione con latte e cereali e una spremuta d'arancia.
(3) Siamo usciti di casa alle nove, dopo colazione e abbiamo iniziato il viaggio. Abbiamo viaggiato in macchina. Non mi piace per niente viaggiare in macchina perché mi viene una forte nausea. Una volta ho persino vomitato in macchina, su mio fratello Giancarlo, che schifo! Giancarlo, invece, ama viaggiare in macchina perché mio padre mette musica che gli piace. Il suo cantante preferito è Jovanotti.
(4) C'è stato il sole e ha fatto caldo tutto il giorno. Fa quasi sempre bel tempo a Forte dei Marmi. Quando siamo arrivati in spiaggia siamo andati a passeggio in riva al mare e poi abbiamo nuotato. L'acqua era molto bella: pulita e non molto fredda. Poi ho giocato a pallavolo con mio fratello. Io gioco un po' meglio di lui, ma non è importante. La cosa più importante è divertirsi. Dopo ho letto un libro e mi sono rilassato prendendo il sole.
(5) A mezzogiorno abbiamo mangiato nel ristorante "Il Pescatore". Il cibo era molto saporito. Abbiamo mangiato un risotto ai frutti di mare, del pesce e un'insalata.
(6) Siamo tornati a casa in macchina e mio fratello e io abbiamo dormito durante tutto il viaggio. Poi, quando siamo arrivati a casa, ho ascoltato della musica e ho guardato la televisione prima di andare a letto. Mi piacerebbe tornare presto.

(Paolo, 12 anni. Lucca)

22. Correct the wrong statements (not all are wrong)

a. Forte dei Marmi is a countryside town.
b. It has many dirty beaches and average restaurants.
c. Paolo once threw up on himself while in the car.
d. Giancarlo loves travelling by car because his dad plays his favourite music.
e. The weather is sometimes good at Forte dei Marmi.
f. The water was nice and clean and very warm.
g. When playing volleyball, the most important thing for Paolo is winning.
h. Later on, Paolo relaxed reading a book and listening to music.
i. They returned home by car and the brothers slept for the whole trip.
j. Paolo listened to music and read a book before going to bed.

23. Tick or cross? Tick the sentences below that are contained in Paolo's text and cross the ones that are not

a. Ieri ho passato una giornata fantastica	f. Ama viaggiare in aereo	k. Mi sono rilassato prendendo il sole
b. è una località costiera	g. Jovanotti	l. A mezzogiorno
c. Si possono mangiare frutti di mare	h. Siamo andati a passeggio per la spiaggia	m. Siamo tornati in spiaggia
d. Ho solo bevuto un caffè	i. La cosa più importante è	n. Abbiamo mangiato del buon pesce
e. Una volta ho vomitato	j. Poi ho letto un romanzo	o. Mi piacerebbe tornare presto

24. Translate Part 4 of the text into English

25. Wordsearch: find the Italian translation of the sentences below and write them as shown in the example

W	S	O	N	O	U	S	C	I	T	O	D	I	C	A	S	A	A	V	N	E	C
R	D	I	U	T	N	P	J	J	F	R	H	Y	Z	X	Y	D	Q	S	E	N	O
K	X	T	A	D	B	E	R	C	I	J	K	Q	Z	G	Q	H	V	H	J	O	E
E	K	X	A	M	Z	W	R	O	B	T	O	Z	C	F	V	S	J	Y	S	I	L
C	V	R	J	C	O	R	A	T	T	Y	S	S	V	M	R	H	F	I	L	Z	O
J	L	G	R	W	V	A	K	T	N	A	Y	D	M	D	F	H	È	R	Q	A	S
M	K	A	Y	X	T	X	N	B	Z	I	S	A	Z	P	T	A	V	S	E	L	L
L	T	Q	T	T	U	S	P	D	P	R	O	O	L	J	L	K	B	W	J	O	I
R	W	C	O	T	E	W	G	L	A	L	L	T	P	Z	E	U	I	B	V	C	O
Z	W	F	U	G	C	X	X	Z	F	T	M	H	A	I	Y	I	Z	Q	B	O	S
D	H	E	S	F	L	G	N	G	T	I	I	T	V	I	R	O	D	D	Y	T	E
T	C	E	A	O	I	P	Y	Z	G	B	A	I	E	H	G	O	T	H	S	T	R
X	O	I	P	M	E	S	E	R	E	P	R	X	N	Z	F	G	N	H	E	A	P
U	B	V	S	B	P	L	Z	D	R	G	E	F	L	C	K	J	A	N	N	F	O
N	V	I	B	O	J	T	È	E	S	I	W	F	D	B	A	P	H	I	A	O	N
E	B	D	S	D	D	E	S	F	D	Z	A	Q	L	Y	C	M	Z	I	V	H	N
X	W	K	R	R	L	T	A	I	F	D	L	A	X	K	M	U	P	P	D	O	A
R	Z	A	F	A	O	N	L	L	B	A	F	V	A	E	N	W	C	A	U	N	H
M	E	V	T	A	N	F	P	E	X	C	C	R	E	I	O	K	A	Z	G	F	M
B	K	T	G	I	Q	O	E	T	K	G	V	N	X	B	R	B	D	I	G	N	J
U	O	G	A	L	L	E	N	O	T	A	T	O	U	N	O	M	A	I	B	B	A
O	G	N	U	L	O	T	A	T	S	È	O	I	G	G	A	I	V	L	I	T	I

a. *She got up early*

b. *We went to the countryside*

c. *I had breakfast*

d. *We swam in the lake*

e. *A coffee*

f. *I left home*

g. *I travelled by train*

h. *They sunbathed.*

i. *The journey was long*

j. *They rested.*

k. *For example*

26. Guided translation

a. D _ _ g _ _ _ _ _ _ f _ h _ f _ _ _ _ _ u _ _ g _ _ _ — *Two days ago I went on a trip.*

b. S _ _ _ _ u _ _ _ _ _ _ d _ c _ _ _ p _ _ _ _ _ _ — *We left home early.*

c. A _ _ _ _ _ _ _ v _ _ _ _ _ _ _ _ _ _ i _ m _ _ _ _ _ _ _ _ — *We travelled by car.*

d. I _ v _ _ _ _ _ _ _ ès _ _ _ _ l _ _ _ _ _ en _ _ _ _ _ _ — *The journey was long and boring.*

e. S _ _ _ _ a _ _ _ _ _ _ _ _ _ i _ s _ _ _ _ _ _ _ _ a _ _ _ o _ _ _ — *We got to the beach at eight.*

f. L _ s _ _ _ _ _ _ _ _ _ e _ _ m _ _ _ _ _ _ _ _ _ _ — *The beach was magnificent.*

g. H _ f _ _ _ _ b _ _ t _ _ _ _ _ — *The weather was nice.*

h. M _ _ m _ _ _ _ _ h _ f _ _ _ _ _ s _ _ d'a _ _ _ _ _ — *My mum did water skiing.*

i. H _ p _ _ _ _ _ i _ s _ _ _ eh _ l _ _ _ _ _ u _ l _ _ _ _ _ — *I sunbathed and read a book.*

j. M _ _ f _ _ _ _ _ _ _ _ _ h _ g _ _ _ _ _ _ _ a p _ _ _ _ _ _ _ _ _ — *My brother played volleyball.*

27. Complete with the correct option

Lo scorso fine settimana, il mio amico Gigi ha fatto una __________ in campagna. Si __________ molto presto, verso le sette. Poi ha fatto la doccia, si __________ e ha fatto colazione con la sua famiglia. A __________ ha mangiato un toast e un uovo fritto e ha bevuto __________. Sua sorella, Maria, si è svegliata più tardi, alle otto, e quindi non __________ tempo per fare colazione. Sono usciti di casa alle otto e mezzo e __________ in macchina. Il viaggio __________ più o meno un'ora. Gigi e la sua famiglia __________ in campagna alle nove e mezzo e hanno fatto una passeggiata. Sono andati a un __________ molto grande e bello. Gigi __________ il sole e ha nuotato nel lago, però sua sorella non __________. Lei si è rilassata ascoltando musica e chiacchierando con i genitori. Dopo la nuotata, Gigi si __________ leggendo un libro. La cosa migliore è stata quando Gigi ha visto una colonia di fenicotteri *[flamingos]* nel lago. Ama guardare gli animali. Ha anche fatto delle foto ad alcuni fiori e __________. È stata una giornata molto rilassante.

un caffè	lago	è rilassato	colazione	ha voluto	è svegliato	sono arrivati
è vestito	è durato	gita	ha preso	hanno viaggiato	ha avuto	insetti

Sabato scorso sono stata a casa perché ero malata e mi faceva male la testa. Tuttavia, mio fratello Manuel è andato in spiaggia con i suoi amici.

Manuel si è svegliato molto presto, alle cinque e un quarto. Si è fatto la doccia, si è vestito e ha preso un caffè. Poi è uscito di casa e ha preso l'autobus per andare in spiaggia. Il viaggio è durato due ore, perché casa nostra si trova abbastanza lontano dal mare.

Quando è arrivato in spiaggia, Manuel ha fatto un giro con i suoi amici e poi hanno giocato a pallavolo. È il miglior gioco da spiaggia che ci sia!

Ha fatto molto caldo e quindi hanno fatto il bagno e poi sono andati a un chiosco *[beach hut]* per l'aperitivo.

Di pomeriggio si sono rilassati chiacchierando e suonando la chitarra in spiaggia. Uno degli amici di Manuel è un mago *[legend]* con la chitarra.

Sono tornati a casa alle quattro in autobus. Mio fratello ha detto che è stata una giornata meravigliosa e che la prossima volta andremo insieme. Lo spero!

(Carolina, 13 anni. Piacenza)

28. Find the Italian equivalent in Carolina's text

a. I stayed at home

b. Manuel woke up very early

c. He showered, got changed

d. ...and had a coffee

e. He left the house

f. The trip took two hours

g. When he arrived at the beach

h. Manuel went for a walk

i. They played volleyball

j. They bathed

k. They went to a beach hut

l. They relaxed chatting

m. ...is a legend at playing guitar

n. They returned home at four

o. Next time we will go together

29. Complete the table

Io	Lui/Lei	Loro
Ho pranzato con un panino	Ha pranzato con un panino	
Ho nuotato in mare		Hanno nuotato in mare
	Ha affittato una macchina	
Ho preso il sole		
	Ha camminato in riva al mare	
	Ha giocato a pallavolo	Hanno giocato a pallavolo
		Hanno fatto foto
	Si è alzato/a tardi	
Ho fatto escursionismo	Ha fatto escursionismo	
		Sono andati/e in campagna
Sono tornato/a alle otto		

30. Write two texts in Italian, one in the first person (*io*) and one in third person (*lui/lei*)

- Two days ago, I went on a trip to the countryside with my family.
- I woke up very early, around five.
- I showered, got dressed and had breakfast with my brother.
- I ate a banana and drank coffee with milk.
- My parents got up later.
- We left home at 7:30.
- I travelled by car.
- The journey lasted about an hour.
- I arrived at my uncles' farm *[agriturismo]* at 8.30.
- My brother and I went to the lake with my cousins.
- My parents went hiking with my uncles.
- The weather was very nice, so I swam in the lake and then sunbathed.
- My parents came to the lake later. They sunbathed reading and chatting with my uncle and aunt.
- We had a picnic by the lake.
- After lunch I went hiking alone.
- I saw various animals and took pictures of insects and flowers. It was very relaxing.

- Yesterday, my friend Emiliano went on a trip to the seaside.
- He woke up very early, around 6.
- He showered, got dressed and had breakfast with his family.
- He ate two eggs and drank coffee.
- His brother and sister got up later.
- They left home at around 8:15.
- They travelled by coach.
- The journey lasted about 45 minutes.
- They reached the beach at around 9:00.
- Emiliano and his siblings played volleyball.
- His parents went for a walk on the shore.
- The weather was very hot. So, after volleyball, they all bathed in the sea.
- His parents met friendly people and chatted with them.
- At noon they all ate sandwiches and drank orange juice.
- Then Emiliano sunbathed listening to music. It was very relaxing.
- It was a great day. They all had a blast.

Question Skills Unit 13

English	Italiano
Tell me about a recent trip.	**Parlami di un viaggio recente.**
Where did you go?	**Dove sei andato?**
What time did you wake up?	**A che ora ti sei svegliato?**
What time did you get up?	**A che ora ti sei alzato?**
How did you travel? *How was the trip?*	**Come hai viaggiato?** **Com'è stato il viaggio?**
What did you do in the morning?	**Che cosa hai fatto di mattina?**
What did you do in the afternoon?	**Che cosa hai fatto di pomeriggio?**
What time did you go back home?	**A che ora sei tornato a casa?**
What did you do before going to bed?	**Che cosa hai fatto prima di andare a letto?**
What was the best thing about the day?	**Qual è stata la cosa migliore della giornata?**

1. Match questions and answers

Dove sei andato?	Molto presto, verso le sei del mattino.
A che ora ti sei svegliato?	Un castello medievale e una cattedrale.
A che ora ti sei alzato?	In macchina fino alla stazione e poi in treno.
Come hai viaggiato?	Ho cenato con la mia famiglia in un ristorante tipico.
Com'è stato il viaggio?	Mi sono alzato alle sei e un quarto.
Che cosa hai fatto di mattina?	Sono tornato a casa alle dieci di sera.
Che cosa hai fatto di sera?	Siamo rimasti solo un giorno.
Che attrazioni turistiche hai visitato?	Ho fatto la doccia e sono andato subito a letto.
Quanti giorni sei rimasto lì?	Quando siamo andati in spiaggia. È stato molto divertente.
A che ora sei tornato a casa?	Ho fatto colazione e poi sono andato in spiaggia.
Qual è stata la cosa migliore della giornata?	Sono andato a Bari.
Che cosa hai fatto prima di andare a letto?	Un po' noioso però comodo.

2. Complete with a suitable question word

a. ____________ ti sei svegliato?

b. ______ è stata la cosa migliore della giornata?

c. ____________ hai fatto prima di andare a letto?

d. ____________ hai viaggiato?

e. ____________ giorni sei rimasto lì?

f. ____________ è stato il viaggio?

g. Con ____________ sei andato?

h. ____________ tempo hai passato in spiaggia?

i. ____________ sei tornato a casa?

3. Translate into English

a. Come hai viaggiato?

b. Dove sei andato?

c. Ti sei divertito?

d. Chi hai conosciuto?

e. Che cosa hai visto?

f. Qual è stata la cosa migliore?

g. Quanto tempo hai passato in spiaggia?

h. Com'era il tempo?

4. Sentence puzzle: rewrite the sentences

a. prima hai di Che fatto cosa andare a letto?

b. hai viaggiato Come?

c. il è Come viaggio stato?

d. Che mattina hai cosa fatto di?

e. andato Dove pomeriggio sei di?

f. A svegliato ora che sei ti?

g. A sei che casa a ora tornato?

h. è Qual della giornata la cosa stata migliore?

i. attrazioni Che hai visitato turistiche?

j. stato Quanti lì giorni sei?

5. Spot and correct the mistakes

a. Adove sei andato?

b. Che cosa hai fatto primo di andare a letto?

c. Cosa attrazioni turistica hai visitato? *(2)*

d. Che ora ti sei svegliato?

e. Come ha stato il viaggio?

f. Come hai viagiato?

g. A che ora sei alzati? *(2)*

h. Qual è stata la cosa migliore di il viaggio?

i. Che cosa sei fatto nella pomeriggio? *(2)*

j. Quanto giorni sei rimasto lì?

6. Write a question for each of the answers below

Domande	Risposte
a.	Sono andato a Venezia.
b.	In aereo.
c.	La basilica di San Marco e Palazzo Ducale.
d.	Mi sono alzato molto presto. Alle cinque.
e.	Quando ho conosciuto una ragazza molto bella.
f.	È stato molto noioso.
g.	Tre giorni.
h.	Sono arrivato a casa molto tardi.
i.	La gente era molto gentile e disponibile.
j.	Abbiamo fatto dei giri turistici.

Unit 14

Talking about when I went to the *orange battle* festival

In this unit you will learn:

- To talk about a recent trip to a festival
- To say what you "must" and "must not" do
- To say what activities you did in the past

Key sentence patterns:

- Time marker + *sono andato* + locative adverbial + prepositional phrase
- Past + noun phrase
- *Si deve* + infinitive + noun phrase
- Time marker + expression of weather with *era* and *ha fatto*

Grammar:

- All persons of the past
- *Si deve* + infinitive

Comprami delle arance

MandaRino!

UNIT 14: Talking about when I went to Ivrea's *battaglia delle arance*

Lo scorso fine settimana La settimana scorsa	sono andato/a siamo andati/e	a Ivrea in Piemonte	per partecipare al *[to take part in]* per vedere il *[to see the]*	Carnevale di Ivrea

Sono andato/a	con il mio miglior amico con la mia migliore amica da solo/a	Mi sono svegliato/a *[I woke up]* Lui/lei si è svegliato/a *[He/she woke up]*	alle otto molto presto

Ho viaggiato Abbiamo viaggiato	in	aereo treno	e poi	in	autobus macchina	Il viaggio è stato *[The trip was]*	lungo	però e	divertente duro *[hard]*
Ho affittato *[I rented]* Abbiamo affittato *[We rented]*					delle bici *[some bikes]* una macchina *[a car]*				

La settimana del Carnevale Il giorno della battaglia	sono arrivato/a *[I arrived]* siamo arrivati/e *[we arrived]*	presto *[early]*	per vedere tutti i festeggiamenti *[to see all the celebrations]*

Per partecipare alla battaglia *[To take part in the battle]*	ci sono regole non scritte *[there are unwritten rules]*	ma importanti *[but important (ones)]*
Si deve *[One must]*	fare parte di una squadra di Aranceri *[be part of a team of Aranceri]* rimanere nella zona assegnata *[remain in the designated area]*	
Si devono *[One must not]*	indossare delle protezioni *[wear some protective gear]* indossare la casacca della squadra *[wear the jersey of the team]*	
Non si deve mai *[One must never]*	mancare di rispetto all'avversario *[disrespect the opponent]*	
Non si devono mai*[One must never]*	lanciare/tirare altri oggetti *[throw other objects]*	

Di mattina	era nuvoloso *[it was cloudy]* ha fatto bel tempo c'è stato il sole	però	di pomeriggio	ha fatto freddo c'è stato vento *[it was windy]* ha piovuto un po'

Durante la battaglia delle arance *[During the orange battle]*	io	il mio amico e io
	ho conosciuto molta gente *[I met many people]* ho tirato un sacco di arance *[I threw loads of oranges]* mi sono divertito/a molto *[I had a lot of fun]* mi sono fatto/a un po' male *[I got a little hurt]* mi sono sporcato/a molto *[I got really dirty]*	abbiamo conosciuto molta gente abbiamo tirato un sacco di arance ci siamo divertiti/e molto ci siamo fatti/e un po' male ci siamo sporcati/e molto

Di pomeriggio	sono tornato/a siamo tornati/e	all'hotel	e	ho fatto la doccia ho mangiato bene ho riposato	abbiamo fatto la doccia abbiamo mangiato bene abbiamo riposato

Alla fine	sono andato/a a letto siamo andati/e a letto	alle	dieci. undici.	È stata un'esperienza	incredibile indimenticabile meravigliosa

1. Match

Sono andato a Ivrea	She woke up
Per partecipare al	The trip was hard
Lei si è svegliata	I went to Ivrea
Affittare una macchina	There are some rules
Il viaggio è stato duro	To rent a car
Siamo arrivati presto	To take part in
Ci sono alcune regole	We arrived early
Non si deve mai	To throw other objects
Tirare altri oggetti	It was cloudy
Si deve	One must never
Indossare protezioni	One must
Era nuvoloso	To wear protective gear

2. Missing letters

a. Lo scor__o fine settim__na
b. Son__ andato a Iv__ea
c. Mi sono sve__liata molto presto
d. Il g__orno della bat__a__lia
e. In __uest__ festa
f. C__ sono al__une regole i__portant__
g. Non si __evono lan__iare altri og__etti
h. In mattinat__
i. Dura__te la battaglia delle aranc__
j. M__ so__o fatto un p__' male
k. Mi sono spo__cato mo__to

3. Faulty translation

a. Il mio migliore amico	*My boyfriend*
b. Si è svegliato alle otto	*I woke up at eight*
c. Siamo arrivati presto	*We arrived late*
d. Ci sono regole importanti	*There are no rules*
e. Tirare altri oggetti	*To throw stones*
f. La casacca della squadra	*The team pants*
g. Ha piovuto	*It snowed*
h. Mi sono sporcato molto	*I got really clean*
i. Mi sono divertita molto	*I cried a lot*
j. Sono tornato all'hotel	*I returned home*
k. Sono andata a letto alle dieci	*I woke up at ten*

4. Spot and add in the missing word

a. Ho viaggiato macchina	*I travelled by car*
b. Il viaggio stato lungo	*The trip was long*
c. Il giorno battaglia	*On the day of the battle*
d. Siamo arrivati	*We arrived early*
e. Non devono tirare	*You must not throw*
f. Mattina	*In the morning*
g. Ha piovuto un	*It rained a bit*
h. Mi sono fatto po' male	*I got hurt a little*
i. Sono tornato hotel	*I went back to the hotel*
j. Andata a letto	*I went to bed*
k. Mi sono sporcato	*I got really dirty*

5. Sentence puzzle: rewrite the sentences in the correct order

a. settimana sono andato a Lo Ivrea scorso fine	*Last weekend I went to Ivrea*
b. alla partecipare Per battaglia delle arance	*To take part in the orange fight*
c. arrivati presto Siamo	*We got there early*
d. festa delle In sono questa ci importanti regole	*In this festival there are some important rules*
e. oggetti tirare devono Non si altri	*One must not throw other objects*
f. ha pomeriggio piovuto Di	*In the afternoon it rained a bit*
g. battaglia Durante arance la delle	*During the orange fight*
h. conosciuto Ho gente molta	*I met a lot of people*
i. divertito sono sporcato molto Mi e	*I really had fun and got very dirty*

6. Complete with the verb in the past form

a. Ieri io ________ ____________ a Ivrea *Andare*

b. Il mio amico e io ______________ __________________ in treno *Viaggiare*

c. Mi ________ ____________ presto, alle otto *Alzarsi*

d. __________ ________________ presto *Arrivare*

e. ____ ___________________ molta gente *Conoscere*

f. Io ________ ______________ all'hotel a piedi *Tornare*

g. Noi ______________ ____________ molte arance *Tirare*

h. Mi ________ ________________ molto *Sporcarsi*

i. Sono tornato all'hotel e ____ __________ la doccia *Fare*

j. Poi ____ ________________ *Riposare*

k. Il mio amico e io __________ ____________ a letto alle dieci *Andare*

7. Buona idea o Cattiva idea?
***e.g. Si deve indossare la casacca della squadra*: B (Buona idea)**

a. Sempre si devono lanciare altri oggetti:

b. Si devono indossare protezioni:

c. Durante la battaglia si devono lanciare solo arance:

d. Si deve dormire durante la battaglia delle arance:

e. Si deve arrivare presto per vedere tutti i festeggiamenti:

f. Si devono mangiare molte arance durante la battaglia:

g. Si devono lanciare delle protezioni:

8. Gapped translation

a. Lo scorso fine settimana sono andato a Ivrea	*Last ________________ I went to Ivrea*
b. Per partecipare alla battaglia delle arance	*To ________ _________ in the orange fight*
c. Sono andato con il mio miglior amico, Carlo	*I went with my _________friend, Carlo*
d. Abbiamo viaggiato in treno e poi in autobus	*We ____________ by train and then by coach*
e. In questa festa ci sono regole non scritte	*In this festival there are _________ rules*
f. Non si devono lanciare altri oggetti	*One should not throw __________ objects*
g. Di mattina ha fatto bel tempo	*In the morning the weather was __________*
h. ...però poi di pomeriggio ha piovuto un po'	*...but later in the afternoon it __________ a bit*
i. Durante la battaglia delle arance	*During the Orange ____________*
j. Ho lanciato molte arance e mi sono sporcato molto	*I threw many oranges and got really _______*

9. Translate into English

a. Di mattina

b. Era nuvoloso

c. Però poi ha fatto bel tempo

d. Ho conosciuto molta gente

e. Mi sono fatto un po' male

f. e mi sono divertito molto

g. Abbiamo lanciato molte arance

h. Siamo tornati all'hotel

i. Abbiamo fatto la doccia

j. Siamo andati a mangiare

k. Sono andata a letto alle dieci

l. È stata un'esperienza meravigliosa

10. Sentence puzzle: rewrite the sentences in the correct order

a. andato a partecipare alla Ivrea per battaglia Sono delle arance	*I went to Ivrea to take part in the battaglia delle arance.*
b. Ho in e poi ho aereo una affittato viaggiato macchina	*I travelled by plane and then rented a car.*
c. Il però divertente stato viaggio lungo è	*The trip was long but fun.*
d. Durante delle sono battaglia arance ci la regole alcune	*During the orange battle there are some rules.*
e. Non devono si bottiglie lanciare	*One must not throw bottles.*
f. Si la indossare casacca della deve squadra	*One must wear the jersey of the team.*
g. conosciuto un molto Ho simpatico ragazzo	*I met a very nice boy.*
h. sono Mi molto sporcato divertito sacco sono però un mi	*I got really dirty but I had loads of fun.*

Giuliana: Sono andata al Carnevale di Ivrea e mi è piaciuto molto! Ho tirato un sacco di arance. Un'esperienza unica!

Rosa: Sono andato a Ivrea dieci anni fa e mi è piaciuto abbastanza perché è stato divertente.

Raffa: Ci sono troppe regole. Non si può tirare nulla, solo arance!

Matteo: La cosa migliore è stata che ho conosciuto molta gente simpatica. Inoltre, ha sempre fatto bel tempo.

Sara: Mi sono fatta un po' male. Era come una gran spremuta d'arancia. Che schifo!

Leonardo: Mi sono sporcato molto, però mi sono divertito un sacco. Che bello!

Jaume: Sono tornato all'hotel e ho fatto la doccia. La doccia è stata la parte migliore della giornata.

Veronica: Dopo la battaglia, sono andata a mangiare con i miei amici. Che cibo delizioso!

Dylan: Quando sono andato alla battaglia delle arance ha piovuto di pomeriggio. Per questo non ho conosciuto molta gente.

Natasha: Ci sono molte regole, però sono molto importanti per la sicurezza di tutti.

11. Find someone who...

a. ...thinks there are too many rules

b. ...got really dirty but had a great time

c. ...went to Ivrea a long time ago

d. ...experienced rain in the afternoon

e. ...thinks the rules are important for safety

f. ...thought it was like a big orange juice

g. ...always had nice weather

h. ...went for food straight after the orange fight

i. ...was happy once they were able to get clean

j. ...had a unique experience

k. ...loves that they could meet friendly people

l. ...got a bit hurt and found it disgusting

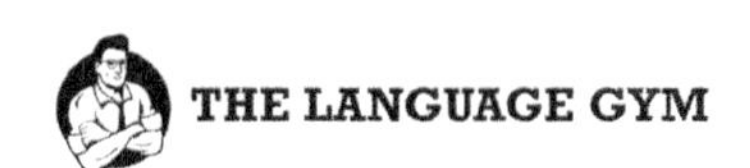

12. Gapped translation

a. Una settimana fa sono andato a Ivrea con la mia miglior amica per partecipare al Carnevale.
A week ________ I ________ to Ivrea with my _________friend to take part in the Carnival.

b. Abbiamo viaggiato in aereo perché è veloce e poi abbiamo affittato una macchina.
We _______________ by plane because it is _____________ and then we rented a ___________ .

c. Il viaggio è stato molto lungo e duro. Mi sono annoiato moltissimo e anche la mia amica.
The ___________ was very long and _________. I got ____________ bored and my friend _____ .

d. Il giorno della battaglia siamo arrivati presto per vedere tutti i festeggiamenti.
On the __________ of the battle we _______________ early to _________ all the celebrations.

e. Se sono sui carri, gli Aranceri devono indossare delle protezioni.
If they are on the carts, the Aranceri ___________________ wear some ________________ gear.

f. Non si devono lanciare né bottiglie né altri oggetti, solo arance.
One should not throw other _____________ nor _______________ , only __________________ .

g. Ho conosciuto molta gente simpatica e mi sono divertito molto. Mi sono anche sporcato un sacco.
I met lots of friendly _____________ and _______ a lot of fun. I also got really ______________ .

13a. Complete the grid with the appropriate past <u>reflexive</u> verb forms

Io	Noi
mi sono alzata	
	ci siamo svegliati
mi sono divertito	
	ci siamo sporcate

13b. Complete the grid with the appropriate past <u>regular</u> verb forms

Io	Noi
ho conosciuto	
	abbiamo riposato
ho viaggiato	
	siamo tornati

14. Complete with suitable words

a. Sono andato a Ivrea per partecipare al __________________ .

b. Sono andata con il mio _______________ .

c. Abbiamo affittato una ________________ .

d. Il viaggio è stato molto _______________ .

e. Siamo arrivati ______________ per vedere i festeggiamenti.

f. Ho conosciuto molta _________________ .

g. Ho indossato delle ______________.

h. Durante la battaglia mi ____________ molto.

i. ________________________ all'hotel perché ero molto sporco.

j. Poi _______________ in un ristorante locale.

k. Alla fine sono ______________ alle dieci.

Ciao, sono Antonio. Lo scorso fine settimana è stato incredibile: sono andato con il mio miglior amico a Ivrea, a nord della città di Torino, per partecipare al Carnevale.
Il mio migliore amico si chiama Cristiano ed è molto simpatico e sportivo. Ama gli sport acquatici, come il windsurf.
Il giorno del viaggio ci siamo svegliati molto presto, alle cinque. Abbiamo viaggiato in aereo e poi abbiamo affittato una macchina. Il viaggio è stato lungo però molto divertente. L'ho passato alla grande ascoltando musica e guardando il paesaggio. Il giorno della battaglia siamo arrivati presto per vedere tutti i festeggiamenti.
Durante la battaglia delle arance ci sono alcune regole molto importanti. Primo, si deve fare parte di una squadra per poter partecipare alla battaglia. È fondamentale per la sicurezza.
Inoltre, non si devono lanciare altri oggetti, solo arance. Altrimenti sarebbe molto pericoloso!
Di mattina ha fatto bel tempo, però poi di pomeriggio ha piovuto un po'.
Durante la battaglia delle arance ho conosciuto molta gente interessante. Il mio amico Cristiano e io non abbiamo lanciato arance, ma ci siamo divertiti moltissimo!
Di sera siamo tornati all'hotel e abbiamo fatto la doccia. Dopo siamo andati a un ristorante locale e abbiamo mangiato. Alla fine, siamo andati a letto verso le undici. È stata un'esperienza indimenticabile. Mi piacerebbe molto tornare un'altra volta.

(Antonio, 18 anni. Cagliari)

15. Find the Italian equivalent

a. *Was amazing*
b. *Take part in*
c. *We woke up*
d. *We rented a car*
e. *We arrived early*
f. *During the battle*
g. *There are some rules*
h. *be part of a team*
i. *The weather was good*
j. *We didn't throw oranges*
k. *We had a blast!*
l. *Later, we went*
m. *An unforgettable experience*

16. Answer the questions in Italian in full sentences, as if you were Antonio

a. Quando sei andato a Ivrea, Antonio?
b. Con chi sei andato?
c. Come hai viaggiato?
d. Quale regola credi che sia importante?
e. Perché si devono lanciare solo arance?
f. Com'era il tempo di mattina?
g. Che cosa hai fatto durante la battaglia delle arance?
h. Che cosa hai fatto quando sei tornato all'hotel?
i. Ti piacerebbe tornare a Ivrea in futuro?

17. Complete the sentences

a. *My best friend is called Cristiano and he is very* _____________ *and* ________________ .
b. *On the day of the trip we* ____________ _____ *very early, at* _____________ .
c. *I had a great time* ____________________ *to music and* _____________________ *the landscape.*
d. *On the day of the festival we got there* _______________ *to see all the* ____________________ .
e. *One mustn't throw other* ________________ . *It would be* _________________ .
f. *In the evening we* ____________________ *to the hotel and we* ____________________ .

Ciao, sono Cristiano. Lo scorso fine settimana è stato abbastanza interessante. Sono andato con il mio miglior amico Antonio a Ivrea, vicino a Torino, per partecipare al Carnevale. Antonio è molto intelligente, però è un po' pigro. Ama suonare l'ukulele, però non fa quasi mai sport. In realtà gli piace solo la musica.
Il giorno del viaggio mi sono svegliato alle cinque. È stato troppo presto! Poi ho viaggiato in aereo e in treno con Antonio. Il viaggio è durato quattro ore ed è stato lungo e duro. Non è stato per nulla divertente. Di fatto, è stato molto noioso. Il giorno della battaglia siamo arrivati molto presto per vedere tutti i festeggiamenti. Non so perché.
Durante la battaglia delle arance ci sono molte regole non scritte. Primo, si deve rispettare l'avversario. Inoltre, si deve fare parte di una squadra ufficiale a piedi o su un carro *(on a wagon)* e si deve portare un costume. Si devono lanciare solo arance. Questo è ovvio. Se no, non si chiamerebbe la "battaglia delle arance"! Di mattina ha fatto bel tempo. Poi di pomeriggio ha piovuto un po' e ha fatto troppo freddo. Non mi è piaciuto per niente il tempo.
Durante la battaglia delle arance non ho conosciuto nessuno. Non ho lanciato delle arance, però mi sono sporcato molto. Odio le arance. Era como una schifosa spremuta d'arancia. È stato orribile.
Di sera sono tornato all'hotel con Antonio e ho fatto la doccia. Meno male! Ho mangiato in un ristorante locale con Antonio e poi sono andato a letto. Ero felice perché quel giorno così terribile era finito. È stata un'esperienza orribile e non voglio tornare mai più.

(Cristiano, 18 anni. Roma)

18. Find the Italian equivalent

a. Was quite interesting

b. To take part in

c. To play the ukulele

d. On the day of the trip

e. It wasn't fun at all

f. To see all the celebrations

g. One must respect the opponent

h. This much is obvious

i. It rained a bit

j. I hate oranges

k. I don't want to return ever again

19. Translate into English the following sentences from the text above

a. Vicino a Torino

b. Mi sono svegliato alle cinque

c. Di fatto, è stato molto noioso

d. Ci sono molte regole non scritte

e. Si devono lanciare solo arance

f. Ha fatto troppo freddo

g. Di sera sono tornato all'hotel

h. È stata un'esperienza orribile

20. Write V (Vero), F (Falso) or NM (Non menzionato) and correct the wrong statements

a. He woke up at five o'clock.

b. He thought it was a fun trip

c. They arrived late on the day of the festival.

d. He does not understand why one cannot throw bottles.

e. He ate many typical dishes.

f. He liked the weather.

g. He hates oranges.

h. He is keen to return next year.

21. Complete the text with the options below

Il mese scorso _________ con mio cugino a Ivrea, per partecipare alla battaglia delle arance. Il giorno del viaggio mi sono svegliato molto presto, alle sei. Ho viaggiato in aereo e poi _____________ una macchina. Il viaggio è stato lungo, ma molto divertente. È andato alla grande _____________ musica e parlando con mio cugino. Il giorno della battaglia siamo arrivati molto presto per vedere tutti i _________. Durante la battaglia delle arance ci sono _________ regole molto importanti. La più importante è che si _______ lanciare solo arance. Di mattina _____________ molto e c'è stata una tempesta, però poi di pomeriggio _______ bel tempo. Durante la _____________ delle arance ho conosciuto molta gente interessante e mio cugino e io ci _____________ molto. Di sera sono tornato all'hotel e ho fatto una _______. Poi sono andato in un ristorante locale con mio _________ e abbiamo mangiato del cibo delizioso: _______ un'esperienza indimenticabile. Mi _____________ tornare un'altra volta l'anno prossimo.

alcune	battaglia	ha piovuto	sono andato	devono	cugino	festeggiamenti
doccia	ho affittato	è stata	ha fatto	siamo divertiti	ascoltando	piacerebbe

22. Jigsaw: arrange the text in the correct order

giorno della battaglia delle arance ha fatto bel	
ho fatto la doccia e ho indossato vestiti puliti.	
L'inverno scorso sono andato a Ivrea per	1
tempo. Durante la battaglia non ho lanciato delle	
e il viaggio è stato abbastanza divertente. Il	
partecipare al Carnevale.	
Dopo la battaglia sono tornato all'hotel,	
È stata un'esperienza fantastica e	
arance, ma ho conosciuto molta gente simpatica.	
Ho viaggiato in treno e poi in autobus	
mi piacerebbe molto tornare in futuro.	

23. Translate the sentences below into Italian using:

(non) si deve/devono + infinitive

a. One must wear protections.

b. One must only throw oranges.

c. One must be part of a team.

d. One must not throw bottles.

e. One must not throw other objects.

f. One must remain in the designated area.

24. Translate the sentences below into Italian using the past tense

a. I woke up

b. I went

c. I travelled

d. I arrived

e. I met

f. I threw

g. I got a bit hurt

h. I had fun

i. I got really dirty

j. I returned

k. I rested

l. I ate

25. Translate the sentences below into Italian using the past

a. We woke up very early.

b. We met many friendly people.

c. We had a lot of fun.

d. We got really dirty.

e. We threw loads of oranges.

f. We ate local food.

26. Guided translation

a. L'i__________ s__________ s______ a__________ a I________

Last winter I went to Ivrea.

b. S______ a__________ c____ i__ m____ m______________ a________ G__________

I went with my best friend Gianni.

c. S________ a__________ p____ p__________________ a__ C________________

We went to take part in the Carnival.

d. C__ s______ a__________ r__________ i__________________

There are some important rules.

e. S__ d__________ l______________ s______ a__________

One must only throw oranges.

f. I__ m________________ h__ p____________, p______ p____ c'è s________ i__ s______

In the morning it rained, but later it was sunny.

g. D____________ l__ B________________ n____ h__ l______________ a__________

During the fight I didn't throw oranges.

h. H__ c__________________ g________ s________________ e m__ s______ d________________ m________.

I met friendly people and I had a lot of fun.

27. Translate the following text into Italian

Hi. My name is Pietro. Last year I went to Italy, to Ivrea near Turin.

I went to take part in the Carnival. I went with my best friend Tommaso. He is kind and funny. We travelled by plane and then by train. The trip was very long but quite fun.

On the day of the orange fight we arrived quite early to see all the celebrations. During the battle there are some important rules. One must not throw other objects, only oranges. Also, one must be part of an Aranceri team to participate.

In the morning, it was cloudy and it was very cold. Later, the weather was nice.

During the orange battle, I did not throw oranges, but I had a lot of fun and I met new people.

In the evening we returned to the hotel, showered and later ate some local food. I went to bed at ten.

It was an unforgettable experience, and I would like to return again next year.

28. Write a 150 to 250 words paragraph in which you talk about a make-believe trip to the battaglia delle arance. Mention:

- When you went.
- Who you went with.
- What they are like.
- How you travelled.
- How the trip was.
- Some of the main rules of the battaglia delle arance.
- Three things you did during the orange fight.
- What you did afterwards.
- Your impressions of the experience.
- Whether you would like to return again one day.

Question Skills Unit 14

Imagine you have just come back from the battaglia delle arance

English	Italiano
Tell me about a recent trip. *Tell me about your trip to Ivrea.*	**Parlami di un viaggio recente.** **Parlami del tuo viaggio a Ivrea.**
Where did you go?	**Dove sei andato?**
How did you travel? How was the trip?	**Come hai viaggiato? Com'è stato il viaggio?**
What did you do on the day of the orange battle?	**Che cosa hai fatto il giorno della battaglia delle arance?**
What are the rules you have to follow during the battle?	**Che regole si devono seguire durante la battaglia?**
What was the weather like in the morning/afternoon?	**Com'era il tempo di mattina/di pomeriggio?**
How was the orange battle? *What happened?*	**Com'è stata la battaglia delle arance?** **Che cosa è successo?**
What did you do in the evening, after the orange battle?	**Che cosa hai fatto di sera, dopo la battaglia delle arance?**
What was the best thing about the day?	**Qual è stata la cosa migliore della giornata?**
How did you find the experience?	**Come ti è sembrata l'esperienza?**
Would you like to return some day?	**Ti piacerebbe tornare qualche giorno?**

1. Match questions and answers

Dove sei andata?	Sì, mi piacerebbe molto.
Con chi sei andata?	Ho viaggiato in aereo e poi abbiamo affittato una macchina.
Come hai viaggiato?	La battaglia è stata molto emozionante e divertente.
Com'è stato il viaggio?	Sono andata con mio cugino.
Dove sei stata?	Ha piovuto di mattina, però poi c'è stato il sole.
Che cosa hai fatto il giorno della battaglia delle arance?	Sono arrivata presto per vedere tutti i festeggiamenti.
Qual è una regola importante?	È stata un'esperienza indimenticabile.
Com'è stata la battaglia delle arance?	Non si devono lanciare altri oggetti, solo arance.
Che cosa hai fatto dopo la battaglia?	Sono andata a Ivrea, vicino a Torino.
Com'era il tempo?	È stato lungo, però il volo mi è piaciuto molto.
Qual è stata la cosa migliore della giornata?	La cosa migliore è stata conoscere gente nuova.
Come ti è sembrata l'esperienza?	Sono tornata all'hotel e ho fatto la doccia.
Ti piacerebbe tornare qualche giorno?	Sono stata in un hotel economico.

2. Sentence puzzle: rewrite the sentences in the correct order

a. Ivrea a del tuo Parlami viaggio. — *Tell me about your trip to Ivrea.*

b. deciso arance andare Perché hai battaglia delle di alla? — *Why did you decide to go to the battaglia delle arance?*

c. stato viaggio viaggiato Come hai com'è e il? — *How did you travel and what was the trip like?*

d. il giorno Che cosa hai fatto della battaglia? — *What did you do on the day of the battle?*

e. mattina tempo Che fatto ha di? — *What was the weather like in the morning?*

f. Ivrea ora A arrivato a che sei? — *At what time did you arrive to Ivrea?*

g. Che fatto cosa sera di hai? — *What did you do in the evening?*

h. stata della giornata è la migliore Qual cosa? — *What was the best thing about the day?*

i. ti sembrata Come l' è esperienza? — *How did you find the experience?*

j. futuro tornare ti in piacerebbe? — *Would you like to return in the future?*

k. cosa arance Che fatto dopo hai delle battaglia la? — *What did you do after the orange battle?*

3. Guided translation

a. Q _ _ _ _ _ s _ _ a _ _ _ _ _ _ a I _ _ _ _ ? C _ _ _ h _ _ v _ _ _ _ _ _ _ _ _ ?
When did you go to Ivrea? How did you travel?

b. C _ _ c _ _ s _ _ a _ _ _ _ _ ?
Who did you go with?

c. C _ _ 'e _ _ i _ t _ _ _ _ d _ m _ _ _ _ _ _ _ ?
What was the weather like in the morning?

d. D _ _ _ s _ _ s _ _ _ _ ? T _ è p _ _ _ _ _ _ _ _ ?
Where did you stay? Did you like it?

e. Q _ _ _ è u _ _ r _ _ _ _ _ _ i _ _ _ _ _ _ _ _ _ _ _ ?
What is an important rule?

f. C _ _ c _ _ _ h _ _ f _ _ _ _ d _ _ _ _ _ _ _ l _ B _ _ _ _ _ _ _ _ _ d _ _ _ _ a _ _ _ _ _ ?
What did you do during the orange battle?

g. Q _ _ _ è s _ _ _ _ l _ c _ _ _ m _ _ _ _ _ _ _ _ d _ _ _ _ g _ _ _ _ _ _ _ ?
What was the best thing about the day?

4. Answer the following questions in your own words, using full sentences

Quando sei andato a Ivrea?

Come hai viaggiato?

Dove sei stato?

Qual è la regola più importante?

Che cosa hai fatto durante la battaglia delle arance?

Che cosa hai fatto dopo?

Ti piacerebbe tornare in futuro?

Vocab Revision Workout 7

1. Gapped translation

a. Il mese scorso siamo andati in Costa Rica.
Last ___________ we went to Costa Rica.

b. Abbiamo viaggiato in aereo e abbiamo affittato una macchina.
We travelled by plane and ___________ a car.

c. Ha fatto bel tempo tutti i giorni.
The weather was __________ every day.

d. Siamo stati in un hotel economico.
We stayed in a ____________ hotel.

e. L'hotel era molto lontano dalla spiaggia.
The hotel was very _________from the beach.

f. Mi è piaciuto molto l'hotel.
I __________ the hotel a lot.

g. C'era molto da fare per i giovani.
There was a lot to do for ____________ .

2. Verb anagrams

a. **È tasto** fenomenale.
It was great.

b. **Ah otfat** bel tempo.
The weather was good.

c. **Imosa idatna** in spiaggia.
We went to the beach.

d. **Soaim atist** in un hotel di lusso.
We stayed in a luxury hotel.

e. In al hotel **care'** una piscina magnifica.
In the hotel there was a great swimming pool.

f. I miei genitori **ahonn taigonam** molto.
My parents ate a lot.

g. Mio fratello **ah aioogct** a tennis.
My brother played tennis.

h. **Baabimo tfaot** giri turistici tutti i giorni.
We went sightseeing every day.

3. Select the correct past form

a. Loro **ha/abbiamo /hanno fatto** i compiti.
b. Io **ho/hai/ha affittato** una macchina.
c. Mio padre **ho/ha/abbiamo pulito** il salotto.
d. I miei fratelli **siamo /siete/sono usciti.**
e. Mia cugina **sono/è/siete venuta** a casa mia.
f. Il mio amico Francesco non **ho/hai/ha giocato** con noi.
g. La mia ragazza e io **ha/abbiamo/hanno visto** la televisione.
h. Lui si **sono/sei/è alzato.**
i. Io **sono/sei/siamo stato** a casa.
j. Noi **sono/siamo/siete andati** al cinema.
k. Loro **hai/ha/hanno studiato.**
l. Lui non **ho/ha/hai mangiato.**
m. I miei amici non **sei/è/sono venuti.**
n. Lui non **ho/ha/hanno letto** il libro.

4. Complete with any suitable verb, using the third person singular of the past (e.g. *è andato, ha fatto, ha comprato, etc.*) to talk about Francesco's last weekend

a. Francesco__________ al centro sportivo con suo padre.
b. Non _________ nulla lo scorso fine settimana.
c. Ieri di pomeriggio ______ un film in tv.
d. __________ in bici al parco.
e. __________ a tennis con suo padre.
f. Si _________ ascoltando musica.
g. Si _________ presto per fare footing.
h. __________ molte foto.
i. _________ a una festa a casa di Paolo.
j. Ieri __________ a pallacanestro.
k. __________ una maglietta.
l. _________ un libro in salotto.
m. Non ___________ in macchina.
n. ___________ musica nella sua stanza.

5. Match questions and answers

Dove sei andato in vacanza?	Un letto comodo, una scrivania, un divano e un televisore.
Quando sei andato?	In un hotel molto caro.
Come hai viaggiato?	Abbiamo affittato una macchina.
Con chi sei andato?	Una piscina molto grande, una palestra e tre ristoranti.
Dove sei stato?	Una settimana.
Dov'era l'hotel?	Era molto spaziosa e ben ammobiliata.
Com'era l'hotel?	A Jesolo, sulla costa.
Che cosa c'era nell'hotel?	Era vicino in spiaggia, in riva al mare.
Quanto tempo sei stato lì?	Con la mia famiglia.
Com'era la tua stanza?	Era lussuoso, molto grande e moderno.
Che cosa c'era nella tua stanza?	Ad agosto.

6. Complete

a. S______ a__________ i__ v____________ i__ G______________. *I went on holiday to Germany.*

b. H__ v________________ i__ a____________. *I travelled by coach.*

c. S______ a__________ l__ c____ l__ m____ f______________. *I went there with my family.*

d. I__ v____________ è s________ n__________. *The journey was boring.*

e. N____ m__ è p______________ m________ l'h________ *I didn't like the hotel much.*

f. C__ s________ d________________ m________. *We had a lot of fun.*

g. S________ s________ i__ u__ o____________. *We stayed in a hostel.*

h. T______________, c'e____ m________ d__ f______. *However, there was a lot to do.*

i. C'e________ u____ p____________ e u____ p______________. *There was a pool and a gym.*

7. Translate into Italian

a. *On the 1st day we visited the museum.*

b. *On the 2nd day we rented a bike.*

c. *On the 3rd day they went sightseeing.*

d. *In the morning she got up late.*

e. *I sunbathed on the beach until noon.*

f. *We went hiking every day.*

g. *Yesterday he went for a walk.*

h. *We swam in the sea.*

i. *We stayed in a cheap hotel.*

j. *At night my parents went clubbing.*

k. *They tried many typical dishes.*

8. Translate into Italian

- Last summer, my older brother went to Italy with his girlfriend.
- They stayed in a small town on the Adriatic coast, an hour away from Venezia.
- They rented a house not far from the beach.
- The house was clean and cosy. There was a television, but there was no Internet.
- The beach was beautiful, so they spent every day there sunbathing, swimming, going for long strolls along the shore and watching sunsets.
- In the evening they went to various restaurants and tried typical local dishes.
- The best thing was when they went diving.

Unit 15

Talking about a day trip to Palermo and Naples – past & future

In this unit you will learn:

- To talk about what I did on a recent day trip
- To talk about an upcoming trip
- Key places to visit and things to do in Palermo and Naples

Key sentence patterns:

- Time marker + past + noun phrase/prepositional phrase
- What I liked the most about + place + *è stato quando* + past
- *Era* + adjective + however + noun + *era/ero* + adjective
- Time marker + future + noun phrase / prepositional phrase

Grammar:

- All persons of the past
- All persons of the future
- Some uses of the imperfect tense

Unit 15: Talking about a day trip to Palermo & Naples – past & future

Un viaggio recente a Palermo

Due giorni fa *[Two days ago]*	**sono andato/a** **siamo andati/e**	**a Palermo**	**Ho viaggiato** *[I travelled]* **Abbiamo viaggiato** *[We travelled]*	**in autobus** *[by coach]* **in macchina** *[by car]*

Il viaggio per Palermo *[The trip to Palermo]*	**è durato tre ore** *[took 3 hours]*	**e mi è piaciuto perché è stato** *[and I liked it because it was]*	**divertente** *[fun]* **interessante** *[interesting]*

A Palermo *[In Palermo]*	**sono stato** *[I stayed]* **siamo stati** *[we stayed]*	**in un hotel**	**Era economico/caro** *[It was cheap/expensive]* **Era pulito/sporco** *[It was clean/dirty]*	**però** **e**	**il personale era** *[the staff was]*	**antipatico** **gentile** **simpatico**

L'hotel era	**vicino**	**al**	**centro** **mercato di Vucciria** *[the Vucciria street market]*	**alla**	**cattedrale** **spiaggia di Mondello** *[Mondello beach]*
	lontano	**dal**		**dalla**	

Quello che mi è piaciuto di più *[What I liked the most]*	**di Palermo** *[about Palermo]*	**è stato quando** *[was when]*	**ho mangiato frutti di mare nel mercato di Vucciria** *[I ate seafood at the Vucciria market]* **ho visitato il Palazzo dei Normanni** *[I visited the Norman Palace]* **sono andato al Teatro Massimo** *[I went to the Massimo Theatre]*

Mi è piaciuto moltissimo *[I loved]* **Ci è piaciuto moltissimo** *[We loved]*	**il viaggio a Palermo** *[the trip to Palermo]*	**e mi piacerebbe** *[and I would like]* **e ci piacerebbe** *[and we would like]*	**tornare l'anno prossimo** *[to go back next year]*

Il prossimo fine settimana... a Napoli!

Domani *[Tomorrow]* **La settimana prossima** *[Next week]*	**andrò** *[I am going to go]* **andremo** *[we are going to go]*	**a Napoli**	**in autobus** *[by coach]* **in treno** *[by train]*	**Il viaggio dura** *[the trip takes]*	**due ore** *[two hours]*

A Napoli *[In Naples]*	**starò** *[I am going to stay]* **staremo** *[we are going to stay]*	**in**	**un hotel** **un ostello** *[a hostel]*	**di fianco** *[beside]* **vicino** *[near]*	**alla Cappella Sansevero** *[Sansevero Chapel]* **a Piazza del Plebiscito** *[Plebiscito Square]*

Il primo giorno *[On the first day]*	**di mattina** *[in the morning]* **di pomeriggio** *[in the afternoon]*	**farò** *[I will do]* **faremo** *[we will do]*	**una passeggiata per** *[I walk around]* **una visita guidata a*** *[guided tour]*	**Castel dell'Ovo** **il lungomare** *[the seafront]* **il Maschio Angioino** **San Gregorio Armeno**

Il secondo giorno *[On the second day]*	**vedrò** *[I am going to see]* **vedremo** *[we are going to see]*	**il Museo Archeologico** *[the Archeological Museum]* **la Napoli Sotterranea** *[Naples Underground]*

Alla fine *[Finally]*	**tornerò a casa** *[I will go back home]* **torneremo a casa** *[we will go back home]*	**in aereo** **in autobus**	**in macchina** **in treno**

Credo che il viaggio a Napoli sarà *[I believe the trip to Napoli will be]*	**fantastico** **indimenticabile**

*** Remember that *a* + *il* = *al***

1. Match

C'era un castello	The people were
È una città storica	It's on the coast
Si trova sulla costa	We stayed
Il viaggio è durato	It was in the centre
La gente era	The journey was
Era in centro	The journey lasted
Siamo stati	The port
Il viaggio è stato	I liked it
Mi è piaciuto	It's a historic city
La cosa migliore è stata	The weather was nice
Era pulito	It was clean
Ha fatto bel tempo	I would like to go back
Mi piacerebbe tornare	There was a castle
Il porto	The best thing was

2. Complete the words

a. U__ c__st__ll__	A castle
b. S__amo s__ati	We stayed
c. La g__n__e	The people
d. Il __ia____io	The journey
e. M__ __ pia____uto	I liked
f. Acco__lie__te	Welcoming
g. La co__a mi__lior__	The best thing
h. Il tem__o	The weather
i. E__a puli__o	It was clean
j. Un gi__o	A walk/a tour
k. Il p__r__o	The port

3. Break the flow

a. DuegiornifasonoandatoaPalermo.
b. Palermoèunacittàstorica.
c. Ilviaggioèstatoabbastanzalungo.
d. Ilviaggioèduratoquasiunora.
e. APalermosiamostatiinunhotel.
f. Lagenteeramoltogentile.
g. Lhotelerapulito.
h. Eramoltovicinoalporto.
i. Abbiamofattomoltecose.

4. Complete with the missing words

a. Due ____________ fa siamo andati a Palermo.
b. Il viaggio è durato due ____________.
c. Palermo è una ____________ storica.
d. Si trova nel ____________ Italia.
e. Abbiamo viaggiato in ____________.
f. Siamo stati in un hotel ___________ vicino al centro.
g. L'hotel ____________ pulito e il personale era gentile e ____________.
h. Ha fatto bel ____________.
i. Abbiamo visitato la ____________ e il ___________.
j. Abbiamo mangiato ____________ in un ristorante tipico vicino al mercato di Vucciria.
k. Abbiamo affittato una bici e abbiamo fatto un ____________ per il centro.
l. Di notte mio fratello maggiore è andato per ____________.
m. Mi piacerebbe molto ____________ a Palermo l'anno prossimo.

frutti di mare	Palazzo dei Normanni	economico	giorni	locali
simpatico	cattedrale	ore	giro	era
città	tempo	macchina	sud	tornare

5. Spot and correct the nonsense sentences

a. Palermo è un hotel storico.
b. Il viaggio è durato un anno.
c. Siamo stati in un hotel.
d. Sfortunatamente ha fatto bel tempo.
e. Abbiamo fatto un giro turistico nella mia stanza.
f. Abbiamo mangiato frutti di mare nella cattedrale.
g. Abbiamo affittato un aereo e visitato la città vecchia.
h. Mio fratello maggiore è andato per locali.

6. Sentence puzzle

a. fa Una famiglia sono mia la andato a con settimana Palermo
b. stato Il viaggio lungo abbastanza è
c. due passato a Palermo giorni Abbiamo
d. sabato Siamo arrivati il mattina
e. stati bello Siamo in un molto hotel
f. al centro vicino era L'hotel
g. una visitato grande molto cattedrale Abbiamo
h. Siamo dei anche a vedere il Normanni andati Palazzo
i. tipici Abbiamo provato piatti molti
j. in un frutti di ristorante mare al porto Abbiamo mangiato vicino ristorante

8. Translate into English

a. Il mese scorso
b. Ho passato due giorni indimenticabili
c. Siamo stati in un ostello
d. Era vicino alla spiaggia, a 5 minuti a piedi
e. Abbiamo affittato una bici e abbiamo fatto un giro turistico
f. Abbiamo fatto molte foto di edifici antichi
g. La cosa migliore è stata quando abbiamo visitato il Palazzo dei Normanni
h. Mi è piaciuto molto anche il cibo locale
i. Abbiamo conosciuto gente simpatica e disponibile

7. Gapped translation

a. La settimana scorsa sono andato a Palermo.
__________ __________ *I went to Palermo.*

b. Ho viaggiato in autobus. È stato molto lento.
I travelled by _________. *It was very* ______.

c. Ci siamo svegliati molto presto.
We woke up ________ __________.

d. Il viaggio è stato lungo e stancante.
The journey was _________ *and* ___________.

e. Siamo stati in un hotel tre stelle.
We stayed in a __________ ________ *hotel.*

f. L'hotel era nel quartiere della Zisa
The hotel was in the _________ *of Zisa.*

g. Abbiamo passato due giorni indimenticabili.
We spent two _________________ _________.

h. Abbiamo mangiato piatti locali buonissimi.
We _________ *very tasty local* ___________.

i. Abbiamo visitato un palazzo molto bello.
We visited a very ____________ ___________.

j. Abbiamo fatto un giro in bici per la città vecchia.
We did a bike tour of the ___________ *town.*

k. Il personale dell'hotel era molto gentile.
The hotel staff was very ______________.

9. Guided translation

a. *Last week*	L_ s________________ s__________
b. *I spent three days in Palermo*	H__ p____________ t____ g__________ a P____________
c. *We travelled by coach*	A____________ v________________ i__ a____________
d. *We stayed in a cheap hotel*	S________ s________ i__ u__ h________ e________________
e. *The hotel was near the port*	L'h________ e____ v__________ a__ p________
f. *We went sightseeing*	A____________ f_________ u__ g________ t________________
g. *One day I rented a bike*	U__ g__________ h__ a________________ u____ b______
h. *I went to see the cathedral*	S______ a__________ a v____________ l__ c________________
i. *We also saw the theatre*	A____________ a_________ v____________ i__ t______________
j. *Near the museum*	V__________ a__ m________
k. *We met two boys*	A____________ c__________________ d_____ r______________
l. *We went to the beach with them*	S________ a__________ i__ s______________ c____ l______

(1) Ciao, mi chiamo Manolo. Ho quindici anni e sono di Chioggia, vicino a Venezia. Amo il mio paese perché è bello e si trova sulla costa. Inoltre, ci sono molte cose da fare per i giovani. Il mio quartiere ha dei buoni ristoranti, una biblioteca e un supermercato. La cosa migliore è che vivo molto vicino alla spiaggia.

(2) Una settimana fa sono andato a Palermo con i miei genitori. Abbiamo viaggiato in aereo perché Palermo è molto lontano da Chioggia! Il viaggio a Palermo è durato più di un'ora in aereo e poi abbiamo affittato una macchina. Mi è piaciuto il viaggio in aereo perché è stato veloce, però il viaggio in macchina è stato molto noioso. A Palermo siamo stati in un hotel abbastanza economico, vicino al centro. Era bello e il personale dell'hotel era molto gentile.

(3) Tutti i giorni mi svegliavo presto. Poi facevo colazione nell'hotel e facevo un giro per la città. Un giorno ho mangiato frutti di mare nel mercato di Vucciria, con la mia famiglia. I frutti di mare erano deliziosi, i migliori che abbia mai mangiato. Un altro giorno sono andato alla spiaggia di Mondello e ho nuotato in mare. È una spiaggia meravigliosa. L'acqua era pulita e calda. I miei genitori non sono andati in spiaggia, ma hanno fatto un giro turistico ogni giorno. Un giorno hanno visitato il Palazzo dei Normanni e il giorno dopo sono andati al Teatro Massimo.

(4) Io penso che i miei genitori siano un po' noiosi e quindi di pomeriggio andavo sempre in spiaggia a Mondello per prendere il sole e rilassarmi. L'ultimo giorno, a Mondello, ho conosciuto una ragazza che si chiama Carmela. È molto intelligente, sportiva e molto simpatica. Abbiamo passato la giornata parlando e giocando a pallavolo. Prima di partire (*before leaving*) mi ha dato il suo numero di telefono! Ci scriviamo ancora tutti i giorni su WhatsApp.

(5) Mi è piaciuto moltissimo il viaggio e mi piacerebbe tornare l'anno prossimo. Mi piacerebbe rivedere Carmela.

(Manolo, 15 anni. Chioggia)

10. Find the Italian equivalent of the following in Parts 1 and 2 of Manolo's text

a. It is on the coast

b. There are many things to do

c. The best thing is

d. We travelled

e. The car trip was boring

f. We stayed

g. The people in the hotel were very nice

11. Complete the statements below based on the content of Parts 3 & 4

a. Every day Manolo woke up ___________.

b. After breakfast he went______________ in town.

c. One day he ate ______________ at Vucciria.

d. It was the _________ he has ever had.

e. The water was __________ and ________.

f. His parents didn't go to ________________.

g. One day his parents visited the ___________ and the __________ day the Massimo Theatre.

h. He thinks his parents are a bit _____________.

12. Tick the words/phrases contained in part 4 and cross out the ones that aren't

a. However	f. It was sunny
b. Always	g. To sunbathe
c. Went for a walk	h. Beach
d. On the last day	i. We called each other
e. Boring	j. We write to each other

13. Answer the following questions about Manolo's whole text

a. Why did Manolo take a plane to Palermo?

b. What kind of hotel did he stay in?

c. What did he think of the seafood?

d. Why didn't his parents go to the beach?

e. What did he do in the afternoons?

f. What is Carmela like?

g. What 2 things did they do on the beach?

h. What does he say about Carmela?

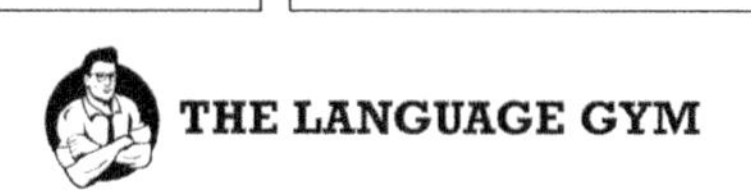

14. Complete the table

English	Italian
Tomorrow	
	Il viaggio dura
	Viaggeremo
By car	
	In aereo
	Starò
We are going to stay	
	La cosa migliore sarà
On the first day	
	Il secondo giorno
	Visiteremo
	Faremo un giro turistico
We are going to try	
We are going to eat	

15. Complete with a suitable word

a. Domani ______ a Napoli.

b. Andrò lì con mio ___________.

c. Viaggeremo in ____________.

d. Staremo in un ________.

e. per colazione berrò ___________________.

f. Affitteremo una ___________.

g. Visiteremo tutti i ___________ storici della città.

h. Io farò molte __________.

i. Il primo giorno vogliamo ___________ il Museo Archeologico di mattina.

j. Di pomeriggio ________ pesce.

k. Il secondo giorno faremo un ____________ per la città vecchia.

l. Sarà molto ________________.

16. Slalom translation

e.g. We are going to spend two days a Napoli.

a. It is a wonderful city in the south of Italy.

b. Maybe we are going to rent a bike for two days.

c. Our hotel is near the main street.

d. The journey lasts more or less an hour.

e. We are going to stay in a cheap hotel.

f. I am going to go for a walk in the old town.

g. My brother is going to take loads of pictures.

h. I will try the typical dishes of the region.

i. I think the trip will be exciting.

Passeremo	in	**giorni**	nel sud	due giorni**.**
È	**due**	più o	vicino alla	economico.
Magari	che	un	sarà	strada principale.
Il nostro	dura	giro	**a**	Italia.
Il viaggio	affitteremo	il viaggio	meno	un'ora.
Staremo	farà	si trova	hotel	**Napoli.**
Farò	hotel	un	per	città vecchia.
Mio fratello	un	piatti	per la	foto.
Proverò	una città	una bici	tipici	emozionante.
Credo	i	bellissima	sacco di	della regione.

17. Multiple choice: choose the correct translation

	1	2	3
a. Starò	I am going to stay	I am going to go	I am going to leave
b. Usciremo	We are going to try	We are going to go out	We are going to rent
c. Viaggeremo	We are going to travel	We are going to visit	We are going to return
d. Mi divertirò	I am going to divert	I am going to travel	I am going to have fun
e. Riposerò	I am going to sleep	I am going to rest	I am going to disco
f. Proverà	He is going to try	He is going to probe	He is going to eat
g. Comprerà	She is going to sell	She is going to borrow	She is going to buy
h. Affitterò	I am going to buy	I am going to rent	I am going to try
i. Vedranno	They are going to visit	They are going to go	They are going to see
j. Ballerò	I am going to sing	I am going to dance	I am going to play
k. Andranno	They are going to go	They are going to stay	They are going to see

18. Complete with the correct option

a. ____________ pesce.

b. ____________ un giro per il parco Virgiliano.

c. ____________ la Cappella Sansevero.

d. ____________ una bici.

e. ____________ dei souvenir.

f. ____________ un giro turistico nei Quartieri Spagnoli.

g. ____________ in un hotel economico.

h. ____________ in macchina.

i. Mio fratello maggiore ____________ per locali di notte.

j. Mia madre ____________ le vetrine dei negozi.

k. I miei genitori ____________ foto ai monumenti.

l. Andremo a ____________ per il lungomare.

farò	affitterò	comprerò	andrà
farò	starò	visiterò	passeggiare
guarderà	mangerò	viaggerò	faranno

19. Complete the table

Past	Immediate future
Ho viaggiato in macchina.	
	Mangerò.
Sono stato in un hotel.	
	Dove andrai?
Che cosa hai fatto?	
	Mio fratello andrà per locali.
Mia madre ha comprato souvenir.	
	Mio padre farà foto.
Mio fratello e io abbiamo comprato vestiti.	
	Prenderemo il sole.
I miei genitori hanno visitato musei.	

(1) Ciao, mi chiamo Veronica. Sono di Bergamo, nel nord Italia, però vivo in Grecia. L'anno scorso sono andata in vacanza a Napoli, nel sud Italia. Sono andata con la mia migliore amica, Sofia. Abbiamo viaggiato in autobus da Bergamo a Milano e poi abbiamo preso il treno fino a Napoli. Il treno veloce in Italia si chiama *Frecciarossa* e va veloce come una freccia! Il viaggio in treno dura solo quattro ore e mezza.

(2) A Napoli, Sofia e io siamo state in un ostello in centro città, vicino a Piazza del Plebiscito (a dieci minuti a piedi). Il primo giorno, di mattina, siamo andate a passeggio per il lungomare. Il lungomare è bellissimo e ci sono molte cose da vedere, come il Castel dell'Ovo. Di pomeriggio siamo andate in un ristorante locale e abbiamo mangiato una pizza deliziosa.

(3) Il secondo giorno, di mattina siamo andate al Museo Archeologico. La mia scultura preferita è stata la Testa di Cavallo di Donatello, però a Sofia è piaciuta un'altra scultura che si chiama il Toro Farnese. Di pomeriggio non abbiamo fatto niente di speciale, siamo andate a passeggio per la città e abbiamo riposato in ostello. Siamo andate a letto presto perché eravamo stanche.

(4) Mi è piaciuto moltissimo il viaggio. Credo che Napoli sia la mia città italiana preferita. Quindi, quest'anno tornerò a Napoli! La settimana prossima andrò a Napoli in treno. Il primo giorno, di mattina, andrò a fare una passeggiata per San Gregorio Armeno e i Quartieri Spagnoli. Poi vedrò la Cappella Sansevero. Di pomeriggio uscirò sul lungomare e mangerò una pizza in un ristorante locale molto famoso.

(5) Il secondo giorno, di mattina visiterò il Maschio Angioino. Ho visto delle foto ed è molto grande e bello. Poi, di pomeriggio, voglio fare una passeggiata per Spaccanapoli. È la via principale della città e la divide in due.

(6) Ho molta voglia di vedere uno spettacolo teatrale e di mangiare pizze deliziose. Credo che il viaggio a Napoli sarà emozionante.

(Veronica, 18 anni. Bergamo)

20. Answer the following questions about Parts 1 to 3 of Veronica's text

a. Where does Veronica live?

b. Who is Sofia?

c. How did they travel to Milan?

d. What is the *Frecciarossa* and why was it given this name?

e. Where in Naples did they stay?

f. What did they do in the morning and afternoon on the first day?

g. What did they do in the morning and afternoon on the second day?

h. What was Sofia's favourite sculpture?

i. Why did they go to bed early on day two?

21. Complete the translation of Part 4

I loved the ___________. I ___________ that Naples is my favourite __________ in Italy. Therefore, this year I am going to __________ Naples again! Next _________ I am going to _______ to Naples by _________. On the __________ day, in the morning, I am going to go for a _________ along San Gregorio Armeno and the _________ neighbourhood. After that I am going to Sansevero ________. In the ________ I am going to go out on the ____________ and eat pizza in a very ________________ local restaurant.

22. Find the Italian equivalent in the text

a. As fast as an arrow	j. I loved the trip
b. Only lasts	k. Therefore
c. A youth hostel	l. I am going to return
d. Many things	m. The main road
e. In the afternoon	n. Really famous
f. Delicious	o. I have seen photos
g. By Donatello	p. I really feel like
h. Sofia liked	q. A theatre play
i. Nothing special	r. I believe that

23. Complete the text below choosing from the options provided

Ciao, mi chiamo Alessandro. _________ di Genova, nel nord Italia, però _________ in Spagna. L'anno scorso _________ in vacanza a Palermo, nel sud Italia. ________ con il mio miglior amico Marco. Palermo ________ molto lontano da Genova. __________ in treno da Genova fino a Napoli e poi __________ la nave fino a Palermo. Non mi ____________ per niente la nave. Mi è venuta la nausea *[I felt sick]* e ho dovuto vomitare in una borsa di __________. Il viaggio in nave da Napoli a Palermo ________ più o meno dieci ore.

è	ho viaggiato	abbiamo viaggiato	vivo	è piaciuta
carta	sono andato	abbiamo preso	sono	è durato

24. Complete the sentences below with a suitable verb in the past

a. L'anno scorso _________ a Palermo.
b. ____________ in aereo.
c. Poi______________ una macchina.
d. Il viaggio ____________ un'ora e mezza.
e. A Palermo ________________ in un hotel economico.
f. _____________ molte cose a Palermo.
g. Il primo giorno ______________un giro turistico per il centro e _________ molte foto.
h. Il secondo giorno _________ in un ristorante locale molto famoso e __________ pesce.
i. i. ________caldo, quindi _________ in mare e _________ il sole. _________ fantastico!

25. Gapped translation

a. L'anno _ _ _ _ _ _ sono andato in vacanza a Napoli.	*Last year I went on holiday to Naples.*
b. Non mi è _ _ _ _ _ _ _ _ _ viaggiare in autobus.	*I didn't like travelling by coach.*
c. … però mi è piaciuto _ _ _ _ _ _ _ _ _ _ _ il treno.	*…but I loved the train.*
d. Il _ _ _ _ _ giorno mi sono svegliato _ _ _ _ _ _ _.	*On the first day I woke up early.*
e. A Napoli _ _ fatto _ _ _ tempo.	*A Naples the weather was nice.*
f. Ha _ _ _ _ _ _ _ _ solo un _ _ _ _ _ _ _.	*It only rained on one day.*
g. _ _ _ _ _ _ _ _ _ preso il treno _ _ _ _ a Napoli.	*We took the train to (until) Naples.*
h. I _ _ _ _ genitori non sono andati _ _ spiaggia.	*My parents didn't go to the beach.*
i. Di pomeriggio, _ _ _ abbiamo fatto _ _ _ _ _ _ nulla.	*In the evening we did hardly anything.*
j. La cosa _ _ _ _ _ _ _ _ _ _ è stata _ _ _ _ _ _ _ _ _ _ la Cappella Sansevero.	*The best thing was visiting Sansevero chapel.*

26. Translate into Italian

a. Last year
b. We went on holiday
c. To Palermo
d. In the south of Italy
e. It is a wonderful city
f. On the coast
g. We travelled
h. By train
i. We rented a bike
j. We stayed
k. In a cheap hotel
l. In a hostel
m. It was in the centre
n. Near the main street
o. We went for a walk
p. In the old town

(1) Mi chiamo Dylan e sono di Londra. Normalmente vado in vacanza in Portogallo con la mia famiglia. Ci piace perché c'è sempre sole e fa bel tempo. Abbiamo viaggiato in aereo da Londra a Lisbona (la capitale del Portogallo) e poi abbiamo preso un autobus fino ad Algarve, che si trova al sud del paese. I miei genitori e io andiamo sempre a Tavira e ci piace perché la gente è molto gentile e simpatica e il cibo è buonissimo. A Tavira si può vedere un antico ponte romano e si può andare in spiaggia. Per me, la cosa migliore sono le strade tipiche e il cibo locale.

(2) Il mese scorso, siamo andati in vacanza a Bath, nel sudovest dell'Inghilterra. Abbiamo viaggiato in treno e il viaggio è durato tre ore. Siamo stati tre giorni in un hotel vicino al centro città. Il primo giorno abbiamo visitato le terme romane e siamo andati a passeggio per la città. Mi sono piaciuti gli edifici antichi. Ci sono molti edifici con finte finestre. Che curioso! Il secondo giorno siamo andati a fare un giro in canoa lungo il fiume con una guida. Mi è piaciuta moltissimo Bath.

(3) L'anno prossimo andrò a Gibilterra con il mio amico Roberto. Gibilterra è una città britannica al sud della Spagna. Lì la gente parla inglese e anche spagnolo. È molto strano, ma divertente. Viaggeremo in aereo. Il viaggio dura due ore e mezzo. Staremo nel *Caleta Hotel*, uno dei migliori hotel della città. Le stanze sono comode e hanno un'eccellente vista mare.

(4) Il primo giorno, di mattina, visiteremo i giardini botanici e poi andremo a bere un caffè nella città vecchia. Voglio visitare un bar che si chiama *Sacarello's*, che è uno dei bar più antichi d'Europa. Di pomeriggio andremo alla Rocca per fare un giro. Ci sono molte cose da fare alla Rocca: si possono vedere le scimmie, fare foto dello stretto *[the straits]* di Gibilterra e dell'Africa e si può visitare una grotta enorme, la grotta di San Michele. A Roberto e a me piacerebbe anche vedere le spiagge. Ce n'è una che si chiama *La Caleta*, come a Malaga. Credo che sarà un viaggio molto emozionante e divertente.

(Dylan, 19 anni. Londra)

27. Find the Italian equivalent

a. It is always sunny
b. We took a coach
c. One can see
d. The typical streets
e. The trip lasted
f. We stayed
g. I liked the old buildings
h. I am going to travel
i. A British city
j. One of the best hotels
k. We are going to visit
l. There are many things to do
m. Take pictures of the straits
n. There is one which is called

28. Answer in English

a. Why does Dylan like Portugal?
b. Why do Dylan and his family like Tavira?
c. What can one see in Tavira?
d. What did they do in Bath on the 2nd day?
e. When is he going to go to Gibraltar?
f. What languages do they speak there?
g. What can you see from the hotel rooms?
h. Where are they going to have a coffee on the first day?
i. What is special about Sacarello's?
j. What two things can you do on the Rock?
k. What is "la Caleta"?
l. Where else can you find a "Caleta"?

29. Translate the following into English

a. Il sud del paese
b. La cosa migliore
c. Il mese scorso
d. Siamo stati
e. Gli edifici antichi
f. Con finte finestre
g. La gente
h. Hanno un'eccellente vista mare
i. Per fare un giro
j. Sarà un viaggio molto emozionante

30. Spot and correct the mistakes with the verbs. HINT: not all the verbs are wrong

a. Ieri lei sono andato in vacanza a Napoli.
b. I miei genitori avete fatto delle gite ogni giorno.
c. Mio fratello maggiore non ha fatto nulla.
d. Noi viaggeranno in macchina.
e. I miei genitori hai affittato una bici.
f. Io ha fatto un giro per il centro.
g. Mia madre compreranno dei souvenir.
h. Io andrà in spiaggia.
i. Lei prenderà il sole.
j. Noi sono andato alla città vecchia.
k. I miei fratelli ci siamo divertiti.
l. Lei proverai il cibo locale.
m. Io ha fatto molte foto.
n. Mio padre ha riposato in hotel.

31. Complete with *io*, *tu*, *lui/lei*, *noi*, *voi* or *loro* (any gender)

a. (__________) Siamo andati per negozi.
b. (__________) Viaggerai in macchina?
c. (__________) Hanno viaggiato in macchina
d. (__________) Che cosa avete fatto a Napoli?
e. (__________) Non ha fatto niente di speciale.
f. (__________) Mi sono divertito molto.
g. (__________) Faranno gite ogni giorno.
h. (__________) Visiterò il parco.
i. (__________) Che cosa farai a Napoli?
j. (__________) Come ha viaggiato?
k. (__________) Siamo stati in un hotel.
l. (__________) Hanno mangiato a Palermo.
m. (__________) Ha conosciuto un ragazzo
n. (__________) Passerà una settimana a...

32. Translate the following texts into Italian

1. My name is Filippo and I am from Fiuggi, in central Italy. Normally I go on holiday to Aosta, in the northwest of Italy. I like it a lot, but it always rains. Last year I went on holiday to Naples, in the south of Italy, with my best friend Carlo. Carlo is very tall and funny. We went to Naples by train and we stayed in a hostel. In Naples we went for a walk in the town centre and we bought souvenirs. One day we saw a theatre play. It was an exciting trip and I would love to go back again.

2. My name is Giancarlo and I am from Ancona, in central Italy, but to the east, on the Adriatic coast. Normally I go on holiday to Rome. I like it a lot because the people are very nice. Last year I went on holiday to Venezia, in the northeast, with my girlfriend Maria. Maria is clever and hard-working. We went to Venezia by coach and we stayed in a cheap hotel. We saw Saint Mark Basilica and we went to the beach. One day we went for a *gondola* trip. It was a fun trip and we would like to go back again next year.

3. My name is Carola and I am from Lecce, in the south of Italy. Normally I go on holiday to Portugal. I like it a lot because the weather is good and the food is delicious. Last year I went on holiday to Genoa, in the north of Italy, with my best friend Anna. Anna is strong and very kind. We went to Genoa by plane and we stayed in a luxury hotel. We saw the aquarium and we also visited the cathedral. The best thing was the people and the food. It was an interesting trip and I would like to go back again some day.

Question Skills Unit 15

1. Match questions and answers

Dove sei andato?	In autobus.
Come hai viaggiato?	Ho visto molti monumenti e antiche rovine.
Com'è stato il viaggio?	C'è stato il sole tutti i giorni.
Dove sei stato?	Ho fatto un giro turistico e ho visitato i monumenti.
Che cosa hai visto?	La gente era molto accogliente e disponibile.
Che cosa hai fatto a Palermo?	A Palermo, nel sud Italia.
Che luoghi hai visitato?	È stato molto lungo e stancante.
Com'era il tempo?	Sì, mi piacerebbe molto.
Che cosa ti è piaciuto di più di Palermo?	Ho visitato un museo, il Palazzo dei Normanni e la cattedrale.
Come ti è sembrata la gente?	La cosa migliore è stata il cibo, ovvio.
Ti piacerebbe tornare un giorno?	In un ostello molto bello.

2. Sentence puzzle: rewrite the sentences in the correct order

a. in vacanza estate Dove l' andato sei scorsa? — *Where did you go on holiday last summer?*

b. ti è gente di Come sembrata la Napoli? — *What did you think of the people from Naples?*

c. tempo durante Come le il era vacanze? — *What was the weather like during the holidays?*

d. città piaciuto Che cosa più di ti è della? — *What did you like the most about the city?*

e. piacerebbe lì ti Perché tornare? — *Why would you like to go back there?*

f. storici hai Palermo Che visitato luoghi a? — *What historic places did you visit a Palermo?*

g. di Che hai fatto cosa sera? — *What did you do in the evening?*

h. farai estate cosa prossima Che l'? — *What are you going to do next summer?*

i. andrai vacanza Con in chi? — *With whom are you going in holiday?*

3. Guided translation

a. D______ s____ a__________ l__ s__________ f______ s________________? — *Where did you go last weekend?*

b. C______ h____ v________________? — *How did you travel?*

c. C____ c____ h____ v________________? — *With whom did you travel?*

d. Q__________ g__________ s____ s________ l__? — *How many days did you stay there?*

e. C____' è s________ i__ v____________? — *How did the trip go?*

f. D______ s____ s________? — *Where did you stay?*

g. C____ c______ h____ f________ n____ p________________? — *What did you do in the afternoon?*

h. Q________ l__________ h____ v______________? — *What places did you visit?*

i. C____'e ____ i__ t________? — *What was the weather like?*

j. C____ c______ t__ è p______________ d__ p____? — *What did you like the most?*

4. Write a question for each of the answers below

Questions	Answer
a.	Viaggerò in treno.
b.	Resterò due settimane.
c.	Ha fatto bel tempo.
d.	Mi sono divertito molto.
e.	Ho fatto escursionismo e arrampicata.
f.	Sono andata con la mia famiglia.
g.	I miei genitori hanno fatto molti giri turistici.
h.	Abbiamo visto molti monumenti antichi.
i.	Siamo stati in un hotel di lusso.
j.	L'hotel era vicino alla spiaggia.

5. Spot and correct the mistakes in the Italian sentences

a. Come sei andato in Italia? *When did go to Italy?*

b. Con che cosa hai viaggiato? *With whom did you travel?*

c. Come sono stato il viaggio? *How was the journey?*

d. Quando sei stato? *Where did you stay?*

e. Che luoghi hanno visitato? *What places did he visit?*

f. Perché non ti piace? *Why did you not like it?*

g. Che cosa avete fatto di pomeriggio? *What did they do in the afternoon?*

h. Ti piacerebbe rimanere lì? *Would you like to go back there?*

6. Translate into Italian

a. Where did you go?

b. Who did you go with?

c. How long did you stay there?

d. Where did you stay?

e. What was the hotel like?

f. What did you do in the morning?

g. What did you do in the afternoon?

h. What did your parents do?

i. Would you like to go back one day?

Printed in Great Britain
by Amazon